Empresas y empresarios
en la historia de Chile: 1930-2015

IMAGEN DE CHILE

338.610983
E55e   Empresas y empresarios en la historia de Chile: 1930-2015
        /Manuel Llorca-Jaña y Diego Barría (editores)
        1a. ed. – Santiago de Chile: Universitaria, 2017.
        284 p.: il., grafs., tablas; 15,5 x 23 cm. – (Imagen de Chile)
        Incluye bibliografías.

        ISBN: 978-956-11-2565-0

1. Empresas – Chile.   2. Empresarios – Chile.
3. Empresas familiares – Chile – Historia.
I. Llorca-Jaña, Manuel, ed.   II. Barría, Diego, ed.

Texto compuesto en tipografía *Palatino LT Std* 11/13

Se terminó de imprimir esta
PRIMERA EDICIÓN
en los talleres de Salesianos Impresores S.A.,
General Gana 1486, Santiago de Chile,
en diciembre de 2017.

DISEÑO DE PORTADA
Norma Díaz San Martín

DIAGRAMACIÓN
Yenny Isla Rodríguez

ESTE PROYECTO CUENTA CON EL FINANCIAMIENTO DE
FONDECYT REGULAR 1150161

www.universitaria.cl

Manuel Llorca-Jaña y Diego Barría Traverso

Editores

Empresas y empresarios en la historia de Chile: 1930-2015

FACULTAD DE
ADMINISTRACIÓN
Y ECONOMÍA

UdeSantiago
de Chile

La publicación de esta obra fue evaluada
por el Comité Editorial de Editorial Universitaria
y revisada por pares evaluadores especialistas en la materia,
propuestos por Consejeros Editoriales de las distintas disciplinas.

EDITORIAL UNIVERSITARIA

Índice

Introducción

Historia empresarial de Chile en el siglo XXI[1]

Manuel Llorca-Jaña[2] y Diego Barría Traverso[3]

A partir de 2008 diversos casos de colusión de las farmacias, el papel higiénico y los pollos, junto con el escándalo de "La Polar", y su efecto en los ahorros de las personas afiliadas a las Administradoras de Fondos de Pensiones (AFP), han generado un debate en la sociedad chilena en torno a los efectos que la conducta empresarial tiene sobre el acceso a bienes de primera necesidad y servicios sociales, como las pensiones. De igual forma, los casos de financiamiento irregular de la política han hecho evidentes los lazos que el empresariado tiene en el ámbito político. Si bien en la década de los años 1990 existió un consenso en torno a que el llamado modelo chileno combinaba la aceptación de la economía de mercado y la democracia[4] y se planteó que las relaciones entre el empresariado y los partidos políticos eran un factor que ayudaba a la estabilidad del proceso de transición a la democracia[5], hoy en día esto parece ser puesto en duda. En este sentido, la discusión hoy se ha centrado en mirar críticamente el rol de los empresarios en la historia de Chile[6] y en analizar la crisis de legitimidad de la economía de mercado en Chile[7]. Por lo anteriormente dicho, el análisis sobre el rol de los empresarios como sujetos y de las empresas, como organizaciones sociales, resulta relevante para entender el Chile actual.

La historia de la empresa en Chile

La historiografía chilena cuenta con una tradición de estudios sobre aspectos económicos. Sin embargo estas miradas se centran en los merca-

---

[1] Este libro recibió financiamiento del proyecto FONDECYT regular N° 1150161.
[2] Profesor titular, Departamento de Economía, Universidad de Santiago.
[3] Profesor asociado, Departamento de Gestión y Políticas Públicas, Universidad de Santiago.
[4] Jáksić y Drake 1999.
[5] Rehren 1995.
[6] Salazar 2007.
[7] Mayol 2012.

dos o industrias específicas. De hecho, no existe una tradición de historia empresarial en Chile. ¿Por qué? Luis Ortega[8] respondió a esta pregunta en los siguientes términos: 1) la historia empresarial es un campo relativamente nuevo en Chile, y por lo tanto débil institucionalmente (debilidad que persiste hasta 2017)[9]; 2) entre 1927 y 1974 el Estado chileno fue el principal actor en la economía: solo desde mediados de la década de los años 1970 el sector privado comenzó a ocupar un rol protagónico en la economía, y por lo tanto antes de 1974 la empresa privada resultaba poco atractiva como objeto de estudio (aunque este segundo argumento no explica por qué tampoco se desarrolló una literatura abundante sobre las empresas estatales creadas bajo el proyecto industrializador)[10]. Un tercer factor podría ser que, producto de la convulsionada historia política de Chile, marcada por la dictadura de Pinochet, tanto la historia social como la política han encontrado muchos más adeptos entre los historiadores chilenos, que la historia empresarial, e incluso la económica, lo que resulta comprensible. Ligado a lo anterior, muchas veces se cree que estudiar a la empresa es estudiar al empresario, y dado que en muchos sectores el empresario es visto como un villano, existen muchos prejuicios por derribar para alentar a colegas a imbuirse dentro de la disciplina. La historia empresarial en caso alguno pretende ensalzar la figura del empresario, sino más bien entender cómo los mismos, o sus empresas, se comportan.

Un cuarto factor es la falta de bibliografía en castellano. Recién en el año 2007 se publicó el primer manual serio de historia de la empresa en lengua castellana[11]. Antes de eso casi no existían libros de texto base para guiar un curso teórico sobre historial empresarial (sobre todo internacional). Respecto de Chile en particular, prácticamente no existe nada en términos de manuales o de una historia empresarial de Chile. Sin embargo, como ya hace el grupo de historia empresarial de Colombia en los cursos enseñados en la Universidad de Los Andes, bien podrían usarse artículos y capítulos de libros, "sueltos", sobre Chile, como el esqueleto

---

[8]   Ortega 1999.
[9]   En rigor, la historia empresarial como tal existe desde la década de los años 1920, o sea, en el momento que Ortega escribe ya tenía 70 años de existencia, pero es cierto que en Chile era poco conocida en ese entonces. De hecho, podríamos decir que hubo muchos trabajos de historia empresarial, pero que incluso varios de sus autores ni siquiera estaban conscientes que los mismos se enmarcaban dentro de esta disciplina.
[10] Ortega 1999: 60.
[11] Valdaliso y López 2007.

para enseñar, por ejemplo, un curso de historia empresarial de Chile, en lugar de recurrir necesariamente a un manual base. En efecto, este libro podría ser una muy buena alternativa para tales efectos, apoyado por una plétora de muy buenos trabajos anteriores[12].

Finalmente, no existe en Chile una cultura empresarial que persiga preservar archivos y dar libre acceso a los mismos a investigadores nacionales o extranjeros, como ocurre en tantos otros países donde la historia empresarial está mucho más desarrollada que en Chile. En nuestro país los archivos empresariales se destruyen pasado cierto tiempo[13] o, en el mejor de los casos, si se conservan, el acceso a los mismos es restringido por un entendible secretismo vinculado al mundo de los negocios. No ha sido preocupación del empresariado chileno conocer más de su propia historia. Esto presenta un desafío para los historiadores de la empresa en Chile: ¿cómo cautivar al empresariado para acceder a sus archivos? En el caso de las empresas del Estado, si bien existe documentación sobre varias de ellas en el Archivo Nacional de la Administración, este material no ha sido mayormente utilizado para conocer el origen, desarrollo y, en muchos casos, la desaparición de dichas compañías.

Este libro forma parte de un esfuerzo desarrollado en la Facultad de Administración y Economía de la Universidad de Santiago de Chile por fomentar el estudio de la historia de las empresas y las instituciones públicas. En 2014 se creó el Centro Internacional de Historia Económica, Empresarial y de la Administración Pública (CIHEAP)[14], y en julio de 2015 se realizó en Santiago de Chile la conferencia "Historia empresarial en Chile y América Latina", con el apoyo de la Universidad de Talca (sede Santiago) y el financiamiento de CONICYT, a través del proyecto Redes

---

[12]   Por ejemplo, Nazer 1994 y 2000; O'Brien 1980, 1982 y 1989; Montero 1990 y 1997; Muñoz 1995; Oppenheimer 1982; Lefort 2010; Gárate 2012; Lagos 1960 y 1966; Blakemore 1974 y 1989; Bauer 1990, entre otros mencionados en la bibliografía. En el caso de las empresas públicas existen algunos trabajos que, de forma general, explican la aparición de empresas estatales bajo el contexto industrializador (por ejemplo, Ortega *et al.* 1989; Ibáñez 2003; Fermandois 2005). A estos se suman algunos trabajos sobre las privatizaciones de las empresas estatales, principalmente, en la década de los años 1980 (véase Monckeberg 2001; Gárate 2012). Recientemente ha habido un resurgimiento de los estudios sobre empresas públicas en América Latina (Chávez y Torres 2013; Guajardo y Labrador 2015). Es de esperar que, siguiendo este renacer del tema, en los próximos años aparezcan nuevos trabajos.

[13]   Ortega 1999: 81.

[14]   El CIHEAP fue creado en la FAE a principios de 2014, siendo entonces decana la Sra. Silvia Ferrada. Su director ejecutivo es el Dr. Diego Barría. Más detalles de nuestro centro se encuentran disponible en: http://www.ciheap.usach.cl/.

140023 de CONICYT[15], que persigue promover la cooperación entre centros de investigación chilenos y sus pares en el extranjero. En este caso, los centros involucrados fueron el CIHEAP y el grupo de historia empresarial de la Universidad de Harvard (Business History Initiative de la Harvard Business School[16]), dirigido por el profesor Geoffrey Jones, aunque la iniciativa también contó con el valioso apoyo de muchos colegas de otras instituciones, tanto chilenas como extranjeras[17].

El propósito principal de esta iniciativa es promover la investigación y enseñanza de la historia empresarial en la academia chilena, donde ha sido largamente ignorada[18]. No es que no existan historiadores de la empresa en nuestro país[19], pero a nivel institucional el sistema universitario chileno no cuenta con centros o unidades (dentro de departamentos de negocios, administración, historia, economía o administración, por ejemplo) que se dediquen a investigar temas ligados a la historia empresarial como parte de sus actividades regulares. Asimismo, en Chile no se dictan cursos de historia empresarial, salvo esporádicamente en la Facultad de Administración y Economía de la Universidad de Santiago y en la Universidad Adolfo Ibáñez. El diagnóstico sobre el estado actual de la disciplina en Chile aparentemente es desolador, pero estamos optimistas que dicha situación puede revertirse en el mediano y largo plazo. Esperamos que la creación misma del CIHEAP, las recientes publicaciones

[15] Estamos muy agradecidos del apoyo financiero entregado por CONICYT (Redes 140023), del apoyo de la Facultad de Administración y Economía de la Universidad de Santiago (en particular de Silvia Ferrada, Jorge Friedman, Lilibette Correa y Orlando Balboa), y de la Universidad de Talca (en particular el apoyo entregado por Arcadio Cerda, Bernardita Escobar y Patricio Sánchez).

[16] Este es el centro líder mundial en historia empresarial; más detalles de sus actividades y cuerpo académico se pueden encontrar en http://www.hbs.edu/businesshistory/Pages/default. aspx. Es además el centro más antiguo de su tipo a nivel mundial.

[17] Estamos particularmente agradecidos del apoyo brindado por Geoffrey Jones, Rory Miller, María Inés Barbero, Andrea Lluch, Bernardo Bátiz-Lazo, Carlos Dávila, Gonzalo Islas Rojas, Bernardita Escobar, Luis Ortega, Erica Salvaj, Ricardo Nazer, Juan Navarrete, Jaime Rosenblitt, Cristián Ducoing, y Montserrat Pacull.

[18] Ortega 1999: 60.

[19] Nos gustaría resaltar en particular algunos de los trabajos de Nazer 1994, 2000, Ortega 1982, 1984, 1991-1992, 1999, 2012, Couyoumdjian 1974-1975, 1986, 2000, Cavieres 1999, Islas 2011, 2013, y Silva 1977a y 1977b. Otros trabajos de historia netamente empresarial son los de Vargas y Martínez 1982, Vargas 1976, Salazar 1985, 1991 y 1994. Otros trabajos importantes de historiadores chilenos, pero que bien podrían clasificarse más como historia económica que como historia empresarial, serían los de Valenzuela 1990, 1992 y 1996; Véliz 1961 y 1975; Fernández 1983; Villalobos 1987; y Mamalakis 1977. Por último, Ortega 1999, contiene una larga y detallada lista de trabajos en la frontera entre historia económica e historia empresarial, no solo de autores chilenos, sino también de autores extranjeros escribiendo sobre Chile.

de sus miembros en historia empresarial[20], el proyecto REDES 140023 antes comentado, así como la difusión de este libro, contribuyan a dar el puntapié inicial para tales efectos.

Asimismo, en el Doctorado en Administración de la Universidad de Santiago se acaba de incluir algunas sesiones de historia empresarial en el curriculum, y lo mismo ocurriría prontamente en su MBA. Esto incidirá en el desarrollo de tesis de posgrado en temas de historia empresarial, fomentando así la investigación al interior del plantel. En otras universidades también vemos razones para ser optimistas. En la Universidad del Desarrollo, por ejemplo, Erica Salvaj[21] y Juan Pablo Couyoumdjian acaban de publicar un artículo en la prestigiosa revista *Business History*[22] (la profesora Salvaj ya lo había hecho antes en *Busines History Review* y en *Enterprise & Society*, publicando así en las tres principales revistas de la disciplina a nivel mundial[23], lo que constituye un récord espectacular para un académico residente en Chile)[24]. Los profesores Ricardo Nazer y Gonzalos Islas, de la Universidad Alberto Hurtado y la Universidad Adolfo Ibáñez, respectivamente, también tienen importantes publicaciones en el área (ver Bibliografía) y aún más auspiciador, ambos gozan de agendas de publicación particularmente prometedoras. Bernardita Escobar, por su parte, fue recientemente finalista del Coleman Prize, entregado por la Association of Business Historians del Reino Unido a la mejor tesis doctoral en historia empresarial, y planea dictar un curso de historia empresarial en la Universidad de Talca.

---

[20] Barría 2015; Betancourt 2012; Llorca-Jaña 2009, 2011, 2013, 2014a, 2014b, 2015.

[21] El caso de la profesora Salvaj es interesante porque, sin ser historiadora de la empresa propiamente tal, es un buen ejemplo de cómo colegas de otras disciplinas (estrategia y administración en este caso), pueden estudiar el desarrollo histórico de los negocios, y publicar sus resultados al más alto nivel. Esto pone de manifiesto una posible estrategia a seguir en Chile por parte de los historiadores para promover la historia empresarial: invitar a colegas de otras disciplinas a participar de proyectos de investigación conjuntos.

[22] Salvaj y Couyoumdjian 2016. Antes de esta publicación solo Llorca-Jaña 2009, 2011, había publicado artículos que tuviesen a Chile como principal objeto de estudio.

[23] Otras revistas importantes del área son la francesa *Enterprises et Histoire*, la japonesa *Japan Business History Review*, y la alemana *Zeitschrift fur Unternehmensgeschichte*.

[24] Bucheli y Salvaj 2014 y 2013. Para que el lector se haga una idea de la importancia de estas publicaciones, antes de Bucheli y Salvaj 2013 y Llorca-Jaña 2014, la última vez que se publicó un artículo en *Business History Review* sobre historia empresarial en Chile fue en 1989, escrito por Thomas F. O'Brien (el único trabajo anterior a este fue el de Oppenheimer en 1982). Vale decir, tuvieron que transcurrir casi 25 años para que la revista más prestigiosa del área publicase un estudio sobre Chile. En *Enterprise & Society*, por su parte, una revista mucho más joven, iniciada recién en el año 2000, nunca se publicó un artículo con anterioridad al de Bucheli y Salvaj que tratase sobre historia empresarial en Chile, marcando así otro gran hito.

La experiencia internacional y desarrollo del campo de estudio

Dicho lo anterior, aunque la historia empresarial sea vista como un tema relativamente novedoso en Chile, existen prestigiosas unidades académicas en el mundo que se han dedicado a investigarla y enseñarla al más alto nivel académico (tanto en pregrado como en posgrado) desde hace ya varias décadas. Entre ellas destacan instituciones tales como la Harvard Business School (ver link anterior), el centro para historia de la empresa de la Copenhagen Business School[25], el grupo de historia empresarial de la Universidad de Los Andes en Bogotá-Colombia (el más importante en América Latina, y segundo más antiguo a nivel mundial, liderado por Carlos Dávila)[26], el centro de historia empresarial internacional de la Henley Business School de la Universidad de Reading en Inglaterra (liderado por Mark Casson[27]), el centro de historia empresarial de la Universidad de Glasgow en Escocia[28], la unidad de historia empresarial de la London School of Economics dirigida por Terry Gourvish hasta su reciente retiro, y el grupo de la Universidad de Bocconi en Milán (que cuenta con notables colegas como Franco Amatori y Andrea Colli)[29], entre muchas otras. En Harvard en particular, donde comenzó la disciplina en la década de los años 1920, aún se publica trimestralmente la primera y más prestigiosa revista académica de la disciplina (*Business History Review*, desde 1954), se enseñan cursos electivos de historia empresarial que gozan de gran popularidad (e.g. hasta el 50% de los alumnos del MBA los eligen), se conservan excelentes colecciones históricas de empresas y empresarios en la Baker Library, y desde 2012 la historia empresarial fue designada como una de las áreas estratégicas de la Harvard Business School.

Conscientes del letargo de la disciplina en Chile, el profesor Geoffrey Jones, sin duda uno de los historiadores más influyentes en la historia de la disciplina[30], inauguró la conferencia Redes de julio 2015 con una eficaz

---

[25] Ver http://www.cbs.dk/en/research/departments-and-centres/department-of-management-politics-and-philosophy/centre-business-history.

[26] Para más detalles, ver web del grupo: https://administracion.uniandes.edu.co/index.php/es/grupos-de-investigacion/historia-y-empresariado-grupos.

[27] Para mayores antecedentes, ver: http://www.henley.ac.uk/research/research-centres/the-centre-for-international-business-history/.

[28] http://www.gla.ac.uk/schools/socialpolitical/research/economicsocialhistory/businesshistory/.

[29] Para mayores detalles de sus trabajos, ver: http://faculty.unibocconi.it/andreacolli/, y http://faculty.unibocconi.eu/francoamatori/.

[30] El profesor Jones tiene un envidiable récord de publicaciones, incluyendo casi 40 libros (entre libros propios y editados), más de 40 artículos en revistas especializadas y más de 35 capítulos

exposición sobre "qué es historia empresarial y por qué es importante"[31]. En dicha ponencia queda claro que la historia empresarial envuelve el estudio de la historia de empresarios, empresas y sistemas de negocios, fundamentalmente usando archivos históricos, pero también entrevistas e historia oral para periodos más recientes[32]. Podríamos agregar que la historia empresarial también se preocupa de la interacción de empresas y empresarios con el sistema político, económico y social, así como del impacto de los cambios tecnológicos (y de la innovación en un sentido más amplio) en la economía, todo esto a nivel micro y macroeconómico, poniendo especial acento en la importancia de entender cambios en el tiempo[33].

En este ejercicio, historiadores de la empresa, en lugar de testear hipótesis como en otras disciplinas afines, lo que normalmente realizan son generalizaciones basadas en investigación empírica enfocada en una compañía, mercado o industria[34], lo cual no le resta validez intelectual a la disciplina. La metodología de investigación más usual es de corte cualitativo, aunque no es raro encontrar trabajos que empleen métodos más bien cuantitativos. Esto quizás marca una gran diferencia con historia económica[35], sobre todo con aquella más cercana a la cliometría. No obstante, hay muchos puntos de convergencia entre la historia económica y la historia empresarial[36]. De hecho, la historia empresarial estudia los cambios acaecidos en los sistemas de producción, comercialización y dirección de empresas, y cómo estos cambios han impactado en el cre-

de libros. A modo de ejemplo, vale destacar que es coeditor del *Oxford Handbook of Business History* y del *Business History Around the World*. Publicó además importantes libros sobre multinacionales. El último de ellos se titula *Beauty Imagined: A History of the Global Beauty Industry*.

[31] Todas las ponencias de la conferencia fueron publicadas como artículos en la revista *Contribuciones*, publicada por la Universidad de Santiago. Los artículos se encuentran libremente disponibles en formato PDF en el sitio web de la revista: http://www.revistas.usach.cl/ojs/index.php/contribuciones. Agradecemos a José Luis Martínez por el apoyo brindado en ese número especial de la revista *Contribuciones*.

[32] Jones 2015: 8.

[33] Amatori y Jones 2003: 1; Jones y Zeitlin 2008: 1-2. Normalmente se asocia con empresas y empresarios en economías capitalistas.

[34] Bátiz-Lazo 2015; Jones 2015: 9.

[35] En Estados Unidos en particular hay una clara distinción entre profesionales del área de historia económica y aquellos de historia empresarial. La distinción es menos clara en otros países, sobre todo europeos, donde colegas historiadores o economistas cultivan al mismo tiempo ambas disciplinas. Jones, 2015: 8.

[36] De hecho, bien podría definirse la historia empresarial como una disciplina híbrida, pues toma elementos de la economía (microeconomía -organización industrial en particular), la historia, la sociología y la dirección estratégica (*management*).

cimiento económico de los países[37], siendo el crecimiento económico de largo plazo una de las grandes preocupaciones de la historia económica.

Respecto de la evolución metodológica de la historia empresarial, desde la década de los años 1960, la disciplina dio un giro muy importante en términos conceptuales gracias a los aportes de Alfred D. Chandler (1918-2007), probablemente el historiador empresarial más influyente de todos los tiempos[38]. El profesor Chandler, de la Escuela de Negocios de Harvard, se hizo mundialmente famoso con sus trabajos sobre las razones que hubo detrás del crecimiento de las grandes empresas en algunas industrias norteamericanas antes de 1950, explorando en este recorrido la relación existente entre la estrategia que siguen las grandes firmas y sus estructuras organizacionales, así como su impacto en el crecimiento de Estados Unidos[39]. De acuerdo con Geoffrey Jones, gracias a los trabajos de Chandler, finalmente la historia empresarial pudo establecerse como una disciplina confiable, intelectualmente ambiciosa, capaz de formularse grandes preguntas[40].

El foco de Chandler puesto en las grandes corporaciones norteamericanas y sus estructuras organizacionales dominó la disciplina por varias décadas, sobre todo en Estados Unidos, su principal centro de investigación. No obstante, en Europa y otros continentes más periféricos (respecto del desarrollo de la disciplina), se siguió con el estudio de otras temáticas de la historia empresarial. Aparte de Chandler, otra figura tremendamente influyente en la disciplina ha sido Mira Wilkins, quien se especializó en el estudio de las multinacionales en perspectiva

---

[37] Esto lo realiza analizando las relaciones dinámicas de tres niveles del sistema capitalista: nivel macro de regiones-naciones; nivel meso de empresas e industrias; y nivel micro de empresarios y managers.

[38] Jones y Zeitlin 2008: 2-3. Paradójicamente, Chandler es probablemente el historiador empresarial más conocido fuera de la disciplina gracias a sus importantes contribuciones en teoría del *management*, sobre todo de *management* estratégico.

[39] Jones y Zeitlin 2008: 2-3; Jones 2015: 10. Para más detalles, véase Chandler 1962 (donde el argumento principal es que nuevas estructuras organizacionales de las grandes empresas son el resultado de cambios en la dirección estratégica de las mismas, al menos para el caso del crecimiento de la organización multidivisional en grandes firmas manufactureras norteamericanas durante la primera mitad del siglo xx); Chandler 1977 (que examina la emergencia de la gran empresa en Estados Unidos antes de 1940, concentrándose en la emergencia de la figura del manager profesional); y Chandler 1990 (que es un estudio comparativo entre Estados Unidos, Alemania y Gran Bretaña, en particular en lo referente a grandes inversiones en producción, distribución y administración).

[40] Jones 2015: 9.

histórica[41]. En sus estudios sobre este tipo de empresas, algunas preguntas claves que guiaron su investigación fueron: ¿por qué una firma decide convertirse en una multinacional?; ¿cómo organizan sus negocios internacionales las multinacionales?; ¿qué impacto generan las mismas en los mercados receptores de dichas firmas?[42].

Asimismo, cabe destacar que, más allá del trabajo de figuras emblemáticas como Alfred Chandler, Mira Wilkins y Geoffrey Jones, actualmente la agenda de investigación de los historiadores de la empresa en el mundo es sorprendentemente diversa, tanto en tópicos, países, como en los periodos cubiertos[43]. Basta mirar la tabla de contenidos del compendio de historial empresarial de Jones y Zeitlin (2008), y las tablas de contenidos de los últimos números de *Business History*, *Business History Review*, y *Enterprise & Society*, para darse cuenta de cómo los tópicos cubiertos incluyen temas tales como: empresarialidad, redes, distritos industriales y clusters, negocios familiares, grupos empresariales, pequeñas y medianas empresas, relaciones entre empresas y ambientes políticos o culturales, educación y entrenamiento de las empresas, globalización, entre muchos otros (e.g. identidad, cultura, género). Los países y regiones analizados ya no son solamente Estados Unidos y Europa occidental; muchas otras regiones han ganado mayor notoriedad dentro de la producción de los historiadores de la empresa, así como los periodos cubiertos (más allá del periodo por excelencia elegido por Chandler, i.e. 1850-1950), así como los estudios comparativos entre países (sobre todo entre los industrializados).

---

[41] Wilkins 1970 y 1974. La profesora Wilkins también se hizo famosa por acuñar el concepto de *free-standing-companies*, en referencia a un tipo de inversión extranjera directa británica, que fue ignorado por mucho tiempo. Según Wilkins, a través de una *free-standing-company* un empresario o grupo de empresarios registraban una empresa en Gran Bretaña para conducir negocios afuera, normalmente como sociedades anónimas. Dichas empresas no se originaban así de operaciones en Gran Bretaña o de cuarteles general en Gran Bretaña. Por el contrario, se originaron exclusivamente para operar en el exterior. Tenían así un cuartel general muy pequeño en Londres, mientras que el grueso de los activos y empleados se concentraba en el exterior. Este tipo de empresas no fue un fenómeno exclusivo del Reino Unido, sino también de muchísimos otros países, algo muy distinto a la multinacional norteamericana. Wilkins 1988.

[42] Jones 2015: 9.

[43] De a acuerdo con Jones (2015: 10), recientemente, el foco en grandes empresas e industrias intensivas en capital ha dado paso a nuevas fronteras de la historia empresarial.

Propósito y estructura del libro

La historiografía de historia empresarial para el caso chileno es bastante menos profusa y variada[44]. No obstante, y para cumplir con uno de nuestros objetivos primordiales del CIHEAP (y ciertamente del proyecto Redes 140023 de CONICYT) de promover la disciplina en Chile, decidimos lanzar esta colección de ensayos de historia empresarial de Chile. Confesamos que la idea estuvo fuertemente inspirada en un libro homónimo, publicado hace ya algunos años para el caso colombiano, y editado por Carlos Dávila, de la Universidad de Los Andes[45]. Considerando ambos volúmenes de nuestra colección, hemos reunido capítulos escritos por colegas chilenos y extranjeros, quienes son destacados exponentes del estudio de la historia de la empresa.

El primer tomo de nuestra colección, ya publicado, reunió 11 ensayos, divididos en dos partes. La primera cubrió el periodo de formación del Estado chileno después de la independencia (c.1810-1860), contando con cuatro contribuciones[46]. El primer capítulo, escrito por Jaime Rosenblitt, se titula "Inicios de la expansión del comercio chileno en el Pacífico Sudamericano". En la misma línea, el segundo capítulo lleva por nombre "De mercaderías y esclavos. Negocios y circuitos en América del Sur, 1800-1810", escrito por Francisco Betancourt. A continuación, Cristián Ducoing y Montserrat Pacull presentan el trabajo "Innovación, redes y recursos naturales. Los empresarios cupríferos del Huasco, 1810-1860". Finalizando la primera parte, Roberto Araya escribió el capítulo "Joshua Waddington. De agente consignatario a engranaje modernizador en el Chile tradicional, 1817-1876". La segunda parte del primer tomo se centra en el periodo 1860-1930, caracterizado por lo que Cariola y Sunkel (1991) han calificado como un primer ciclo de crecimiento hacia afuera. El primer artículo de esta parte estuvo a cargo de Luis Ortega, y se titula

---

[44] Ya se mencionó que Ortega, 1999 contiene una muy buena lista de los trabajos publicados sobre historia empresarial de Chile hasta fines de la década de los años 1990. Entre estos (y otros publicados con posterioridad al capítulo de Ortega en 1999), de autores extranjeros (los de autores chilenos ya los hemos destacado), vale la pena mencionar en particular los siguientes: Mayo 1979, 1985, 1987, 2001; Culver y Reinhart 1985 y 1989; Pederson 1966; Przeworski 1980; Volk 1993; Miller 1998 y 2011; Miller y Greenhill 2006; Johnson 1948; Kinsbruner 1968; O'Brien 1989; Oppenheimer 1982, entre otros.

[45] Dávila 2003.

[46] Tener casi la mitad de contribuciones en la parte 1, respecto de la 2, es sin dudas un reflejo de la menor cobertura que ha recibido el periodo 1810-1860 en la historia económica de América Latina. O bien podría deberse a un menor espíritu empresarial en ese periodo de la historia de Chile (véase Ortega 1999: 77-78, para un debate en este sentido).

"El mundo fabril en la coyuntura crítica. Empresarios, proletarios y artesanos, 1875-1878". Posteriormente, en "Familias empresariales, herencias y traspaso de patrimonios: de emprendedores a rentistas. El caso de la familia Edwards, 1880-1914", Ricardo Nazer analiza el derrotero que siguió la fortuna de los Edwards. El siguiente capítulo, "El arranque del sector eléctrico chileno. Un enfoque desde las empresas de generación, 1897-1931", fue producido por César Yáñez, al que le sigue el capítulo escrito por Gonzalo Islas Rojas ("Baburizza: Un grupo empresarial a inicios del siglo xx"). Siguiendo con la industria salitrera, tenemos otros dos capítulos, uno de Rory Miller ("Auge, crisis y ocaso del Banco Anglo Sudamericano, 1889-1935" y otro de Robert Greenhill ("¿Caída controlada, repliegue apresurado o fracaso empresarial? Las empresas salitreras británicas y su retiro de la explotación del salitre chileno, 1920-1930"). Finalmente, Bernardita Escobar analiza el rol de la mujer en el mundo empresarial chileno durante el siglo xix y hasta el primer centenario, en "Mujeres inventoras en Chile hasta el centenario. ¿Particularidades o emprendimiento?".

En este segundo volumen tenemos ocho nuevas contribuciones. La primera de ellas es de Marcelo Bucheli, y se titula "Política económica y capital extranjero en la creación y crecimiento de copec". En ella Buchelli analiza las condiciones que llevaron a la creación y posterior crecimiento de copec durante los primeros cincuenta años de existencia de la empresa. La hipótesis defendida en este escrito es que la confluencia de los siguientes tres factores permitieron la creación, supervivencia y crecimiento de copec: 1) la estrecha relación entre la élite chilena y las instituciones gubernamentales encargadas de política económica; 2) las operaciones iniciales por parte de las multinacionales Shell y Esso; 3) la adopción de un modelo económico de industrialización por sustitución de importaciones entre las décadas de los años 1930 y 1970.

El tercer capítulo, escrito por Erica Salvaj, Andrea Lluch y Constanza Gómez, titulado "La red empresarial chilena en 1939: entre la crisis global y la adaptación a la etapa de la industrialización promovida por el Estado", analiza las estrategias y prácticas de relacionamiento, coordinación y colaboración entre las mayores empresas de Chile en el año 1939. Aportando a la investigación histórica sobre el proceso de adaptación de las estrategias corporativas de las empresas y empresarios chilenos durante la desintegración de la primera economía global y los inicios de la industrialización promovida por el Estado, este estudio muestra que la red empresarial chilena en 1939 adquirió un elevado nivel de integración. Si la red de directorios puede ser considerada como

19

una expresión de la cohesión de la élite empresarial, estos resultados mostrarían una elevada capacidad, como colectivo, para coordinar actividades económicas y de negocios en un contexto caracterizado por profundos cambios a nivel nacional, regional e internacional. Adicionalmente, se identifica a las empresas y directores que tuvieron un rol protagónico en la articulación de dicha red y se profundiza en el clúster de la región de Magallanes, una característica singular y relevante de la red corporativa chilena de 1939, que además incluyó a las primeras mujeres directoras en Chile.

En "Mujeres y negocios en Chile: una exploración al periodo 1945-1958" Bernardita Escobar analiza la tenencia de negocios por parte de las mujeres en Chile durante el periodo en cuestión. Para ello usa datos contenidos en publicaciones del *Diario Oficial*, correspondientes al Rol Industrial de empresas registradas en el Ministerio de Economía que eran sujetas a pagar el impuesto habitacional contenido en la Ley 7.600 de 1942. Estos datos, no utilizados previamente, permiten tener una visión relativamente objetiva respecto de la evolución y niveles de participación de las mujeres en el mundo de los negocios formales y durante un periodo que precede a la existencia de datos de ocupación de la Universidad de Chile (generados a partir de 1957). La evidencia analizada sugiere un nivel de concentración regional diferenciada entre regiones y Santiago; mientras en Santiago el sector vestuario era muy importante para las mujeres a cargo de empresas, el sector de producción de alimentos era significativamente más relevante para las empresarias ubicadas en el resto de Chile. En el agregado, las empresas de mujeres representan entre un 9 y 11% de las empresas identificadas por género del empresariado. Con todo y las diferencias sectoriales, los datos sugieren que las mujeres ingresaron con negocios nuevos a la muestra a una tasa de expansión de 1,5% anual por sobre el ingreso de empresas nuevas de hombres. Estos antecedentes, de acuerdo con Escobar, tienen al menos dos posibles lecturas. Por una parte, la evidenca contradice la hipótesis de contracción en la participación económica de las mujeres en etapas tempranas del proceso de industrialización en el que se habría encontrado Chile. Por otra, los datos también podrían sugerir que en esos años Chile ya podría haber comenzado a revertir la supuesta baja en la participación que se ha propuesto que ocurre de la mano de los procesos de industrialización.

El siguiente capítulo es de César Yáñez, y lleva por título "La intervención del Estado en el sector eléctrico chileno. Los inicios de la empresa pública monopólica". Este capítulo cubre comprehensivamente los años en que se transitó en Chile desde un sector eléctrico completamente privado a uno intervenido por el Estado (décadas de los años 1930 y 1940), de carácter mixto. El capítulo aprovecha también para ofrecer una interesante interpretación a la política industrial de la época, en los casos de "monopolios naturales", haciendo uso de manera eficiente de la teoría económica clásica.

Por su parte, Enzo Videla, autor de "Compañía Manufacturera de Papeles y Cartones: Fomento Estatal y Emprendimiento empresarial en el surgimiento de una industria monopólica, 1920-1973", analiza el itinerario de una empresa ícono nacional, la Compañía Manufacturera de Papeles y Cartones S.A, desde sus orígenes, en la primera parte de la década de los años 1920, hasta principios de la década de los años 1970, bajo el contexto de aparición de la industria forestal en Chile. En este trayecto, Videla estudia certeramente las estrategias de posicionamiento y creación de una industria monopólica en el mercado chileno, revisando además el impacto local que tuvo dicha firma, así como sus rendimientos comerciales, su gestión de recursos humanos y, finalmente, la integración vertical y horizontal que efectuó la industria. En este capítulo se puede ver claramente el constante apoyo estatal que recibió la empresa, así como la capacidad de adaptación e innovación de la élite empresarial que la administró por largo tiempo.

Asimismo, Cristián Ducoing y Sergio Garrido, autores de "El desarrollo de la minería moderna en Chile. El caso de la Braden Copper Company", muestran cómo a inicios del siglo xx la Braden Copper Company se instaló en la sexta región de Chile con el objetivo de producir cobre a gran escala. Los autores argumentan que el desarrollo de la minería moderna en Chile tiene relación con la llegada de este tipo de empresas extranjeras, capaces de hacer frente a los numerosos desafíos humanos y técnicos exigidos por la geografía, como también a la constante innovación de la organización y los procesos productivos. Este perfil innovador permitió, según Ducoing y Garrido, que el mineral El Teniente experimentara un fuerte crecimiento, convirtiéndose en la mina subterránea más grande del mundo y en un referente mundial de la producción de cobre.

En 'La nueva SOFOFA', los orígenes del 'gremialismo empresarial' y del 'nuevo liberalismo' en Chile, 1951 y 1958", Luis Ortega propone un cambio importante a la historiografía chilena del periodo. En específico, Ortega argumenta que en la década de los años 1950, en importantes segmentos del empresariado nacional, en particular en la Sociedad de Fomento Fabril, se verificaron procesos que redundaron en profundos cambios en los liderazgos, en las organizaciones y en la ideología de turno. Para Ortega esta fase inicial fue el comienzo de un largo proceso de construcción de las condiciones que hicieron posible la difusión del "nuevo liberalismo" y la adquisición por parte de los empresarios de roles de particular y decisivo protagonismo en la lucha por las ideas y por el poder político en el país, mucho antes de lo que se creía hasta ahora.

Finalmente, el último capítulo de esta colección, escrito por María Inés Barbero, y titulado "Las multinacionales chilenas: contextos, trayectorias, estrategias", revisa el ascenso de las empresas multinacionales de naciones emergentes (EMNE), centrado en el caso chileno, buscando establecer un diálogo entre la teoría y la historia particular de nuestro país. La primera parte se centra en el fenómeno de las EMNE, considerando aspectos tanto históricos como contemporáneos. La segunda parte analiza diversas vertientes de la teoría de la empresa multinacional, con especial énfasis en contribuciones recientes que tienden a caracterizar y explicar el surgimiento y desarrollo de las EMNE. La profesora Barbero analiza las 12 empresas chilenas con mayores índices de internacionalización en la segunda era de la globalización.

A modo de conclusión, creemos firmemente que vale la pena aunar más esfuerzos para promover la historia empresarial en nuestro país, la cual es importante por muchas razones. Primero, porque todo debate sobre hechos presentes descansa en buena medida en hechos pasados, e informa buenas decisiones sobre el futuro. El pasado es siempre una buena herramienta para reflexionar sobre los problemas económicos y sociales actuales. Segundo, porque en buena medida son las empresas (y los empresarios) quienes promueven la innovación tecnológica, siendo muchas veces parte importante del motor del crecimiento en varias economías[47]. Por lo tanto, cuando tratamos de explicar el crecimiento de las economías, el rol innovador de las empresas debe estar en el centro del debate. Tercero, los economistas tratan a las empresas como cajas negras: no hay ni buenos empresarios (empresas) ni malos empresarios (empresas) en la teoría económica que se enseña en la mayor parte del mundo occidental, incluido el grueso de las universidades chilenas. Los historiadores de la empresa tienen otra historia que contar: ¿por qué quiebran o por qué permanecen en el mercado ciertas compañías? Esto es particularmente relevante, pues, aun cuando la historia nunca se repite, es fundamental entender cómo se tomaron decisiones en el pasado para

[47]   Jones 2015: 9.

enfrentar de mejor manera el presente, incluidas decisiones de negocio. De esta manera, la historia de la empresa nos permite informar y ampliar nuestras comprensiones conceptuales[48].

Cuarto, respecto del lado más político de la historia, la historia empresarial puede confirmar acusaciones de malas prácticas empresariales, dar a conocer buenas prácticas o bien derribar mitos sobre malos empresarios. Para bien o para mal "los negocios son parte de nuestra sociedad"[49]. Respecto de esto último, la historia empresarial en general sirve para derribar todo tipo de falsas hipótesis que carecen de evidencia empírica. Quinto, la historia empresarial puede hacer importantes contribuciones a otras disciplinas, tales como *management* y economía, que necesitan validar sus teorías con experiencias pasadas reales (ante la imposibilidad de testear hipótesis en el presente). Esto es particularmente importante en periodos de crisis como el que estamos viviendo desde 2008, donde resulta fundamental saber cómo líderes del pasado resolvieron los desafíos que enfrentaron en su tiempo, y si dichas soluciones arrojan alguna enseñanza para nuestros tiempos.

Bibliografía

AMATORI F. y COLLI A. (2011). *Business History: Complexities and Comparisons*. New York: Routledge.

AMATORI F. y JONES G. (eds.), (2003). *Business History Around the World*, Cambridge: Cambridge University Press.

BARRÍA D. (2015). "El rol de las empresas del Estado en el Chile posdictadura". En Guajardo y Labrador (2015).

BÁTIZ-LAZO B. (2015). "A dainty review of the business and economic history of Chile and Latin America". *Estudios de Economía* 42 (2).

BAUER A. (1990). "Industry and the missing bourgeoisie: consumption and development in Chile, 1850-1950". *Hispanic American Historical Review* 70 (2), pp. 227-253.

BETANCOURT F. (2012). "Los comerciantes españoles y el proceso de Independencia en Chile. Estrategias y desventuras en una época de cambios". *Tiempo Histórico* 4 (3), pp. 121-138.

BLAKEMORE H. (1974). *British nitrates and Chilean politics, 1886-1896: Balmaceda and North*. London: Athlone.

---

[48]   Bátiz-Lazo 2015.
[49]   Jones 2015: 11.

BLAKEMORE H. (1989). *From the Pacific to La Paz: The Antofagasta (Chili) and Bolivia Railway Company, 1888-1988*. London: Lester Crook Academic.

BUCHELI M. y SALVAJ E. (2013). "Reputation and political legitimacy: ITT in Chile, 1927-1972". *Business History Review* 87 (4), pp. 729-755.

BUCHELI M. y SALVAJ E. (2014). "Adaptation strategies of multinational corporations, state-owned enterprises, and domestic business groups to economic and political transitions: A network analysis of the Chilean telecommunications sector, 1958-2005". *Enterprise & Society* 15 (3), pp. 534-576.

CARIOLA C. y SUNKEL O. (1991). *Un siglo de historia económica de Chile, 1830-1930*. Santiago: Editorial Universitaria.

CAVIERES E. (1999). *Comercio Chileno y Comerciantes Ingleses*. Santiago: Editorial Universitaria.

CHANDLER A. D. (1962). *Strategy and structure, chapters in the history of the American industrial enterprise*. Cambridge-MA: The MIT Press.

CHANDLER A. D. (1977). *The visible hand, the managerial revolution in American business*. Boston: Harvard University Press.

CHANDLER A. D. (1990). *Scale and Scope, the dynamics of industrial capitalism*. Boston: Harvard University Press.

CHÁVEZ D. y TORRES S. (2013). *La reinvención del Estado. Empresas públicas y desarrollo en Uruguay, América Latina y el mundo*. Montevideo: ANTEL.

COUYOUMDJIAN J. R. (1974-1975). "El mercado del salitre durante la primera guerra mundial y la posguerra, 1914-1921". *Historia* 12, pp. 13-55.

COUYOUMDJIAN J. R. (1986). *Chile y Gran Bretaña durante la Primera Guerra Mundial y la Postguerra, 1914-1921*. Santiago: Editorial Andrés Bello.

COUYOUMDJIAN J. R. (2000). "El alto comercio de Valparaíso y las grandes casas extranjeras, 1880-1930. Una aproximación". *Historia* 33, pp. 13-55.

DÁVILA C. y MILLER R. (eds.) (1999). *Business History in Latin America: The Experience of Seven Countries*. Liverpool: Liverpool University Press.

DÁVILA C., editor (2003). *Empresas y Empresarios en la Historia de Colombia, Siglos XIX y XX*. Bogotá: Ediciones Uniandes-Facultad de Administración.

DUNCAN R. E. (1975). "William Wheelwright and early steam navigation in the Pacific". *The Americas* 32 (2), pp. 257-281.

FERNÁNDEZ M. A. (1983). "Merchants and bankers: British direct and portfolio investment in Chile during the nineteenth century". *Ibero-Amerikanisches Archiv* 9 (3), pp. 349-380.

FERMANDOIS J. (2005). *Mundo y fin de mundo. Chile en la política mundial, 1900-2004*. Santiago: Ediciones Universidad Católica de Chile.

GÁRATE M. (2012). *La revolución capitalista en Chile*. Santiago: Ediciones Universidad Alberto Hurtado.

GUAJARDO G y LABRADOR A. (eds.) (2015). *La empresa pública latinoamericana: entre el Estado y el mercado*. México: UNAM-INAP.

IBÁÑEZ A. (2003). *Herido en el ala. Estado, oligarquías y subdesarrollo. Chile, 1924-1960*. Santiago: Biblioteca Americana.

ISLAS ROJAS G. (2011). "Gobierno corporativo y estructura de propiedad en Chile, 1854-2005". En G. Jones y A. Lluch (eds.), *El impacto histórico de la globalización en Argentina y Chile: empresas y empresarios*. Buenos Aires: Temas Grupo Editorial.

ISLAS ROJAS G. (2013). "Does regulation matter? An análisis of corporate charters in a laissez-faire environment". *Revista de Historia Económica* 31 (1), pp. 11-39.

JÁKSIC I. y RAKE P. (1999). *El modelo chileno. Desarrollo y democracia*. Santiago: LOM.

JOHNSON J. J. (1948). *Pioneer telegraphy in Chile, 1852-1876*. Stanford: Stanford University Press.

JONES G. (2015). "What is Business History? Why it is important?", *Contribuciones* 140 (40), pp. 7-11.

JONES G. y ZEITLING J. (eds.) (2009). *The Oxford Handbook of Business History*. New York: Oxford University Press.

KINSBRUNER J. (1968). "Water for Valparaíso: a case of entrepreneurial frustration". *Journal of Inter-American Studies and World Affairs* 10 (4), pp. 653-661.

KIRSCH H. W. (1977). *Industrial development in a traditional society: the conflict between entrepreneurship and modernisation Chile*. Gainesville: University Press of Florida.

LAGOS R. (1960). *La concentración del poder económico en Chile*. Santiago: Universidad de Chile.

LAGOS R. (1966). *La industria en Chile: antecedentes estructurales*. Santiago: Instituto de Economía.

LEFORT F. (2010). "Business groups in Chile", en A. M. Colpan, T. Hikino, y J. R. Lincoln (eds.), *The Oxford Handbook of Business Groups*. Oxford: Oxford University Press.

LLORCA-JAÑA M. (2015). *The globalization of merchant banking before 1850: the case of Huth & Co.* London: Routledge.

LLORCA-JAÑA M. (2014a). "Shaping Globalization: London's Merchant Bankers in the Early Nineteenth Century", *Business History Review* 88 (3), pp. 469-495.

LLORCA-JAÑA M. (2014b). "British merchants in new markets: the case of Wylie and Hancock in Brazil and the River Plate, *c.*1808-1820", *Journal of Imperial and Commonwealth History* 44 (2), pp. 215-238.

LLORCA-JAÑA M. (2013). "Connections and networks in Spain of a London merchant-banker, 1800-1850", *Revista de Historia Económica-Journal of Iberian and Latin American Economic History* 31 (3), pp. 423-458.

LLORCA-JAÑA M. (2011). "The organization of British textile exports to the River Plate and Chile: merchant houses in operation, *c.*1810-1859", *Business History* 53 (6), pp. 820-865.

LLORCA-JAÑA M. (2009). "Knowing the shape of demand: Britain's exports of ponchos to the Southern Cone, *c.*1810s-1870s", *Business History* 51 (4), pp. 602-621.

MAMALAKIS M. (1977). "An analysis of the financial and investment activities of the Chilean development corporation, 1939-1974". *Journal of Development Studies* 5 (2), pp. 118-137.

MAYO J. (1979). "Before the nitrate era: British commission houses and the Chilean economy, 1851-80", *Journal of Latin American Studies* 11 (2), pp. 283-302.

MAYO J. (1985). "Commerce, credit and control in Chilean copper mining before 1880". En T. Greaves y W. Culver (eds.). *Miners and mining in the Americas*. Manchester: Manchester University Press.

MAYO J. (1987). *British merchants and Chilean development, 1851-1886*. Boulder-Colorado: Dellplain Latin American Studies, Westview Press.

MAYO J. (2001). "The development of British interests in Chile's *Norte Chico* in the early nineteenth century". *The Americas* 57 (3), pp. 363-393.

MAYOL A. (2012). *El derrumbe del modelo. La crisis de la economía de mercado en el Chile contemporáneo*. Santiago: LOM.

MCCRAW T. (1998). *Creating Modern Capitalism: How Entrepreneurs, Companies and Countries Triumphed in Three Industrial Revolutions*. Boston: Harvard University Press.

MILLER R. (1998). "British free-standing companies on the West Coast of South America", En M. Wilkins and H. Schroter (Eds.). *The free-standing company in the world economy, 1830-1996*. Oxford: Oxford University Press, pp. 218-253.

MILLER R. (2011). "Selección y gestión de personal en las empresas británicas en Argentina y Chile: el periodo de transición, 1930-1970", en Jones, G. and Lluch, A. (eds.), *El impacto histórico de la globalización en Argentina y Chile: empresas y empresarios*. Buenos Aires: Temas, pp. 155-185.

MILLER R. y GREENHILL R. (2006). "The Fertilizer Commodity Chains: Guano and Nitrate, 1840-1930", en Topik, S. *et al.* (eds.), *From Silver to Cocaine: Latin American Commodity Chains and the Building of the World Economy, 1500-2000*. Durham NC: Duke University Press, pp. 228-270.

MONCKEBERG M. O. (2001). *El saqueo de los grupos económicos al Estado chileno*. Santiago: Ediciones B.

MONTERO C. (1990). "La evolución del empresariado chileno. ¿Surge un nuevo actor?". *Estudios Cieplan* 30, pp. 91-122.

MONTERO C. (1997). *La revolución empresarial chilena*. Santiago: CIEPLAN-Dolmen Ediciones.

MUÑOZ O. (1995). *Los inesperados caminos de la modernización económica*. Santiago: Editorial Universidad de Santiago de Chile.

NAZER R. (1994). *José Tomás Urmeneta: un empresario del siglo XIX*. Santiago: Dirección de Bibliotecas, Archivos y Museos, Centro de Investigaciones Diego Barros Arana.

NAZER R. (2000). "La fortuna de Agustín Edwards Ossandon: 1815-1878", *Historia* 33, pp. 369-415.

O'BRIEN T. F. (1980). "The Antofagasta Company: a case study of peripheral capitalism". *Hispanic American Historical Review* 60 (1), pp. 1-31.

O'BRIEN T. F. (1982). *The nitrate industry and Chile's crucial transition, 1870-1891*. New York: New York University Press.

O'BRIEN T. F. (1989). "'Rich beyond the Dreams of Avarice': The Guggenheims in Chile". *Business History Review* 63 (1), pp. 122-159.

OPPENHEIMER R. (1982). "National Capital and National Development: Financing Chile's Central Valley Railroads". *Business History Review* 56 (1), pp. 54-75.

ORTEGA L. (1982). "The first four decades of the Chilean coal mining industry 1840-1879", *Journal of Latin American Studies* 14 (1), pp. 1-32.

ORTEGA L. (1984). "Nitrates, Chilean Entrepreneurs and the Origins of the War of the Pacific", *Journal of Latin American Studies* 16 (2), pp. 337-380.

ORTEGA L. (1989). *CORFO. 50 años de realizaciones, 1939-1989*. Santiago: Universidad de Santiago.

Ortega L. (1991-1992). "El proceso de industrialización en Chile, 1850-1930". *Historia* 26, pp. 213-246.

Ortega L. (1999). "Business history in Chile", en Dávila y Miller (1999).

Ortega L. (2012). "La crisis de 1914-1924 y el sector fabril en Chile", *Historia* 45, pp. 433-454.

Pederson L. R. (1966). *The mining industry of the Norte Chico*. Illinois: Northwestern University.

Przeworski J. F. (1980). *The decline of the copper industry in Chile and the entrance of North American capital, 1870-1916*. New York: Multinational Corporations.

Rehren A. (1995). "Empresarios, transición y consolidación democrática en Chile". *Revista de Ciencia Política* XVII (2), pp. 5-61.

Salazar G. (1985). *Labradores, peones y proletarios*. Santiago: Ediciones Sur.

Salazar G. (1991). "Empresariado popular e industrialización: la guerrilla de los mercaderes (Chile, 1830-1885)". *Proposiciones* 20, pp. 180-231.

Salazar G. (1994). "Dialéctica de la modernización mercantil: intercambio desigual, coacción, claudicación (Chile como *West Coast*, 1817-1843)", *Cuadernos de Historia* 14, pp. 21-80.

Salazar G. (2009). *Mercaderes, empresarios y capitalistas (Chile, siglo XIX)*. Santiago: Editorial Sudamericana.

Salvaj E. y Couyoumdjian J. P. (2016). "'Interlocked' business groups and the state in Chile (1970–2010)". *Business History* 58(1), 129-148.

Silva F. (1977a). "Comerciantes, habilitadores y mineros: una aproximación al estudio de la mentalidad empresarial en los primeros años de Chile republicano, 1817-1840". *Empresa Privada*, pp. 37-71.

Silva F. (1977b). "Notas sobre la evolución empresarial chilena en el siglo XIX". *Empresa Privada*, pp. 73-103.

Valdaliso J. M. y López S.A. (2007). *Historia Económica de la Empresa*. Barcelona: Crítica.

Valenzuela L. (1990). "Challenges to the British copper smelting industry in the world market, 1840-1860". *Journal of European Economic History* 19 (3), pp. 657-686.

Valenzuela L. (1992). "The Chilean copper smelting industry in the mid-nineteenth century: phases of expansion and stagnation, 1834-58". *Journal of Latin American Studies* 24 (3), pp. 507-550.

Valenzuela L. (1996). "The copper smelting company 'Urmeneta y Errázuriz' of Chile: an economic profile". *The Americas* 53, pp. 235-272.

Vargas J. y Martínez G. (1982). "José Tomás Ramos Font: una fortuna chilena del siglo xix". *Historia* 18, pp. 355-392.

Vargas J. (1976). "La Sociedad de Fomento Fabril, 1883-1920". *Historia* 13, pp. 5-53.

Véliz C. (1961). *Historia de la marina mercante de Chile*. Santiago: Ediciones de la Universidad de Chile.

Véliz C. (1975). "Egaña, Lambert and the Chilean Mining Associations of 1825". *Hispanic American Historical Review* 55 (4), pp. 637-663.

Villalobos S. (1987). *Origen y ascenso de la burguesía chilena*. Santiago: Editorial Universitaria.

Volk S. S. (1993). "Mine owners, moneylenders, and the state in mid-nineteenth-century Chile: transitions and conflicts", *Hispanic American Historical Review* 73 (1), pp. 67-98.

Wilkins M. (1970). *The Emergence of multinational Enterprise: American Business Abroad from the Colonial Era to 1914*. Boston: Harvard University Press.

Wilkins M. (1974). *The maturing of multinational Enterprise: American Business Abroad from 1914 to 1970*. Boston: Harvard University Press.

Wilkins M. (1988). "The free-standing company, 1870-1914: an important type of British foreign direct investment". *Economic History Review* 41 (2), pp. 259-282.

Política económica y capital extranjero en la creación y crecimiento de Copec

Marcelo Bucheli[1]

Introducción

En el año 2014 Empresas Copec fue clasificada por diferentes fuentes como la primera empresa de Chile en términos de ventas[2]. Aunque Copec comenzó sus actividades en 1937 como una empresa dedicada a la comercialización de derivados del petróleo, para 2014 se había convertido en un enorme conglomerado con importantes inversiones que cubrían una variedad de sectores, incluyendo el forestal, pesquero y financiero además del de combustibles[3]. Este capítulo explora las condiciones iniciales que permitieron la creación y crecimiento de Copec durante sus primeros años de existencia. La hipótesis que se desarrolla aquí es que entre 1932 y 1970 la confluencia de los siguientes tres factores permitió tanto el nacimiento como la consolidación de esta empresa como comercializadora de derivados del petróleo: 1) la estrecha relación entre los grupos económicos chilenos y las instituciones a cargo de la implementación de políticas de desarrollo económico; 2) el control de la industria por parte de dos multinacionales extranjeras (Shell y Esso); y, 3) la existencia de políticas de industrialización por sustitución de importaciones durante ese periodo. Estas condiciones desaparecieron después del golpe de estado de 1973, lo que explica el gradual cambio en la orientación de las operaciones de la empresa tras ese año. El presente estudio utiliza como sus principales fuentes primarias los archivos del Departamento de Justicia de Estados Unidos respecto a las operaciones de Standard Oil Company de Nueva Jersey en Chile, localizados en la Baker Library, Harvard Business School, informes económicos escritos

---

[1]   Profesor Asociado, University of Illinois at Urbana-Champaign, Estados Unidos.
[2]   *América Economía* 2014.
[3]   Empresas Copec 2015.

por los representantes comerciales británicos en Chile, informes del gobierno de Estados Unidos y las memorias de Copec[4].

Chile: nacionalismo petrolero sin petróleo, 1899-1931

Desde finales del siglo XIX hasta la década de los años 1930 rumores de existencia de ricos pozos petroleros en la Patagonia chilena alimentaron la imaginación de muchos empresarios y políticos que soñaron con la posibilidad de un Chile productor y exportador de petróleo. La primera (y fallida) fiebre petrolera en la Patagonia se dio en 1899, y para 1908 empresarios locales fundaron la Compañía de Petróleo del Pacífico, cuya finalidad era explotar los (aún inexistentes) pozos petroleros chilenos. La esperanza de descubrir petróleo en Chile llevó a varios políticos a desarrollar una política preventiva y copiar la legislación petrolera del México revolucionario incluyendo la nacionalización en 1917 de las (aún no encontradas) fuentes de crudo chileno. Más tarde, en 1926, temeroso de que las grandes multinacionales petroleras se apropiaran de los (prometidos por los expertos, pero aún no encontrados) pozos petroleros chilenos patagónicos, el presidente Emiliano Figueroa aprobó una ley poniendo bajo propiedad del Estado dichos recursos[5]. Sin embargo, por más de dos décadas los resultados fueron nulos.

Para las grandes multinacionales petroleras, Chile nunca fue un lugar atractivo como productor de crudo (algo obvio dados los malos resultados de las exploraciones), sino como mercado consumidor de petróleo importado. Las primeras inversiones en este rubro fueron realizadas por la poderosa empresa norteamericana Standard Oil Company of New Jersey por medio de su filial West India Oil Company, más tarde conocida en Chile como Esso. Esta empresa construyó sus primeras bodegas en 1921, año en el que también abrió la primera estación de servicio en Valparaíso. La empresa británico-holandesa Royal Dutch-Shell (conocida en Chile solamente como Shell) llegó a Chile en 1919 cuando abrió sus primeras bodegas en Viña del Mar. Ambas empresas estaban apostando a un crecimiento en el consumo local. Este optimismo no era infundado: para 1927 Chile se había convertido en el segundo consumidor de petró-

---

[4]   Para una revisión de los estudios académicos del petróleo chileno en el contexto de otros países de América Latina, consultar a Bucheli 2010b.
[5]   Wilkins 1974a: 442-443.

leo *per cápita* en América Latina después de Argentina[6]. La importación de automóviles subió de 741 en 1927 a 5.300 en 1928, y con el tiempo el sector minero se constituyó en el más importante consumidor de energía del país[7]. Las inversiones y capacidad de acceso al petróleo internacional de estas dos multinacionales las llevaron prontamente a controlar el 100% del mercado chileno. Más importante aún, en términos políticos y económicos, a partir de 1928 ambas empresas formalizaron cartelizar el mercado chileno y no competir la una con la otra. Esto era parte de un arreglo firmado por sus casas matrices con las otras grandes empresas multinacionales del mundo, en el que se comprometieron a no competir entre ellas (arreglo también conocido como el Tratado de Achnacarry)[8].

La cartelización del mercado de derivados del petróleo en Chile por parte de Shell y Esso no contó con el beneplácito del gobierno chileno. Esta antipatía se dio particularmente durante la crisis provocada por la Gran Depresión. Durante este difícil periodo el presidente Carlos Ibáñez del Campo (1927-1931) buscó crear una sociedad para la distribución de derivados del petróleo entre el Estado chileno y la casa comercial británica de Antony Gibbs con el fin de romper con el control de Esso y Shell. Para desilusión de Ibáñez, sin embargo, Gibbs no encontró la oferta financiera y tecnológicamente viable[9]. Un nuevo intento para romper el control de las multinacionales se dio durante la presidencia de Juan Esteban Montero (1931-1932), quien, a pesar de su orientación ideológica de derecha, se aproximó a la Unión Soviética para acordar importaciones de petróleo soviético a Chile. Los soviéticos mostraron interés y ofrecieron proveer a Chile de petróleo y de asistencia técnica para la construcción de una refinería a cambio de nitratos chilenos[10]. La oferta, sin embargo, contó con la oposición tanto de Shell y Esso (quienes rehusaron a procesar o vender petróleo ruso), como del gobierno norteamericano[11]. Ante estas presiones, Montero cedió y no continuó con el proyecto.

Las políticas económicas de Montero para sobrellevar la crisis condujeron a nuevos conflictos con las multinacionales petroleras. En 1932 Montero dio los primeros pasos en términos de política macroeconómica para implantar en Chile un modelo económico de industrialización por sustitu-

---

[6]   Vaughn Scott 1927: 45.
[7]   Harvey 1929: 47; United States Federal Trade Commission 1952: 337.
[8]   Wilkins 1974b: 217-218.
[9]   Monteón 1998: 36.
[10]   Burbach 1975: 108.
[11]   Philip 1982: 183-184.

ción de importaciones (ISI). Con ese fin, se autorizó un aumento de aranceles y devaluación de la moneda con el fin de proteger la industria local.

Estas políticas actuaron en detrimento de las multinacionales, las que tenían que comprar su petróleo en dólares y venderlo en devaluados pesos. Adicionalmente, el Gobierno había restringido el acceso a dólares y libras, lo que aumentaba las dificultades para Esso y Shell a la hora de importar el petróleo. Ante esto, las multinacionales anunciaron que la única forma de mantener a flote el negocio era aumentando el precio de los derivados del petróleo, algo que Montero consideraba podría generar descontento social en momentos de crisis económica, lo que a su vez podría gatillar inestabilidad política. Apoyados por la embajada norteamericana (pero con la oposición de la embajada británica), en marzo de 1932 Esso y Shell aumentaron el precio de sus productos en un 25%, lo que inmediatamente generó protestas por parte de taxistas y conductores de medios de transporte colectivo. El desorden y caos que estas protestas generaron llevaron a Montero a una acción desesperada por medio de la cual el presidente amenazó a Shell y Esso con expropiación. Las multinacionales, sin embargo, lo ignoraron, considerando que no tenía la fuerza para dicha acción y por lo tanto mantuvieron el aumento de precios. El cálculo funcionó a favor de las multinacionales cuando Montero negoció con ellas un nuevo acuerdo por medio del cual taxis y buses podrían comprar combustible a un precio más bajo que los vehículos particulares[12]. Poco antes de abandonar el poder producto de un golpe de Estado en su contra, en mayo de 1932 Montero firmó una ley que permitía la creación de un monopolio estatal para importaciones, distribución y venta de petróleo y sus derivados. Aunque las multinacionales protestaron, la ley subsistió, mas no así la administración de Montero que terminó abruptamente en agosto de 1932[13].

Recuperación económica, mercado petrolero y políticas de industrialización en la década de los años 1930

El 1932, tras un corto gobierno militar socialista, Chile fue a las urnas y eligió a Arturo Alessandri como presidente. Durante su administración la política de ISI se consolidó como aquella que dominaría la economía chilena por décadas. En 1933 Alessandri aumentó los aranceles a todos

---

[12] Monteón 1998: 76; Philip 1982: 184-185.
[13] United States Senate 1976: 82.

los productos en un 50%, y en 1934 volvió a aumentarlos en 100%[14]. Como parte de la ISI, Alessandri buscó tener relaciones cordiales con la élite chilena que aceptó entusiasta las políticas proteccionistas impulsadas por el presidente. La asistencia del presidente a la sesión inaugural de la Confederación de la Producción y el Comercio (CPC), organización que aglutinaba a los principales industriales chilenos, es simbólicamente importante, pues muestra la alianza que se empezaría a gestar entre las organizaciones patronales y un gobierno orientado a la industrialización[15]. Rápidamente, Alessandri continuó con políticas de devaluación e inversión en obras públicas financiadas con deuda[16].

Las políticas de Alessandri no fueron en contra de los intereses de Esso y Shell. Su administración permitió a las multinacionales aumentar el precio de los derivados del petróleo mientras que se comprometió a no volver a considerar la compra de petróleo soviético en el futuro[17]. Las políticas económicas de Alessandri dieron resultados inmediatos. Con la recuperación de la economía y la caída en el desempleo, el consumo de derivados del petróleo inició una tendencia al ascenso que no cambiaría durante el resto del siglo. La Gran Minería, sin embargo, continuó siendo el principal consumidor: para 1933 las empresas de cobre consumían el 17% del total del petróleo importado en Chile, mientras que las empresas de nitratos consumían el 15%. Para 1934 las empresas del cobre consumían un impresionante 24% del total de importaciones[18].

Con una economía en recuperación, un gobierno aliado a los intereses de la burguesía industrial, y un consumo de derivados del petróleo en ascenso, era solo cuestión de tiempo antes de que la élite chilena buscara participar en el lucrativo negocio petrolero. Esto se dio en 1934.

Copec y la alianza entre el gobierno y la burguesía industrial

El 31 de octubre de 1934 un grupo de jóvenes ingenieros chilenos encabezados por el futuro presidente de Chile, Pedro Aguirre Cerda, fundaron la Compañía de Petróleos de Chile (Copec). Como se discutió en la sección anterior, las condiciones existentes en el país eran favorables

---

[14] Palma 1984: 69.
[15] Schneider 2004: 155.
[16] Mamalakis 1976: 90-91.
[17] Pack 1934: 57-58.
[18] Porcentajes calculados por el autor con información de Chile (varios años).

para tal emprendimiento. De igual forma, la composición de los miembros fundadores de Copec muestra el tipo de sistema económico que se estaba gestando. Junto con Aguirre Cerda, otros fundadores de Copec incluyeron a Roberto Wachholtz (senador y ministro de finanzas), Francisco Bulnes (congresista y terrateniente), Jorge Marchant (industrial) y Walter Müller (presidente de la Sociedad de Fomento Fabril, SOFOFA, que representaba los intereses del sector industrial)[19]. Los fundadores de Copec eran dignos representantes de una nueva generación de ingenieros de la década de los años 1920 y 30, que creían firmemente en los beneficios de un modelo económico keynesiano de ISI impulsado por el Estado[20]. A pesar de su fe en el papel del Estado como agente regulador, esta generación de ingenieros creía en los beneficios de la empresa privada y no simpatizaba con ideologías que apoyaran expropiaciones. De hecho, antes de la creación de Copec, Müller apoyó abiertamente un proyecto por parte de Esso para construir una refinería en Chile[21].

Las políticas proteccionistas de Alessandri estuvieron acompañadas por la consolidación de los grupos económicos como aquellos que dominaban la economía chilena. Estos grupos se caracterizaban por ser organizaciones con inversiones en una gran cantidad de empresas de diferentes industrias conectadas entre sí por miembros comunes de juntas directivas o lazos familiares y/o de amistad. A la vez, en su esfuerzo por impulsar la ISI, el gobierno chileno buscó coordinar su política económica con el sector privado, lo que llevó a la creación de una "puerta giratoria" entre agencias estatales o ministerios públicos y empresas del sector privado, en donde miembros de la élite industrial chilena en ocasiones ocupaban puestos importantes en el gobierno (particularmente en agencias o ministerios relacionados con política económica), para después regresar al sector privado[22]. De hecho, un clásico estudio sobre las élites chilenas muestra que a pesar de que ninguno de los accionistas de Copec controlaba un porcentaje muy grande de las acciones de la empresa, las conexiones de estos individuos con el gobierno les daban ventajas dentro de Copec e influencia tanto en el gobierno como en Copec[23]. Por esta

[19]   Zeitlin, Ewen y Radcliff 1974: 114-120.
[20]   Corbo y Meller, 1978: 6-7.
[21]   Ibáñez 2003: 86-95 y 118-124; Burbach 1975: 26.
[22]   Schneider 2004: 154-156.
[23]   Zeitlin, Ewen y Radcliff 1974: 113-117. Para información detallada del número y porcentaje de propiedad de acciones por parte de accionistas particulares, así como para información biográfica de los miembros del directorio de Copec, véase Bucheli 2010a.

razón no es de extrañar el apoyo que, desde su inicio, tuvo Copec por parte del gobierno chileno.

Oposición de las multinacionales a Copec y creación del cartel petrolero chileno

Dado el control total que tenían sobre el mercado chileno, Esso y Shell se opusieron a la creación de Copec desde un principio, y planearon quebrarla por medio de una guerra de precios. Esta iniciativa, sin embargo, no prosperó. En 1935, Gustavo Ross, el ministro de hacienda de Alessandri, intervino directamente a favor de Copec y advirtió a las multinacionales que el gobierno estaba dispuesto a subsidiar a Copec con el fin de garantizarle al menos un 20% de participación en el mercado[24]. En ese momento el gobierno tenía los recursos para financiar a Copec en un conflicto con Esso y Shell gracias a los altos precios del cobre[25]. Para complicar más las cosas, para las multinacionales, las embajadas norteamericana y británica no se opusieron a la creación de Copec. De hecho, Müller tenía buenas relaciones personales con el embajador de Estados Unidos. Sin embargo ambas embajadas desconfiaban de la capacidad de Copec para entrar en el negocio. Mientras la embajada norteamericana sugirió a las multinacionales no hacer ningún negocio con Copec a menos de que esta última pagara al contado y por adelantado, la embajada británica consideraba que el mercado chileno no era lo suficientemente grande para tener a tres empresas petroleras operando en él[26]. Sea cuales fuesen las opiniones al respecto, lo que quedó claro a las multinacionales es que no iban a tener apoyo político ni en Chile ni en sus países de origen, en caso de enfrentarse a Copec o al gobierno chileno.

Crecidos en optimismo por el apoyo del gobierno, Aguirre Cerda y Wachholtz fueron más lejos y pidieron al gobierno declarar a Copec como monopolio petrolero nacional. Para su sorpresa, Ross se opuso firmemente. Tanto, que incluso pidió a Esso y Shell que buscaran apoyo en sus gobiernos para oponerse a esta propuesta, pues el ministro consideraba que los planes de desarrollo requerirían inversión extranje-

[24]   Philip 1982: 187.
[25]   Petroleum Industry Anti-Trust Collection (en las siguientes referencias me refiero a esta colección como PIATC): Chile, 1952, Case #5, 4-5.
[26]   Burbach 1975: 66; Mitcheson 1936: 19-20.

ra[27]. Aguirre Cerda y Wachholtz no perdonaron a Ross su falta de apoyo al monopolio y a partir de ese momento se opusieron férreamente al ministro[28]. Tras este choque, Aguirre Cerda entró en política y lanzó su candidatura a las elecciones presidenciales de 1938 por el recientemente creado Frente Popular, una coalición ecléctica con corte nacionalista[29].

En 1937 Shell, Esso y Copec arreglaron sus diferencias con mediación de Ross y aceptaron dividir el mercado en tercios, mientras que a la vez se comprometieron a no competir en precios[30]. De igual forma, el arreglo obligaba a las multinacionales a reinvertir sus ganancias en Chile[31]. Aunque este arreglo iba en contra de las ideas de Aguirre Cerda, el mismo fue aprobado durante su presidencia de Copec. Aguirre Cerda y Wachholtz creían firmemente en los beneficios del monopolio doméstico, mientras que Müller defendía la participación de capital extranjero. Durante los debates la junta directiva de Copec se alió con Müller, lo que llevó a la renuncia de Wachholtz y la aceptación final del cartel por parte de Aguirre Cerda[32].

Políticas desarrollistas y consolidación del cartel petrolero en Chile, 1938-1954

En 1938 el antiguo presidente de Copec, Pedro Aguirre Cerda, ganó unas apretadas elecciones presidenciales compitiendo contra el antiguo ministro de hacienda Gustavo Ross. Parte de la plataforma política de Aguirre Cerda incluía la nacionalización del sector petrolero. Adicionalmente, Aguirre Cerda nombró a Wachholtz, su antiguo aliado en Copec, como Ministro de Hacienda, quien en enero de 1939 también hizo eco de la propuesta de nacionalización y sugirió a las empresas extranjeras vender sus activos de manera voluntaria. A pesar de las credenciales conservadoras de Aguirre Cerda y Wachholtz, la embajada norteamericana inmediatamente vio un paralelo con el México revolucionario que el año anterior había expropiado a las empresas petroleras, y mostró su oposición a la idea de un monopolio. Por su parte, las multinacionales respondieron a Wachholtz que ellas solo considerarían vender al final

[27] PIATC, Chile, 1952, Case # 5, 5; Philip 1982: 187.
[28] Monteón 1998: 150.
[29] Drake 1993: 102-105.
[30] PIATC, Chile, 1952, Case # 5, 5.
[31] Larson, Knowlton y Popple 1971: 329.
[32] Burbach 1975: 67; Philip 1982: 188.

de su contrato con Copec, en 1942. Considerando la actitud de las multinacionales como una provocación, Wachholtz procedió a solicitar un préstamo al Export Import Bank de Estados Unidos para financiar la construcción de una refinería. El banco respondió que no otorgaría préstamos mientras las propiedades norteamericanas estuvieran en peligro de expropiación. Ante esta negativa, Wachholtz no buscó más fuentes de financiamiento y el proyecto fue archivado[33].

En 1939 Aguirre Cerda reforzó el estrecho lazo entre el sector privado y el gobierno con la creación de la Corporación de Fomento de la Producción (Corfo), tal vez la organización más importante en Chile en términos del impulso a la ISI. Relativamente independiente, Corfo estaba a cargo de coordinar el proceso industrializador. Entre 1939 y 1954 las inversiones de Corfo en maquinaria y equipo representaron el 30% del total del país. La iniciativa de la ISI dio frutos: entre 1940 y 1954 la producción industrial chilena creció en un 246%, las inversiones norteamericanas en minería crecieron en un 80% y la población urbana (muy conectada a la industria) creció en un 42%[34]. Como lo describe Ben Ross Schneider en su estudio sobre grupos económicos, "después de 1939, las principales decisiones económicas en Chile no fueron tomadas a nivel del Senado sino en reuniones a puerta cerrada en las oficinas de Corfo"[35]. Durante los siguientes años el directorio de Copec estaba integrado por personajes también conectados con otras asociaciones gremiales, las cuales a su vez tenían contacto cercano con Corfo[36].

Shell y Esso estaban conscientes de la necesidad de mostrarse colaboradores con su socio en el cartel. Cuando el primer contrato del cartel venció el primero de enero de 1942, tanto Esso como Shell estuvieron de acuerdo en aumentar la participación de Copec. Bajo el nuevo acuerdo Copec aumentaría su participación gradualmente durante los siguientes diez años hasta lograr el control del 50% de la bencina y 33% en todos los demás productos. Además, Copec se comprometía a comprar todos los productos de Shell y Esso en proporción a las anteriores participaciones en el mercado de ambas multinacionales[37]. La búsqueda por parte de Esso y Shell de proteger su posición en Chile contó con el apoyo de la embajada norteamericana no tanto por un interés en el mercado ener-

33 Monteón 1998: 262-263; Philip 1982: 188-189.
34 Douyon 1972: 87-89.
35 Schneider 2004: 155.
36 Bucheli 2010a: 392.
37 PIATC, Chile, 1952, Case # 5, 5.

gético chileno (pequeño para estándares globales) sino para proteger el consumo de energía de las multinacionales involucradas en la minería[38]. Para Shell y Esso (así como para la embajada norteamericana), darle gradualmente una mayor participación a Copec disminuía el riesgo de herir sensibilidades nacionalistas en Chile que se tradujeran en propuestas de expropiación.

A pesar de su oposición inicial, las multinacionales se beneficiaron de su pertenencia al cartel con Copec así como de las operaciones de Corfo. De hecho, cuando el segundo contrato que establecía la existencia del cartel estaba cerca de vencer en 1951, y se acercaba su renovación, las oficinas centrales de Esso en Nueva York enviaron un memorándum a su oficina en Chile expresando su deseo de que a partir de 1951 Esso, Shell y Copec operaran en un mercado competitivo en Chile. Los funcionarios de la empresa presente en Chile, sin embargo, consideraron que era más beneficioso continuar con el arreglo y renovaron el cartel por dos años más y más tarde hasta los años sesenta[39]. Los funcionarios en Chile claramente sabían de las ventajas políticas que traía el cartel.

En 1959 el cartel protegió a las multinacionales de acciones en su contra por parte de aquellos que criticaban al cartel por incumplir con la legislación antimonopolio. Cada vez que el cartel fue amenazado legalmente la Comisión Antimonopolio expresó que siempre y cuando hubiera miembros chilenos en el cartel el gobierno no actuaría en contra de él[40]. Las fuertes conexiones de Copec claramente rendían beneficios para las multinacionales.

Paradójicamente, los esfuerzos de Corfo para lograr independencia energética en Chile también beneficiaron a las multinacionales y Copec. En 1950 Corfo financió la creación de la Empresa Nacional de Petróleo (ENAP), encargada de realizar exploraciones en el sur de Chile. Esto se dio tras los primeros descubrimientos exitosos de yacimientos petroleros en la Patagonia en 1945 (que, en todo caso, jamás alcanzaron niveles suficientes para autoabastecer a Chile). Dicha empresa tenía autorización legal para subcontratar empresas privadas, ya fueran chilenas o extranjeras. En 1950 Shell, Esso y Copec invirtieron en un buque tanque para servir a ENAP y en 1956, Esso, Copec y ENAP firmaron un contrato para la construcción de un oleoducto[41]. Adicionalmente, Corfo aumentó el ca-

---

[38] Randall 1985: 75.
[39] PIATC, Chile, 1952, Case # 5, 7.
[40] Furnish 1971: 477-478; Copec 1961: 5.
[41] Copec 1950: 5; Copec 1956: 5.

pital del cartel con la compra en 1954 de alrededor del 15% de las acciones de Copec. Corfo también financió la construcción de una refinería en Con-Con para procesar petróleo de ENAP así como de Copec, Esso y Shell[42]. Esto beneficiaba claramente a las empresas privadas, pues la producción de crudo de ENAP jamás fue significativa[43].

Cuestionamientos al cartel Copec-Esso-Shell durante los gobiernos de la Democracia Cristiana y la Unidad Popular

La llegada del partido Demócrata Cristiano al poder en 1964, tras la elección de Eduardo Frei Montalva, creó nuevas dificultades al arreglo existente entre Copec, Shell y Esso. Frei consideraba que el poderoso cartel requería ser sometido a regulaciones con el fin de beneficiar al consumidor final[44]. Frei permitió a ENAP vender su petróleo a Copec utilizando fluctuantes y crecientes precios internacionales como base, pero, a la vez, forzaba a Copec a vender a precios fijos. Por su parte, Frei comenzó a insinuar la necesidad de nacionalizar la distribución de gas[45]. En su defensa, en la *Memoria* anual de 1969, Copec desarrolló un apasionado y patriótico argumento respecto al rol que la empresa había jugado en el desarrollo económico chileno y en el que advierte de los peligros que tendría una "estatización" de la industria (el documento, por cierto, no menciona ni a Esso ni a Shell)[46].

Como sucedió con la mayoría de las grandes empresas chilenas, Copec se sintió amenazada con el gobierno de Salvador Allende (1970-1973). Los temores no eran infundados. Allende prontamente llevó a cabo políticas que buscaban un control estatal del 100% del mercado del petróleo refinado y del 89% de los derivados[47]. De igual forma, en marzo de 1971, el gobierno fundó la Empresa Nacional de Distribución (ENADI) cuyo propósito era controlar la distribución de derivados[48]. Dada la brevedad del gobierno de Allende, estas iniciativas no lograron alterar demasiado el mercado de derivados del petróleo chileno. Paradójicamente, el fin del cartel se dio en 1978, durante el gobierno

[42] Copec 1954: 4.
[43] Douyon 1972: 267.
[44] Copec 1967-1968: 3-6.
[45] Copec 1969-1970: 3.
[46] Copec 1968-1969: 1-4.
[47] DeVylder 1989: 148.
[48] Banco Mundial 1980: 66.

del general Augusto Pinochet (1973-1989), para quien dicho arreglo era inconsistente con sus políticas de libre mercado. Igualmente, el gobierno se deshizo del 15% de acciones que tenía en Copec, lo que inició la transición de la empresa a convertirse en una importante parte del grupo económico Angelini. Esso y Shell, por su parte, continuaron como los más importantes jugadores en el sector, además de Copec y Repsol-YPF (antes de su renacionalización en 2014).

Conclusiones

Este capítulo muestra cómo tanto el surgimiento de Copec como su crecimiento estuvieron fuertemente ligados a la consolidación del modelo (ISI) que comenzó en la década de los años 1930 y se mantuvo hasta principios de la década de los años 1970. La empresa reflejaba el poder que la élite chilena tenía en materia de política económica y el consenso existente en esta misma materia entre la élite y el gobierno. La falta de fuentes de crudo, sin embargo, impidió a Chile tener empresas del corte de YPF en Argentina o PDVSA en Venezuela. El hecho de que haya sido el sector privado el que mayor participación tuvo en la industria petrolera en Chile, contrario al caso de otros países latinoamericanos, no responde a ninguna orientación ideológica particular en la que el gobierno o la élite chilena desconfiaran de la capacidad estatal para entrar en esta industria. De hecho, entre los años 1930 y 70, las empresas propiedad del gobierno jugaron un importante papel en Chile. El gobierno hizo todo lo posible (tanto en términos de legislación como en términos de creación de empresas estatales) para controlar el sector petrolero. El problema fue que los esfuerzos se concentraron en la producción de crudo, que siempre ha mostrado resultados casi nulos en Chile. Una vez que Copec comenzó a funcionar, el gobierno jugó un importante papel defendiendo sus intereses en contra de las multinacionales. Paradójicamente, en el largo plazo las multinacionales se beneficiaron de la presencia de Copec en el cartel, lo que funcionó como un escudo de protección contra amenazas legales.

El papel de las multinacionales fue crucial. Fueron Esso y Shell las que originalmente crearon la infraestructura de distribución de derivados del petróleo en Chile, y fueron estas dos empresas las que tenían las conexiones con el mercado internacional. Cada vez que los chilenos intentaron romper el control que estas tenían de las fuentes de crudo externo, el fracaso fue rotundo. Las multinacionales también contaron en ocasiones con el apoyo de sus embajadas, lo cual les daba fuerte poder de negociación. Esto no quiere decir, sin embargo, que Esso y Shell fueran todopoderosas. La misma creación del cartel evidencia el poder que en ciertos momentos tuvo el estado para cambiarles las reglas del juego. Hay que tener en cuenta que esto fue posible cuando dos factores confluyeron: altos precios del cobre y poco apoyo diplomático (tanto norteamericano como británico) a los intereses de Esso y Shell. Como este capítulo muestra, Copec se benefició de las inversiones iniciales de Shell y Esso, pero más tarde las multinacionales se beneficiaron de las inversiones de Copec en términos de relaciones políticas.

El caso muestra también que el cartel creado entre Shell, Esso y Copec estaba sustentado por un consenso ideológico que dominó por décadas (capitalismo de Estado e ISI). Una vez este consenso fue reemplazado por otro (liberalización económica) el arreglo rápidamente colapsó. Finalmente, este capítulo pone de manifiesto la constante interrelación entre estrategia corporativa y el contexto de economía política. En un país con altísima concentración de capital y con una élite económica relativamente pequeña en términos del número de individuos que la componen, el análisis de las estrategias de empresas grandes requiere obligatoriamente una consideración de la evolución del ámbito económico y político. De otro modo, dicho análisis corre el riesgo de quedar incompleto, impidiendo entender la magnitud de los cambios a través del tiempo y las implicaciones no solo para el sector empresarial sino para el resto de la sociedad.

Bibliografía

AMÉRICA ECONOMÍA (2014). Ranking: las 500 mayores empresas de Chile 2014. En http://rankings.americaeconomia.com/las-500-mayores-empresas-de-chile-2014/ranking-500-chile_1_50/ Accedido el 5 de noviembre de 2015.

BANCO MUNDIAL (1980). *Chile: An economy in transition*. Washington: Banco Mundial.

BUCHELI M. (2010a). "Multinational corporations, business groups, and economic nationalism: Standard Oil (New Jersey), Royal Dutch-Shell, and energy politics in Chile, 1913-2005". *Enterprise and Society*, 11(2), pp. 350-399.

BUCHELI M. (2010b). "Major Trends in the Historiography of the Latin American Oil Industry," *Business History Review*, 84 (2), pp. 339-362.

Burbach R. (1975). *The Chilean industrial bourgeoisie and foreign capital, 1920-1970*. Bloomington: Disertación doctoral, Indiana University.

Chile. Instituto Nacional De Estadisticas (varios años). *Anuario Estadístico*. Santiago: Imprenta Nacional.

Corbo V., Meller P. (1978). *Antecedentes empíricos de los sectores externo e industrial chilenos: 1950-1970*. Santiago: CIEPLAN.

De Vylder S. (1989). "Chile 1973-1987: los vaivenes de un modelo". En R. García (coord.), *Economía y política durante el gobierno militar de Chile, 1973-1987*. México: Fondo de Cultura Económica.

Douyon G. (1972). *Chilean industrialization since CORFO*. Washington: Disertación doctoral, American University.

Drake P. (1993). "Chile, 1930-1958". En L. Bethell (ed.), *Chile Since Independence*. Cambridge: Cambridge University Press.

Empresas copec (2015). www.empresascopec.cl. Accedido el 5 de noviembre de 2015.

Furnish D. (1971). "Chilean anti-trust law". *American Journal of Comparative Law*, 19, pp. 464-488.

Harvey M. (1929). *Economic conditions in Chile*. Londres: Office of Overseas Trade.

Ibáñez A. (2003). *Herido en el ala: Estado, oligarquías y subdesarrollo: Chile, 1924-1960*. Santiago: Editorial Biblioteca Americana.

Larson H., Knowlton E., Popple C. (1971). *New Horizons: History of Standard Oil Company (New Jersey), 1927-1950*. Nueva York: Harper and Row.

Mamalakis M. (1976). *The growth and structure of the Chilean economy*. New Haven: Yale University Press.

Mitcheson J. (1936). *Report on economic and commercial conditions in Chile*. Londres: Office of Overseas Trade.

Monteon M. (1998). *Chile and the Great Depression: The politics of underdevelopment*. Tempe: Arizona State University.

Pack A. (1934). *Economic conditions in Chile*. Londres: Office of Overseas Trade.

Palma J. G. (1984). "Chile, 1914-1935: De economía exportadora a sustitutiva de importaciones". *Colección Estudios CIEPLAN*, 12, pp. 61-88.

Petroleum Industry Anti-Trust Collection (piatc). *Division of markets: Chile*. Historical Collections. Baker Library. Harvard Business School. Boston, Massachusetts, Estados Unidos.

Philip G. (1982). *Oil and politics in Latin America*. Cambridge: Cambridge University Press.

RANDALL S. (1985). *United States Foreign Oil Policy for Profits and Security: 1919-1948*. Montreal: McGill-Queen's University Press.

SCHNEIDER B. R. (2004). *Business politics and the state in twentieth century Latin America*. Cambridge: Cambridge University Press.

UNITED STATES FEDERAL TRADE COMMISSION (1952). *The international petroleum cartel*. Washington: Government Printing Office.

UNITED STATES SENATE (1976). *American petroleum interests in foreign countries*. Nueva York: Arno.

VAUGHN SCOTT W. F. (1927). *Report on the industrial and economic situation in Chile*. Londres: Office of Overseas Trade.

WILKINS M. (1974b). "Multinational oil companies in South America in the 1920s: Argentina, Bolivia, Brazil, Chile, Colombia, Ecuador, and Peru". *Business History Review* 80, pp. 414-446.

WILKINS M. (1974a). *The maturing of multinational enterprise: American business abroad from 1914 to 1970*. Cambridge: Harvard University Press.

ZEITLIN M., EWEN L., RADCLIFF R. (1974). "New princess for old? The large corporation and the capitalist class in Chile". *American Journal of Sociology*, 80, pp. 87-123.

La red empresarial chilena en 1939: entre la crisis global y la adaptación a la etapa de la industrialización promovida por el Estado

Érica Salvaj[1], Andrea Lluch[2], Constanza Gómez[3]

Introducción

El proceso de desintegración de la primera economía global, acelerado por la Gran Depresión, tuvo un impacto profundo y negativo sobre la economía de Chile. Estudios previos ahondaron en el comportamiento económico de Chile en los años 1930. Sin embargo son escasas las investigaciones históricas que han profundizado en el proceso de adaptación, cambio y estrategias corporativas de las mayores empresas y empresarios chilenos durante la desintegración de la primera economía global y los inicios de la industrialización promovida por el Estado. Estas páginas analizan las estrategias y prácticas de relacionamiento, coordinación y colaboración entre las mayores empresas de Chile en el año 1939. En concreto, el capítulo analiza la configuración de la red de directorios de las 1.004 empresas y 20 bancos más grandes de Chile en el año 1939. Estas redes, extensamente estudiadas[4], son conocidas en inglés como *Interlocking Directorates* (ID), y se generan cuando un director participa en los directorios de dos o más empresas. Este enfoque permite indagar en las vinculaciones de la élite empresarial chilena, visibilizando rasgos inexplorados previamente que contribuyen a caracterizar al capitalismo chileno de fines de los años 1930. En este sentido, al enfocarse en los cambios en la estructura de la red corporativa el capítulo también enriquece la profusa literatura sobre el proceso de industrialización en Chile, los cuales han estado más enfocados en el surgimiento de la industria[5], su impacto en la economía chilena[6] y por múltiples estudios más recientes

[1] Universidad del Desarrollo, Chile y Universidad Torcuato Di Tella, Argentina.
[2] CONICET/UNLPam, Argentina y Universidad de Los Andes, Colombia.
[3] Universidad del Desarrollo, Chile.
[4] Mizruchi 1996; David y Westerhuis 2014, entre otros.
[5] Palma 1984; Carmagnani 1998; Ortega 1981.
[6] Meller 1996; Muñoz 1968; Ffrench-Davis *et al.*, 2003.

que se han focalizado en aspectos más concretos como consumo energético[7].

El principal aporte de esta investigación es que muestra que ante un contexto de crisis, de estancamiento económico y de aumento de la incertidumbre política (al menos en el corto plazo), las grandes empresas incrementaron sus relaciones a nivel de directorios, y en comparación con pautas analizadas para principios del siglo xx. Postulamos así que la red empresarial chilena en el año 1939 adquirió un elevado nivel de integración. En tal sentido, si la red de directorios puede ser considerada una expresión de la cohesión de la élite empresarial, estos resultados mostrarían una elevada capacidad, como colectivo, para coordinar actividades económicas y de negocios en un contexto caracterizado por profundos cambios a nivel nacional, regional e internacional.

El capítulo comienza con una descripción del contexto político y económico en 1939. En segundo lugar analiza la estructura de la red de directorios e identifica a las empresas que tuvieron un rol protagónico en dicha red. Tercero, profundiza en la identidad de las empresas que conformaban el clúster de la región de Magallanes, una característica novedosa, singular y relevante de la red corporativa chilena de 1939, que además incorporó a las primeras mujeres directoras en Chile. Finalmente, el capítulo describe los perfiles de los directores con más poder y visibilidad del entramado empresarial.

El contexto económico y político

Una breve descripción del ambiente en el cual operaban las empresas en Chile a fines de la década de los años 1930 permitirá contextualizar el análisis de la red corporativa que estudiaremos en los próximos apartados. La economía chilena se caracterizaba por una fuerte dependencia de la exportación de salitre natural. Dicha situación se transformó en una debilidad para el país, pues esta industria sufrió un colapso luego del descubrimiento –por parte de los alemanes– del nitrato sintético, durante la Primera Guerra Mundial, tendencia que se acentuó en los años siguientes[8]. En una economía con signos de agotamiento, la conjunción de la gran crisis financiera y la debilidad que se había generado por la competencia del nitrato sintético generaron una catástrofe para Chile.

---

[7] Yáñez y Garrido Lepe 2015.
[8] Schmidt-Hebbel 2006; Monteón 1998.

En 1932, cuando Arturo Alessandri Palma asumió su segundo periodo de gobierno, se encontró un país inmerso en una profunda crisis económica. La contracción acelerada de la industria del salitre, y la reducción de las exportaciones de los sectores agrícola y minero impactaron en la economía local incrementando el nivel de desempleo y gasto fiscal[9]. El PIB per cápita chileno cayó en un 47%[10] y las exportaciones e importaciones un 79% y 84%, respectivamente, durante la Gran Depresión[11].

Durante su mandato Alessandri definió como objetivo prioritario reactivar la economía chilena dándole una mayor participación al Estado. Chile lideró el giro de América Latina hacia las políticas de sustitución de importaciones, aplicándose un conjunto de medidas que derivó en estímulos para el crecimiento industrial, la inversión y el empleo, sin generar inestabilidad en el nivel de precios[12], alcanzando la inflación, durante el gobierno de Alessandri, un 8% anual en promedio[13]. Asimismo, las medidas apuntaron a la protección del mercado interno, interviniendo en la industria salitrera[14]. Se establecieron exenciones de impuestos, pero la disminución del ingreso fiscal por el otorgamiento de estos beneficios al sector del salitre no generó déficit fiscal. Estas medidas lograron iniciar la recuperación del país, cuyo PIB en 1938 alcanzó el nivel que tenía antes de la Gran Depresión[15], aunque a partir de ese mismo año su crecimiento se estancó alcanzando su nivel más bajo desde 1933, un 1,56%, 11 puntos porcentuales menos que el año anterior[16].

La década de los años 1930 fue también políticamente turbulenta para Chile. El descontento, los conflictos y la movilización social se incrementaron durante el mandato de Alessandri, generándose una mayor organización de los trabajadores y fortaleciéndose los partidos de izquierda[17]. Además, en este periodo se acentuó la desigual distribución del ingreso, alcanzándose en la década de los años 1930 los niveles más altos de coeficiente Gini, 0,6 de promedio, si se considera el periodo 1850 hasta la fecha[18].

[9]   Alessandri 1967.
[10]   Lüders 1998.
[11]   Meller 1996.
[12]   Mamalakis y Reynolds 1965.
[13]   Díaz, Lüders y Wagner 2016.
[14]   Vásquez 2012.
[15]   Meller 1996.
[16]   Díaz, Lüders y Wagner 2016.
[17]   Schneider 2004.
[18]   Díaz, Lüders y Wagner 2016.

En este escenario, el Frente Popular, una coalición de centroizquierda, llegó al poder en diciembre de 1938, liderado por Pedro Aguirre Cerda. Sin embargo, y a pesar del clima confrontacional imperante a finales de los años 1930, existía en los sectores dirigentes un consenso respecto de incrementar las políticas de fomento estatal para estimular la industrialización[19]. Por ello, el gobierno de Pedro Aguirre Cerda continuó expandiendo la intervención del Estado en la economía y profundizó medidas inspiradas en la política sustitutiva de importaciones, aumentando las transferencias al sector privado, es decir, el gasto fiscal corriente correspondiente a aportes a empresas y subsidios al sector privado (véase Gráfico 1). Asimismo, se reformaron los controles al comercio exterior, en particular mediante la imposición de impuestos aduaneros, aranceles, tipos de cambio múltiples y fijación de precios[20]. Estas medidas fueron acompañadas de políticas sociales enfocadas principalmente en promover la educación y la construcción de viviendas sociales[21].

Gráfico 1. *Transferencias al Sector Privado (Pesos de cada año).*

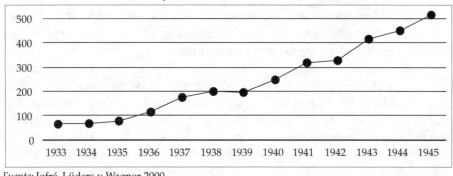

Fuente: Jofré, Lüders y Wagner 2000.

A pesar del fuerte apoyo del Estado al desarrollo de la industrialización sustitutiva y el incremento en el índice de producción manufacturera (véase Gráfico 3), Chile se encontraba en una situación desventajosa para que las firmas nacionales pudiesen crecer en tanto su capacidad

[19] Burbach 1975; Nazer *et al.* 2009; Meller 1996, entre otros.
[20] Pinto y Salazar 2002.
[21] Collier *et al.* 1998.

para importar bienes de capital era limitada. El crecimiento industrial seguía sujeto a la necesidad de divisas para importar bienes intermedios y de capital, provenientes ya sea del comercio de exportación o por el endeudamiento externo, generándose lo que algunos autores han calificado como una estructura productiva desequilibrada (véase Gráfico 2)[22].

Gráfico 2. Exportaciones más Importaciones como porcentaje del PIB.

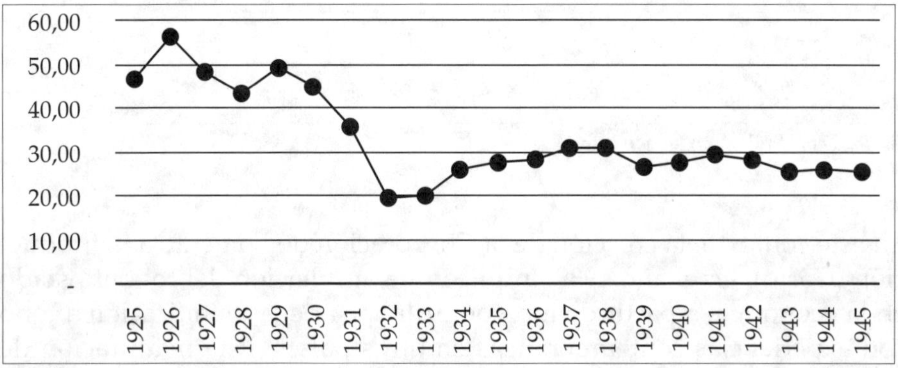

Fuente: Díaz, Lüders y Wagner, 2016.

El problema de la capacidad de importación no se revocó hasta el final de la Segunda Guerra Mundial[23]. En efecto, el comienzo de esta guerra incrementó las dificultades y ralentizó el impacto del crecimiento del sector manufacturero en la economía, no solo porque redujo la productividad sino por el cierre de los mercados[24]. Durante el periodo 1939-1944 el PIB real del país creció tímidamente (2,3% en promedio), mayoritariamente a causa de la caída del precio del salitre, pues, como indicamos, la curva de producción manufacturera fue en aumento (véase Gráfico 3).

[22]   Pinto y Salazar 2002.
[23]   Bértola 2011.
[24]   Nazer *et al.* 2009.

51

Gráfico 3. *Índice de Producción Manufacturera y Producción de Salitre.*

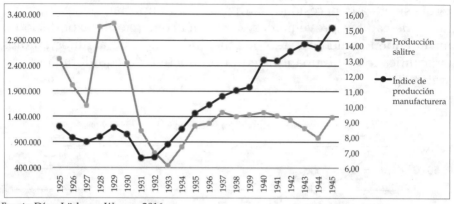

Fuente: Díaz, Lüders y Wagner 2016.

En este contexto, la creación de la Corporación de Fomento a la Producción (Corfo), en el año 1939, implicó una ampliación del rol del Estado en la economía, a partir de incorporar la idea de la planificación a tono con experiencias contemporáneas en otros países. Esta maduración de la idea de fomento productivo y planificación económica se concretizó en distintos planes sectoriales (por ejemplo, el Plan de Fomento a la producción industrial de 1939), que buscaron brindar el apoyo financiero necesario para expandir y reactivar la economía chilena, y principalmente fortalecer la industrialización del país[25]. Como señalaba Pedro Aguirre Cerda en un mensaje al Congreso Nacional:

> Se trata, por una parte, de reemplazar hasta donde es posible la importación de materias primas, especies o productos elaborados que podrían obtenerse con los elementos disponibles en el país, y, por la otra, conquistar mercados en el exterior con bienes de una producción de calidad[26].

La creación de esta nueva institución generó una discusión política entre los empresarios industriales reunidos en la SOFOFA (Sociedad de Fomento Fabril). Si bien algunos miembros apoyaban un rol estatal más activo, cuestionaban la existencia de empresas de propiedad del Estado pues entendían que generarían competencia desleal entre las

---

[25]   Mamalakis y Reynolds 1965; Ibáñez Santa María 1994.
[26]   Corfo 1949.

firmas privadas y las públicas[27]. También se oponían a un posible incremento en los impuestos para financiar la institución[28]. Esta barrera se sorteó incorporando un gravamen a la gran minería de cobre estadounidense[29]. Por último, a otro sector del empresariado le preocupaba el posible surgimiento de problemas sociales en la agricultura, temor disipado por el gobierno al retirar el proyecto de ley de sindicalización campesina[30]. Como consecuencia, CORFO se excluyó en el proceso de fomentar el desarrollo de los sectores del cobre y la agricultura[31].

A raíz de estas medidas, y del otorgamiento de cinco puestos en el directorio de la nueva institución a los representantes de las principales asociaciones gremiales empresariales[32], el mundo corporativo apoyó la presencia de CORFO. Este proceso fue rápido, tal como ilustra este fragmento del discurso del entonces presidente de la Sociedad de Fomento Fabril (SOFOFA), Walter Müller:

> Conviene, sin embargo, destacar el hecho de que su acción (creación de CORFO) no invalidó el campo de la actividad privada ni entorpeció el desarrollo de la libre empresa, sino que se concentró en llevar a cabo aquellas obras que el sector privado no podía abordar en ese momento por la magnitud de las mismas y monto de las inversiones requeridas[33].

Este breve testimonio refleja el rápido posicionamiento de CORFO como agente del desarrollo económico de Chile a través del otorgamiento de préstamos al sector privado, funcionando como un banco de inversiones, participando en actividades de investigación y desarrollo, y promoviendo la creación de nuevas compañías estatales. Islas (2015) plantea que entre 1939 y 1943 CORFO invirtió en 53 compañías (tanto en nuevos emprendimientos como en empresas ya existentes y líderes de sus sectores) enfocadas en manufactura, minería, agricultura y energía. Entre 1939 y 1954 la institución controlaba el 30% de la inversión total en bienes de capital, más del 25% de la inversión pública y el 18% de la inversión bruta total[34]. Para 1940 CORFO ya había creado una oficina

---

[27] Meller 1996.
[28] Faúndez 2011.
[29] Nazer et al. 2009.
[30] Nazer et al. 2009; Meller 1996.
[31] Faúndez 2011.
[32] Menges 1966; Faúndez 2011.
[33] Ceppi et al. 1983.
[34] Meller 1996.

en Nueva York para gestionar de mejor manera los préstamos en el exterior, adquirir máquinas y efectuar embarques hacia Chile[35].

Tal como descubre el fragmento del testimonio de Walter Müller, el sector privado participó directamente en la estructuración y dirección de CORFO a través de diferentes asociaciones empresariales. El presidente de la Cámara de Comercio, dos miembros del directorio de la SOFOFA y otras personas de la élite empresarial integraron las comisiones de la CORFO en minería, agricultura y transporte, entre otras[36]. Por lo tanto, los planes de fomento diseñados por CORFO reflejaban la participación activa de empresarios privados y también incluían la gestión real de varias empresas estatales, de tal manera que las asociaciones empresariales tenían derecho a nominar directores. La relación entre el sector privado y el Estado durante este periodo fue más allá de la representación de intereses específicos para incluir un papel directo del sector privado en varias áreas de política económica[37].

Sin embargo, en 1939, un contexto caracterizado por una situación de estancamiento económico, mayor radicalización política y nuevos *shocks* externos habría generado un contexto de incertidumbre entre las grandes empresas de Chile: ¿cómo se reconfiguró la red de directorios?, ¿se incrementó la colaboración entre la élite de negocios?, ¿quiénes fueron los actores que alcanzaron más prominencia y lideraron la red empresarial chilena en esta etapa?

La red corporativa chilena en 1939: entre la crisis global y la adaptación

Ante la situación descrita, la red empresarial de Chile (representada aquí por los vínculos a nivel de directorio) de 1939 se reestructuró. Las tres sub redes conectadas identificadas a principios del siglo XX[38] desaparecieron y surgió un solo gran componente principal (o la sub red que vincula a la mayor cantidad de nodos), que vinculaba ahora a la mayoría de las empresas. Como puede apreciarse en el Gráfico 4, muy pocas firmas (o nodos) se encuentran aislados (o sin conexiones con el resto de las empresas). Enmarcada por un contexto de crisis y de mayor

[35]   CORFO 1949.
[36]   Burbach 1975.
[37]   Salvaj y Couyoumdjian 2016.
[38]   Lluch y Salvaj 2016.

incertidumbre ante las nuevas políticas económicas promovidas por el gobierno del Frente Popular, la red empresarial de Chile se tornó más integrada.

Gráfico 4. *La red de directorios de las empresas más grandes en Chile -1939.*

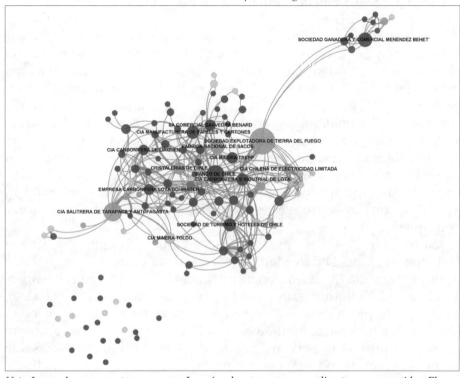

Nota: Los nodos representan empresas. Los vínculos se generan por directores compartidos. El grosor de una línea está asociado al número de directores compartidos entre dos empresas. El tamaño de los nodos refleja la centralidad de intermediación.
Fuente: Elaboración propia.

Algunos autores han planteado que la Gran Depresión y la industrialización generaron el surgimiento de un nuevo tipo de capitalismo llamado "capitalismo cooperativo"[39], incrementando alianzas y la colaboración entre empresas. Bucheli[40], en esta misma línea, ha afirmado que en los años subsiguientes al gobierno de Alessandri "los miembros

39   Muñoz 1986; Schneider 2004.
40   Bucheli 2011: 85.

de la élite empresarial chilena ocupaban alternadamente puestos en el gobierno, agencias de desarrollo y el sector privado, logrando una influencia sin precedentes en política económica". Nuestros resultados confirman y complementan estas visiones al poner de manifiesto el incremento de los vínculos interempresariales desde la perspectiva de las redes corporativas.

Durante la fase de implementación de políticas isi y de mayor intervención del Estado en la economía, el componente principal no solamente aumentó su tamaño (Tabla 1), sino que incluía a más del 80% del total de firmas en 1939. Ese año el componente principal integraba el 83% de las empresas, y el 34% de ellas se mantenían aisladas o débilmente conectadas al resto de las compañías. Se produjo una reducción importante de compañías aisladas con respecto a la primera década del siglo, desde el 23% al 15% en 1939. La integración de 104 firmas en el componente principal ocurría gracias a los 463 vínculos creados por los 134 directores múltiples o que se sentaban en más de un directorio (véase Tabla 1, línea "Cantidad de directores múltiples").

Si comparamos estas medidas con un análisis longitudinal de la red[41], por un lado, la densidad del componente principal (véase Tabla 1, línea "Densidad del componente principal") disminuyó con respecto al periodo anterior a un 8,6% (en 1901 la densidad era del 12%), pero esto se produjo por el aumento de la cantidad de nodos en el mismo. Por otra parte, el diámetro (o la cantidad de pasos entre un extremo y otro de la red) en 1939 fue de 7. Este resultado representa el menor valor de todo el siglo xx. Asimismo, el número promedio de pasos entre dos empresas era de 3.1, el más bajo de toda la centuria. Estos resultados, en su conjunto, nos permiten afirmar que 1939 es uno de los periodos con mayor cohesión de la red corporativa chilena entre 1901 y 2010.

[41] Lluch y Salvaj 2016.

Tabla 1. Medidas estructurales de la red en 1939.

Descripción de la muestra	
Tamaño de la muestra	125
Cantidad de firmas no financieras	104
Porcentaje de firmas no financieras que también están en la muestra en 1901	9
Total de individuos	474
Cantidad de firmas financieras	20
Porcentaje de firmas financieras que también están en la muestra en 1901	40
Total de individuos	122
Tamaño promedio del directorio	7
Estructura	
Cantidad total de firmas	125
Cantidad de firmas marginales	24
Porcentaje de firmas marginales	19.2
Firmas aisladas	19
Porcentaje de firmas aisladas	15.2
Porcentaje de firmas marginales y aisladas	34.4
Firmas en el componente principal	104
Porcentaje de firmas en el componente principal	83.2
Vínculos	
Total de líneas	466
Total de líneas en el componente principal	463
Total de líneas en el componente principal dicotomizado	345
Número de líneas múltiples en el componente principal	70
Densidad del componente principal	0.09
Densidad del componente principal dicotomizado	0.07
Centralidad y Cohesión	
Diámetro	7
Distancia promedio	3.09
Centralidad de grado promedio	5.71
Centralidad de grado del componente principal dicotomizado	6.65
Directores	
Cantidad de directores	596
Cantidad de directores múltiples	134
Cantidad de grandes conectores	61
Porcentaje de directores múltiples	22.4
Porcentaje de grandes conectores	10.2
Número de posiciones de directorios	846
Porcentaje de posiciones en directorios ocupadas por directores múltiples	45.39
Porcentaje de posiciones en directorios ocupadas por grandes conectores	28.13

Fuente: Elaboración propia.

Todo ello indica que la élite empresarial chilena se volvió más colaborativa e integradora. Pero más interesante aún –y para comprender el impacto de los *shocks* externos descritos en la sección anterior– es que no se trató solo de que las mismas empresas cambiaran sus estrategias de vinculación, sino que se produjo también un reemplazo de los actores empresariales más importantes, nuevamente comparando 1901 con 1939. Solo un 9% de las mayores empresas no financieras de principios del siglo xx permanecían entre las 100 más grandes de 1939 (véase Tabla 1, línea "Porcentaje de firmas no financieras que también están en la muestra en 1901"). Cabe indicar que este porcentaje de recambio fue menor en el sector bancario, en tanto un 40% de los bancos más grandes en 1901, se mantenían en 1939 (véase Tabla 1, línea "Porcentaje de firmas financieras que también están en la muestra en 1901").

La forma en que se concretó el aumento de la cooperación entre las empresas más grandes en 1939 fue a través de directores compartidos que crearon 466 vínculos (véase Tabla 1, "Total de líneas") entre empresas con propietarios locales, empresas con propiedad mixta (nacional/extranjera) y firmas extranjeras. Los datos de la Tabla 2 revelan que un importante grupo de hombres de negocios chilenos (véase Anexo 2, que contiene información sobre los perfiles de estos directores) ocuparon más cargos en los directorios de subsidiarias de MNES y/o en empresas de propiedad mixta (nacional/extranjera).

Tabla 2. Vínculos según tipos de propietarios 1901-1939.

Categoría	1901	1939
Vínculos entre empresas con mismo tipo de propietarios	205 (88%)	207 (58%)
Vínculos entre empresas con distinto tipo de propietarios	39 (12%)	148 (42%)

Nota: En 1901 los tipos de propietarios son nacional, extranjero y mixto (extranjero-nacional). En 1939 los tipos de propietarios son nacional privado, nacional estatal, extranjero, y las tres posibles combinaciones de propiedad mixta que surgen a partir de ellos.
Fuente: Elaboración propia.

La Tabla 2, "Vínculos según tipo de propietarios 1901-1939", permite apreciar que si bien la mayoría de los vínculos se creaban aun entre compañías con el mismo tipo de propietario, este valor disminuyó entre 1901 y 1939, de un 88% a un 58%. En 1939 los vínculos entre empresas con distintos tipos de propietarios se incrementaron significativamente, pasando de un 12% a principios del siglo xx a un 42% en 1939. Al desagregar este valor, un 21% se explica por vínculos entre empresas con distintos tipos de propietarios (mixtas) y compañías nacionales privadas, un 11% por vínculos entre empresas nacionales privadas y multinacionales, un 7% por vínculos entre multinacionales con empresas de propiedad mixta y el resto (3%) por vínculos entre empresas con diversas combinaciones de propiedad mixta.

El cambio en los patrones de vínculos que encontramos en la Tabla 2 está asociado a la modificación en los tipos de propiedad de las empresas durante las primeras décadas del siglo xx, principalmente por la aparición de empresas con capital accionario mixto. Estas últimas, para el año 1939, representan el 20% de las empresas más grandes de Chile. Adicionalmente, los cambios que encontramos en la Tabla 2 se relacionan con la variación en la inversión extranjera en la década de los años 1930. Las mnes industriales crecieron en Chile durante este periodo, mientras que en la minería y el comercio exterior se contrajeron[42]. Los capitales extranjeros se enfocaron en la expansión del sector manufacturero, aunque en esta década dentro de la red corporativa se reforzaron las inversiones de origen chileno (en particular en el sector energético e industrial) y aún perduraban las asociaciones de capitales en empresas mineras e industriales entre empresarios locales y casas comerciales extranjeras, como la casa Gibbs[43]. De este último proceso da cuenta la presencia de algunas firmas en donde participaba este grupo inversor británico entre las de mayor grado de centralidad de intermediación de la red corporativa en 1939, por ejemplo la Fábrica Nacional de Sacos (véase Tabla 3).

En cuanto a la mayor intervención del Estado, cabe indicar que el impacto catalizador de corfo para fomentar relaciones en las redes empresariales en 1939 aún no se vislumbra claramente ya que, como explicamos, se creó ese mismo año. Sin embargo, la red corporativa ya mostraba signos de una coordinación entre el Estado y el sector privado. Por ejemplo, el Banco Central, una institución financiera creada por el Estado en 1925, estaba muy integrada a la red corporativa y figuraba entre las 20 empresas con mayor centralidad de grado (véase Tabla 3), al vincularse con otras 11 empresas de la red (véase Tabla 3).

---

[42]   Burbach 1977.
[43]   Rojas Flores 1991.

Tabla 3. Empresas más centrales por distinto tipo de centralidad.

Nombre de la empresa	Centralidad de intermediación	Nombre de la empresa	Centralidad de grado global	Nombre de la empresa	Centralidad de grado
Soc. Explotadora de Tierra del Fuego	0,21	Banco de Chile	1,00	Banco de Chile	23
Banco de Chile	0,14	Cía. Carbonífera e Industrial de Lota	0,79	Soc. Explotadora de Tierra del Fuego	18
Cía. Salitrera de Tarapacá y Antofagasta	0,13	Soc. Explotadora de Tierra del Fuego	0,78	Cía. Carbonífera e Industrial de Lota	18
Soc. Ganadera y Comercial Menéndez Behety	0,09	Soc. de Turismo y Hoteles de Chile	0,78	Cía. Salitrera de Tarapacá y Antofagasta	17
Fábrica Nacional de Sacos	0,09	Cristalerías de Chile	0,70	Soc. de Turismo y Hoteles de Chile	17
Cía. Manufacturera de Papeles y Cartones	0,07	Cía. Cervecerías Unidas	0,66	Cristalerías de Chile	16
Soc. de Turismo y Hoteles de Chile	0,07	Empresa Carbonífera Lota Schwager	0,64	Refinería de Azúcar de Viña del Mar	16
Cía. Carbonífera e Industrial de Lota	0,07	Refinería de Azúcar de Viña del Mar	0,63	Cía. Minera de Oruro	15
Cristalerías de Chile	0,06	Cía. Minera de Tocopilla	0,59	Cía. Cervecerías Unidas	14
Comercial Saavedra Benard	0,06	Cía. Sud Americana de Vapores SA	0,57	Empresa Carbonífera Lota Schwager	14
Cía. Minera Trepp	0,06	Cía. Salitrera de Tarapacá y Antofagasta	0,52	Cía. Sud Americana de Vapores	14
Cía. Minera Toldo	0,05	Cía. Carbonífera de Lirquén	0,51	Cía. Manufacturera de Papeles y Cartones	13
Empresa Carbonífera Lota Schwager	0,05	Cía. de Refinería Azúcar Santiago	0,50	Cía. Carbonífera de Lirquén	13
Cía. Carbonífera de Lirquén	0,05	Banco Hipotecario	0,48	Soc. Carbonífera de Mafil	12
Cía. Chilena de Electricidad Limitada	0,05	Cía. General de Electricidad	0,48	Cía. Minera de Tocopilla	12
Banco Español – Chile	0,04	Soc. Ganadera de Laguna Blanca	0,48	Cía. de Refinería Azúcar Santiago	12
Soc. Carbonífera de Mafil	0,04	Cía. Minera de Oruro	0,47	Soc. Estañífera Morococala	12

Continúa

Continuación Tabla 3

Nombre de la empresa	Centralidad de intermediación	Nombre de la empresa	Centralidad de grado global	Nombre de la empresa	Centralidad de grado
Cía. Minera de Oruro	0,04	Cía. Aurífera Rosario de Andacollo	0,46	Cía. Aurífera Rosario de Andacollo SA	11
Cía. de Petróleos de Chile	0,04	Banco Central de Chile	0,45	Fábrica Nacional de Sacos	11
Banco Hipotecario de Chile	0,04	Ganadera Gente Grande	0,41	Banco Central de Chile	11

Fuente: Elaboración propia.

El sector bancario tenía una importante representación en la red, en especial los bancos nacionales vinculados con grupos económicos. Durante la década de los años 1930 los bancos nacionales comienzan a ganar terreno en captación de depósitos. En 1931 un 52% de los depósitos estaba en bancos nacionales y el 48% en bancos extranjeros. Para 1938 los porcentajes eran de 69% y 31%, respectivamente[44]. Para 1939 existían 20 entidades financieras, de las cuales 15 eran de propiedad local. Entre las entidades financieras más centrales se encontraban el Banco de Chile (el más grande del país), el Banco Hipotecario y el Banco Español-Chile (ambos de Valparaíso) y el Banco Central de Chile. En un contexto con un mercado de valores poco desarrollado como fuente de capital[45], los bancos eran claves para que las empresas obtuvieran financiación, y por ello se promovían los lazos entre el sector financiero y el sector comercial e industrial[46].

En este periodo se introducen modificaciones en las normas legales de los bancos, permitiéndoles suscribir acciones de industrias energéticas y de hoteles de turismo, dentro de una política gubernamental de fomento a estas actividades[47]. Estas medidas explicarían la alta visibilidad que

[44] Behrens Fuchs 1985.
[45] Couyoumdjian, Millar y Tocornal 1993.
[46] El periodo entre 1920 y 1940 se caracterizó por una disminución continua tanto en el nivel de transacciones en el mercado de valores como en el valor del mercado sobre el PIB (Islas 2010). Lefort y Walker (2000) argumentan que la represión financiera y el racionamiento del crédito en Chile durante una gran parte del siglo XX, sentaron las bases para el uso extensivo de mercados de capital internos y la subsiguiente aparición de grupos organizados alrededor de instituciones financieras. Lefort 2010.
[47] Behrens Fuchs 1985.

adquieren en la red empresas como la Sociedad de Turismo y Hoteles de Chile y las compañías de energía. Es decir, las redes de directorios evidenciaron los vínculos de propiedad existentes entre los bancos y las empresas hoteleras y eléctricas. La Tabla 3 captura la creciente importancia de las eléctricas ya que entre las firmas con mayor centralidad se encuentran la Compañía General de Electricidad y la Cía. Chilena de Electricidad. Esta mayor importancia del sector eléctrico en la red se correspondió con el crecimiento de esta industria y la mayor producción de energía eléctrica que aumentó más de un 200% entre 1925 y 1945 (véase Gráfico 5).

Gráfico 5. *Producción de Electricidad.*

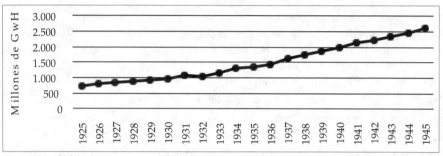

Fuente: Moxlad.

En 1939 es también destacado el rol de las empresas carboníferas entre las más centrales. La Tabla 3 muestra entre las 20 empresas con más vinculaciones a la Compañía Carbonífera e Industrial de Lota, la Empresa Carbonífera Lota Schwager, la Compañía Carbonífera de Lirquén y la Sociedad Carbonífera de Mafil. La mayor centralidad de estas empresas podría asociarse con el impacto en este sector de la crisis económica de 1929, pues el consumo de carbón mineral chileno aumentó por la necesidad de abastecer las industrias nacionales y los ferrocarriles del Estado ante las dificultades en sostener o aumentar las importaciones de petróleo[48]. De acuerdo con estos autores, las empresas carboníferas "enfrentaron fuertes presiones por elevar su producción" ya que el gobierno promovió el desarrollo de este sector para cubrir la demanda local y debido a las restricciones externas para importar combustibles. La expansión de todas las cuencas carboneras conllevó muchos retos para las empresas del

---

[48] Yáñez y Garrido Lepe 2015: 76.

sector, lo que explicaría el incremento de los vínculos con otras firmas de la red corporativa para coordinarse y obtener los recursos que demanda una estrategia de crecimiento. Es sabido que una vez superadas las crisis originadas por la Gran Depresión y la Segunda Guerra Mundial se produjo finalmente la transición energética de los combustibles fósiles en Chile[49], y con ello el declive de la industria carbonera chilena[50].

Sin embargo, la información más sobresaliente que arroja la Tabla 3 es que, si bien algunas firmas del sector minero y del salitre mantenían alta centralidad en la red corporativa (e.g., la Cía. Salitrera de Tarapacá y Antofagasta), estas comienzan a ser desplazadas del centro, y son reemplazadas por bancos, empresas industriales y de servicios públicos. La Tabla 3 muestra las tendencias de cambio al listar entre las más centrales a firmas de los sectores textiles, de bebidas alcohólicas, cristales, cartones o azúcar. Por ejemplo, la Fábrica Nacional de Sacos, Cristalerías de Chile, la Cía. Manufacturera de Papeles y Cartones y la Cía. Cervecerías Unidas. De todos modos, no se trató de un reemplazo absoluto ya que, como dijimos, la Tabla 3 mostraba firmas de sectores dominantes a inicios del siglo XX, tales como empresas ganaderas, además de algunas salitreras y mineras entre las más centrales.

El Clúster Magallánico

Una particularidad (y aspecto novedoso) de la red empresarial chilena de 1939 es el "clúster magallánico"[51], que se destaca en la parte superior derecha del Gráfico 4. El clúster magallánico tenía en realidad intereses que se expandían en toda la Patagonia argentina y chilena, y estaba anclado en la abigarrada red de conexiones empresariales, familiares y amicales creadas entre las empresas controladas por integrantes de las familias Braun, Menéndez-Behety y Montes, así como a partir de sus vínculos con otros intereses ganaderos patagónicos e inversionistas británicos. El Gráfico 6 muestra a las empresas de la zona patagónica sur y cómo estas se vinculaban a través de sus directorios.

---

[49] Yáñez y Garrido Lepe 2015: 77.
[50] Yáñez 2014.
[51] Para este trabajo, si bien no aplicamos ninguna medida específica de identificación de *cliques o clusters*, entendemos que los mismos son subgrupos cohesivos embebidos en la red total. Los límites de dichos subgrupos (aunque difusos) se establecen a partir de que algunas empresas están muy interconectadas entre sí dentro de la red total.

Gráfico 6. *El "clúster" de las empresas Magallánicas.*

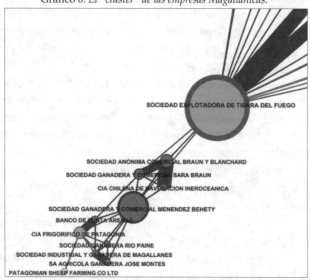

Nota: Los nodos representan empresas. Los vínculos se generan por directores compartidos. El grosor de una línea está
asociado al número de directores compartidos entre dos empresas. El tamaño de los nodos refleja la centralidad de intermediación.
Fuente: Elaboración propia.

En este clúster se vinculaban entre sí empresas ganaderas, industriales, financieras y de navegación, mostrando la elevada diversificación que existía en este grupo, que concentraba buena parte de la riqueza maga-llánica alrededor de los grupos empresariales de los Braun Hamburger y los Menendez Behety, vinculados entre sí por lazos familiares, pues, como señalamos antes, Mauricio Braun se casó con Josefina Menéndez, hija de José Menéndez. Ambos grupos se encontraban unidos con otros grupos, como los de la familia Montes, por vínculos de amistad y afi-nidad empresarial, conformando así una compleja y abigarrada red de inversiones e intereses económicos comunes, que la red de directorios del Gráfico 6 captura en parte.

La historiografía chilena ha dado sobrada cuenta del origen de la ri-queza de estas familias empresariales desde fines del siglo xix, asociadas con la explotación ganadera (ovina), el comercio de importación y ex-portación y el transporte marítimo pero que, con el tiempo, adquirieron una mayor integración vertical y una alta diversificación económica hasta incorporar actividades bancarias, de seguros, industriales (en especial frigoríficos), servicios públicos, pesca, minería, entre otros rubros.

Lo más interesante y novedoso que descubre nuestro estudio es la perdurabilidad de las redes de este grupo, en tanto tradicionalmente estos intereses han sido referenciados como en plena decadencia en los años 1930 (aunque este derrotero ya se había iniciado luego de la Primera Guerra Mundial). No obstante lo cual, no es un dato menor que en 1939 once empresas de las más grandes de Chile, aproximadamente un 10% de nuestra muestra, pertenecían a empresarios con amplios –y debatidos– intereses económicos en la Patagonia tanto chilena como argentina.

La Tabla 4 identifica el nombre de estas empresas y su ranking de centralidad de intermediación y de grado. Se destaca el rol de las empresas Sociedad Explotadora de Tierra del Fuego (SETF), primera en el ranking de centralidad de intermediación y segunda en el de centralidad de grado, y la Ganadera y Comercial Menéndez Behety, cuarta en el ranking de centralidad de intermediación de la red corporativa chilena de 1939, y dan cuenta del argumento de un mundo en transición, por ser ambas representantes del modelo de crecimiento hacia fuera que caracterizó a la inserción de Chile en la primera economía global.

Tabla 4. Empresas del clúster Magallánico y su ranking de centralidad de intermediación y de grado.

EMPRESA	RANKING POR CENTRALIDAD DE INTERMEDIACIÓN	RANKING POR CENTRALIDAD DE GRADO
Soc. Industrial y Ganadera de Magallanes	76	58
Soc. Ganadera y Comercial Sara Braun	46	57
Soc. Ganadera y Comercial Menéndez Behety	4	39
Soc. Ganadera Río Paine	74	61
Soc. Explotadora de Tierra del Fuego	1	2
Soc. Anónima Comercial Braun y Blanchard	31	59
Soc. Anónima Agrícola Ganadera José Montes	77	85
Patagonian Sheep Farming Co Ltd. (Waldron & Wood)	125	104
Frigorífico de Patagonia (Compañía Frigorífica de la Patagonia)	35	56
Cía. Chilena de Navegación Interoceánica	87	75
Banco de Punta Arenas	75	60

Fuente: Elaboración propia.

La alta visibilidad de la SETF en la red se explica porque dicha compañía conectaba al clúster Magallánico con el componente principal de la red de directorios (lo cual se observa claramente en los Gráficos 4 y 6). Esta empresa, emblemática y criticada por su poder cuasi monopólico y prácticas económicas y sociales, fue la mayor explotadora de tierras y productora ganadera de los territorios patagónicos. La génesis de esta empresa se remonta al año 1890, cuando el gobierno de Balmaceda le otorgó a José Nogueira en concesión un millón de hectáreas en la Isla Grande de Tierra del Fuego[52]. Nogueira falleció en 1893, y fueron su esposa Sara Braun y su cuñado Mauricio Braun quienes impulsaron la formación de la SETF con la concurrencia de inversionistas de Santiago y Valparaíso, y con el apoyo de capitales británicos asociados a la casa Duncan, Fox & Cía. El representante en Chile de esta firma, Peter Mc-Clelland, fue designado como su primer presidente en 1893, mientras que Mauricio Braun ocupó el cargo de Director Gerente (hasta 1905), para continuar desde entonces como director. En esta empresa participaron como accionistas familiares tales como Elías Braun y José Menéndez, otro de los mayores ganaderos de la zona y suegro de Mauricio Braun.

La empresa expandió subsecuentemente sus dominios territoriales a partir de remates de tierras fiscales, arrendamientos y compras de grandes extensiones (tanto en Chile como en Argentina), la explotación de la Concesión Ponsonby (sujeta a precario permiso de ocupación y hasta 1930), así como por las debatidas (pero exitosas) renovaciones de la concesión Nogueira en los años 1913, 1924 y 1938 (originando en cada oportunidad agrios debates políticos acerca de la necesidad de subdividir la tierra en Magallanes, así como sobre los montos por el pago de arrendamiento, devolución de tierras, y otros aspectos que enriquecieron una vasta literatura que denunció el poder monopólico y la influencia negativa de esta empresa en la Patagonia Austral).

La SETF aumentó aún más su poder económico mediante la fusión con otras sociedades, tales como La Riqueza de Magallanes (1905-1906) y la Ganadera de Magallanes (1910), en tanto esto le permitió ampliar los derechos de arrendamiento en distintas zonas de la Patagonia, llegando a explorar unos 2.900.000 hectáreas[53], aunque ya a finales de los años treinta llegaban a 1.813.786 hectáreas. En cuanto a su perfil productivo, la empresa no solo estaba dedicada a la explotación de ganado (lanar y

[52]   Durán 1943: 16.
[53]   Martinic 2011: 65.

en menor medida corderos), sino que diversificó sus intereses a la producción de cueros y, en especial, a la producción y exportación de carnes congeladas y de otros subproductos cuando comenzó la explotación del Frigorífico Boires en 1915.

Por su parte, la sociedad Ganadera y Comercial Menéndez Behety cumplía el rol de mantener unido al clúster Magallánico en tanto intermediaba entre las empresas de la familia Braun (Soc. Ganadera y Comercial Sara Braun, Soc. Anónima Comercial Braun y Blanchard y Cía. Chilena de Navegación Interoceánica, entre otras) y el resto de las empresas de las familias Menéndez Behety y Montes, así como sociedades en donde participan capitales locales y británicos.

Nuestro estudio sobre los rasgos de la fisonomía de este "emporio" patagónico trasluce que la base de su expansión económica se asoció con una fuerte estrategia de vinculación a nivel de su directorio con poderosos intereses económicos chilenos. En su directorio no solo se detectan importantes empresarios (que eran accionistas de la firma), sino también políticos y representantes de grupos y empresas de la élite de Santiago. Así, en 1938-1939, además de Braun y Prieto Vial[54] quienes estuvieron ligados, el primero desde 1893 y el segundo desde principios del siglo xx hasta alcanzar el cargo de presidente en 1938, se encontraban Carlos Balmaceda (quien había sido su Presidente en los años treinta)[55], Garcia de la Huerta, Guillermo Subercaseaux (desde 1908) y Tocornal, quienes habían ocupado importantes cargos políticos (en ministerios o en el ámbito parlamentario). También se distinguen los nombres de Evans y Purcell, "hombres de negocio", quienes, tal como ensalzaba la historia oficial de la empresa, habían demostrado que se caracterizaban por "la ilustración, la experiencia y el hondo conocimiento de las más variadas materias comerciales"[56].

---

[54] Prieto Vial se unió a la empresa a inicios del siglo xx, y de acuerdo con el relato oficial, "acababa de abandonar la Secretaria de la Cámara de Diputados", "poseía sólidos conocimientos jurídicos y aguda visión comercial". En su trayectoria, de la Secretaría de la Cámara de Diputados, Prieto Vial pasó a desempeñarse en la Gerencia de la Bolsa de Comercio de Santiago, y luego representó a distintos intereses empresariales de Valparaíso hasta que en 1907 se hizo cargo de la gerencia (hasta 1938 cuando fue designado Presidente). Durante su trayectoria de gerente de la Sociedad Explotadora ocupó otros cargos en numerosas empresas, como se verá en la sección siguiente.

[55] Desde el 9 de agosto de 1929 hasta el 27 de marzo de 1930, y desde el 17 de agosto de 1933 hasta el 30 de septiembre de 1938.

[56] Durán 1943: 117.

Detrás de su vasto poder económico se escondía entonces la capacidad de sostener su poder e influencia a partir de generar abigarrados vínculos empresariales y políticos. También vemos que esta fue una estrategia sostenida en el tiempo, vital para renovar las tres concesiones, y que se mantuvo más allá de los cambios en los gobiernos e incluso del propio perfil en la propiedad accionaria de la empresa, siempre diverso y con presencia de inversionistas británicos en porcentajes cambiantes. La SETF fue una empresa de asociación de capitales magallánicos (Punta Arenas) y sociedades británicas, que posteriormente traspasaron su capital accionario, incorporándose más capitales e intereses chilenos, entre ellos bancos como el Edwards y Español de Chile, aunque el capital británico en manos de Duncan, Fox & Co. y el Banco de Londres y América del Sud Limitado se sostenía en porcentajes cambiantes. Los Braun y los Menéndez siempre mantuvieron cuotas accionarias, siendo Sara Braun la persona natural con más acciones[57].

Otro hallazgo que alerta de la especificidad (o particularidad) de este clúster es la capacidad de asociación de capitales dentro de un sector tradicional como el ganadero-comercial, un aspecto que la literatura ha omitido al poner el acento en la creación y fortalecimiento de empresas industriales bajo las políticas macroeconómicas antes descriptas, mientras que aquí hemos visto su poder y resiliencia, aun en tiempo de crisis e incertidumbre. Sobre esta capacidad asociativa (donde los directorios entrecruzados son una manifestación o exteriorización), es el propio Mauricio Braun quien reconocía que parte de la estrategia implementada "para lograr buen éxito en la explotación lanera" había sido la adaptación del modelo societario de "sociedades anónimas", y en particular las ganaderas, pues les permitió el agrupamiento de "campos y capitales", aumentando con ello la dimensión y escala de las operaciones, amalgamando en el tiempo los intereses económicos de estas familias y más allá de que ya en 1939 sus máximos referentes empresariales se hubieran trasladado a Buenos Aires, Santiago o Valparaíso.

Una tercera particularidad de este grupo de empresas es que incorporó a las primeras mujeres directoras de Chile[58]. En 1939, tres de ellas, directoras, integraban el clúster magallánico (véase en Anexo 3 sus breves biografías). Sara Braun, Herminia Menéndez y María Montes fueron pioneras en el mundo corporativo chileno. Ellas cumplieron distintos

---

[57]   Martinic 2011.
[58]   Salvaj y Lluch 2016.

roles en el ámbito empresarial. Herminia Menéndez obtuvo su participación a través de la herencia familiar materna que incluyó la Casa de Comercio, la flota mercante y la estancia San Gregorio, así como acciones en la Compañía Frigorífica de la Patagonia. María Montes participaba como directora en la empresa de su familia, la Sociedad Ganadera y Comercial José Montes y Cía. dedicada a la cría ovejuna, pastoreo, industria frigorífica y de aserradero[59]. Un caso especial es el de Sara Braun, quien, luego del fallecimiento de su primer esposo José Nogueira, se hizo cargo activamente de los negocios familiares junto a su hermano Mauricio. Fue la única mujer en nuestro estudio que detentó participación en redes corporativas tanto de Chile como de Argentina. Fue dueña de la estancia Peckett Harbour y principal accionista individual de la Sociedad Explotadora de Tierra del Fuego, entre otros vastos intereses que la han catapultado a ser considerada como la primera empresaria de la historia magallánica[60]. La relevancia de este hallazgo radica en que la mujer empresaria ha sido largamente invisibilizada por la dificultad de identificar sus aportes en el mundo de los negocios. En el área de poder corporativo y relaciones de género, estudios recientes han hecho hincapié en que hasta hace poco tiempo las élites corporativas han sido bastiones masculinos[61].

Para concluir, es evidente entonces que en el caso del clúster magallánico se exteriorizan las principales funciones de los directorios cruzados, como el control, alineamiento y la coordinación de sus propietarios y propietarias, quienes participaban como directores en varias de sus empresas o seleccionaban a terceros de confianza con el objetivo de reducir al máximo los problemas de agencia. Los directorios cruzados también contribuían a la obtención de los recursos necesarios para implementar acciones estratégicas cuyo objetivo fue proteger los intereses de un tradicional, poderoso y controvertido sector empresarial.

Los grandes conectores

Los grandes conectores, denominados por la literatura de ID como "big linkers" o "linchpins directors"[62], eran los individuos responsables de amalgamar la red. Quienes detentaban dos o más asientos facilitaban

---

[59]   Martinic 2001.
[60]   Martinic 2003.
[61]   Heemskerk y Fennema 2014.
[62]   Davis, Yoo y Baker 2003.

la transmisión de información y la coordinación de las estrategias empresariales. Este rol de los grandes conectores podría haber facilitado el desarrollo de nuevas industrias y el proceso de adaptación de sectores más tradicionales. Los grandes conectores, o directores que participaban en más de dos directorios, representaban a más del 10% de total de los individuos (véase en Tabla 1, porcentaje de grandes conectores).

La Tabla 4 detalla los nombres de los conectores más importantes, su centralidad de intermediación, grado y la cantidad de directorios que ocupaban. Asimismo, el Anexo 3 sintetiza la información detectada para los más importantes conectores, incorporándose las instituciones en las que se educaron, la relación de cada uno de estos directores con los sectores privado y público y con entidades sociales. Si nos concentramos solo en la cantidad de directorios, sorprende en algunos casos el número elevado de cargos que concentraban algunos individuos (tercera columna Tabla 4), lo cual en parte responde a que en Chile no existía legalmente un límite para la acumulación de cargos en distintas sociedades. Destacan en este nivel los casos de Carlos Cavallero o Max Grisar, quienes participaban en ocho directorios a la vez. Otros directores con gran número de directorios eran Carlos Balmaceda, Jorge Kendrix, José Ríos Arias y Albert Wilcox. Mientras que en el análisis de la centralidad de intermediación destaca el rol de Mauricio Braun o el de Luis Izquierdo Fredes, podríamos decir que junto a Balmaceda, Kenrick y Grisar constituían el selecto grupo de los grandes "brokers" de la red.

Mauricio Braun, polo articulador del ya descrito "cluster Magallánico", era el director con la mayor centralidad de intermediación en toda la red chilena de 1939. En el Gráfico 7 se muestra la "ego network" de Mauricio Braun, quien era un director estratégico al ser el puente entre la élite de Santiago y los empresarios con intereses en la Patagonia Austral, si bien ya desde 1914 se había instalado en Argentina. Este gráfico ilustra en la parte derecha a los directores que formaban parte de la Soc. Explotadora de Tierra del Fuego, y por lo tanto de la élite política y empresarial chilena, mientras que en la parte izquierda se observan los directores de las empresas de las familias Braun y Menéndez y otros socios estratégicos.

Tabla 4. Directores más centrales según distintos tipos de centralidad.

Nombre	Centralidad de intermediación	Nombre	Centralidad de grado	Nombre	Número de directorios
Mauricio Braun H	0,16	Carlos Balmaceda	42	Carlos Cavallero	8
Carlos Balmaceda	0,15	Max Grisar	42	Max Grisar	8
Max Grisar	0,11	Guillermo Purcell	36	Jorge Kenrick	7
Jorge Kenrick	0,09	Jorge Kenrick	35	Carlos Balmaceda	7
Luis Izquierdo Fredes	0,09	Carlos Cavallero	33	José Ríos Arias	6
Rodolfo Jaramillo	0,09	Arturo Phillips Sánchez	32	Albert Wilcox	6
Arturo Phillips Sánchez	0,07	Guillermo Condon P	31	Guillermo Purcell	5
Guillermo Purcell	0,07	Francisco Langlois	31	Salustio Barros Ortúzar	5
Walter Bade	0,06	Ricardo Searle	30	Guillermo Condon	5
Gustavo Oehninger	0,06	Juan Montero	30	Ricardo Searle	5
Arturo Matte Larraín	0,06	José Ríos Arias	28	Rodolfo Jaramillo	5
Guillermo López Pérez	0,06	Hernán Prieto Vial	28	Arturo Phillips Sánchez	5
Enrique Martínez	0,06	Enrique Martínez	28	José Fabres Pinto	5
Francisco Langlois	0,06	Arturo Matte Larraín	27	William Wotherspoon	5
Luciano Kulezewski	0,06	Rodolfo Jaramillo	27	Francisco Langlois	5
Vicente Izquierdo Phillips	0,06	Luis Izquierdo Fredes	27	Mauricio Braun	4
Hernan Prieto Vial	0,05	Vicente Izquierdo Phillips	26	Manuel Foster Recabarren	4
Carlos Cavallero	0,05	Maximiano Errazuriz	26	Arturo Matte Larraín	4
Juan Valle	0,05	Salustio Barros Ortúzar	26	Lawrence Parsons	4
Juan Montero	0,05	Guillermo López Pérez	26	Roberto Ovalle Aguirre	4

Fuente: Elaboración propia.

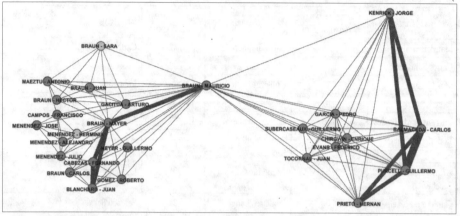

Nota: Los nodos representan a los directores. Los vínculos se generan por compartir directorio, cuanto más grosor tiene una línea es mayor el número de directorios compartidos entre dos individuos.
Fuente: Elaboración propia.

Mauricio Braun utilizó intensivamente la estrategia de asociarse con "comerciantes amigos", compartiendo entonces múltiples directorios, pues, como reconocía en sus memorias, "dada la variedad y vastedad de aquellas empresas que fundé me resultaba difícil si no imposible dirigir todas ellas". En tal sentido, Mauricio Braun, como otros nombres presentes en la Tabla 4, tales como Luis Izquierdo y Arturo Phillips, representa un tipo de ID –más clásico y analizado por la literatura– caracterizado por la presencia de empresarios "conectores", donde habrían prevalecido estrategias de control de sus propias empresas, así como de otras firmas con proyectos comunes de inversión.

El análisis de los "grandes conectores" permite identificar otros perfiles, no excluyentes entre sí. Si miramos las dos primeras columnas, es decir quiénes eran los directores de mayor centralidad de la red, se detecta que el control accionario por bancos (una de las causas más comunes en otros países para amalgamar la red corporativa) era relevante en Chile en 1939, ya que varios "grandes enlazadores" tenían importantes vinculaciones con el sector bancario, como el Banco de Chile y el Banco Edwards. La participación de estos empresarios en directorios de bancos, debido a la propiedad cruzada entre el sector financiero y el sector productivo, no es de extrañar dada la situación de restricciones de liqui-·dez antes expuesta, pues la vinculación con algún banco aumentaba la probabilidad de acceso a recursos financieros. En este grupo se encuentran directores como Mauricio Braun o Arturo Matte, entre otros.

Es interesante señalar que los directores de origen británico, actores centrales de la red empresarial de Chile en 1901, casi desaparecieron del ranking en 1939. El reducido número de "grandes conectores" de origen extranjero, específicamente inglés o norteamericano, se conformaba por Albert Wilcox, Jorge Kenrick, William Wotherspoon y Lawrence Parsons. En un contexto caracterizado por mayor incertidumbre y un más activo rol del Estado, y en forma similar a lo detectado en Argentina[63], algunas compañías extranjeras incorporaron cada vez más en sus directorios a miembros muy bien conectados políticamente de la élite chilena. La integración de este tipo de directorios ayudó a reforzar aún más los lazos recíprocos entre el capital extranjero y el local. Asimismo, otro factor que contribuiría a explicar este descenso es el ciclo de vida de algunos directores asociados a capitales británicos para esta fecha. Además, por primera vez el ranking incluye directores cuyos apellidos aún hoy son relevantes en la élite empresarial, como Purcell, Matte, Larraín o Vial.

La Tabla 4 también permite distinguir otro tipo de grandes conectores que se sentaban en directorios de empresas que pertenecían a diferentes grupos. En este caso podría pensarse que eran convocados por sus cualidades como directores y no como representantes de un determinado grupo. Este sería el caso de Carlos Balmaceda (y más allá de su importante rol en la Sociedad Explotadora de la Patagonia), quien, por su perfil y fuertes vínculos políticos, se acercaría más al tipo de director cuyos atributos han sido planteados por estudios como los de Windolf (2002), quien considera que estos conectores a su vez controlaban relaciones con el gobierno, los sindicatos y las organizaciones culturales. En esta misma línea[64], ya habían advertido, para el caso de Estados Unidos, la relevancia de directores externos (es decir, los que no participaban activamente en la administración del día a día de la empresa y no poseían una parte importante del capital), en tanto eran responsables de la cohesión y unidad de la red. En Chile, además de empresarios que representaban intereses concretos, existían directores profesionales (en especial abogados con fuertes vínculos políticos, tales como Balmaceda o Montero), quienes jugaron un papel decisivo como conectores de la red.

---

[63] Lluch y Salvaj 2014.
[64] Bearden y Mintz 1992: 192.

Conclusiones

El principal aporte de este capítulo ha sido mostrar el alto grado de co-hesión y colaboración que prevaleció en la élite de negocios chilena ante un contexto de crisis y cambio de rumbo en las políticas económicas, de estancamiento y de aumento de la incertidumbre política. En 1939, un año caracterizado por la transición de un modelo económico abierto hacia uno cerrado, la red de directorios adquirió un elevado nivel de integración.

Entre los factores que explican los cambios en los patrones de vin-culación, la modificación en la estructura de propiedad de las mayores empresas durante las primeras décadas del siglo xx fue quizás el más relevante. En particular, detectamos que la vía por la cual se concretó un aumento en la cooperación fue a través de la creación de más vínculos entre empresas con propietarios de diversos orígenes, en particular capi-tales nacionales y extranjeros. La integración de este tipo de directorios, con mayor imbricación entre empresarios chilenos y extranjeros, y una menor presencia de directores británicos como en 1901, contribuyeron a reforzar aún más los lazos recíprocos entre el capital extranjero y local, y facilitaron aún más la cohesión de la élite empresarial de Chile en 1939.

En cuanto a la identidad de las empresas más centrales, un hallazgo fue la mayor importancia que adquirieron empresas industriales (bebi-das alcohólicas, cristales, cartones o azúcar), y de servicios públicos, si bien las firmas del sector minero, del salitre y ganaderas mantuvieron cierta importancia en la red corporativa. Nuestro estudio muestra que no se trató de un reemplazo absoluto de actores sino de una gradual transformación acorde con los cambios que acontecieron en los años pre-vios a 1939.

Un descubrimiento menos esperado del estudio fue no solo la pervi-vencia sino la gran centralidad del clúster magallanico. Este tejido em-presarial, altamente diversificado y con fuerte base territorial en el sur del país, mantenía una fuerte conexión a la red empresarial (en particu-lar mediante el rol clave de la Sociedad Explotadora de la Patagonia) y se apoyaba en nutridos y fuertes vinculos con la élite política. Asimismo, otra particularidad de este clúster es que incorporó a las primeras mu-jeres directoras de Chile. La relevancia de este hallazgo es que la mujer empresaria, como ya señalamos, ha sido largamente invisibilizada por la historiografía de empresas en América Latina.

En conjunto, la red corporativa chilena de 1939 refleja los impactos de más corto plazo (en particular el impacto de la crisis global y el estallido de la Segunda Guerra Mundial), así como otros de más largo plazo, en particular el giro hacia políticas intervencionistas y las transformaciones en la estructura de propiedad de las mayores empresas, sin ser, sin embargo, un cambio radical sino una etapa de transición del gran mundo corporativo chileno.

Referencias

ALESSANDRI A. (1967). *Recuerdos de Gobierno* (Vol. 3). Santiago: Editorial Nascimento.

BEARDEN J. y MINTZ B. (1992). "The Structure of Class Cohesion: The Corporate Network and its Dual", en Mizruchi, M., Schwartz, M. y Granovetter, M. (eds.). *Intercorporate Relations: The Structural Analysis of Business*, Cambridge University Press, Nueva York.

BEHRENS FUCHS R. (1985). *Los bancos e instituciones financieras en la historia económica de Chile. 1811-1983*. Tesis doctoral, Pontificia Universidad Católica de Chile.

BUCHELI M. (2011). "Empresas multinacionales, grupos económicos y nacionalismo petrolero: Shell, Esso, Copec y el Estado chileno, 1913-2005," en Geoffrey Jones y Andrea Lluch (eds.), *El impacto histórico de la globalización en Argentina y Chile: empresas y empresarios*, Temas, Buenos Aires.

BURBACH R. (1975). *The Chilean industrial bourgeoisie and foreign capital, 1920-1970*. Tesis doctoral, Indiana University, EE.UU.

CARMAGNANI M. (1998). *Desarrollo Industrial y Subdesarrollo Económico. El Caso Chileno (1860-1920)*, DIBAM, Santiago.

CEPPI S., SANHUEZA E., ERCILLA L., BARRERA M. y VILA C. (1983). *Chile, 100 años de industria, 1883-1983*. Sociedad de Fomento Fabril (SOFOFA), Santiago.

COLLIER W., GRASS M. y SATER W. F. (1998). *Historia de Chile, 1808-1994*. Cambridge University Press, Madrid.

CORFO (1949). *Esquema de diez años de labor, 1939-1949*. Corporación de Fomento de la Producción. Zig-Zag. Santiago.

CORFO (1962). *Cinco años de labor, 1939-1943*. Corporación de Fomento de la Producción. Zig-Zag. Santiago.

COUYOUMDJIAN R., MILLAR R. & TOCORNAL J. (1993). *Historia de la Bolsa de Comercio de Santiago, 1893-1993. Un siglo del mercado de valores en Chile*. Bolsa de Comercio de Santiago, Santiago.

DAVID T. y WESTERHUIS G. (2014). *The Power of Corporate Networks. A Comparative and Historical Perspective*. Routledge, New York.

DAVIS G., YOO M. and BAKER W. (2003). "The Small World of the American Corporate Elite, 1982-2001". *Strategic Organization*, 1; pp. 301-326.

DÍAZ J.; LÜDERS R. y WAGNER G. (2016). *Chile 1810-2010. La República en Cifras*. Ediciones Universidad Católica de Chile, Santiago.

DÍAZ CONTARDI y CÍA. Punta Arenas (1920). *Ganadería, Industrias y Comercio del Territorio de Magallanes, desde sus principios hasta la actual época: año 1919*. Santiago de Chile. Universo.

DICCIONARIO BIOGRÁFICO DE CHILE (1942). Empresa Periodística de Chile (4ª ed.). Talleres Gráficos La Nación. Santiago.

DURÁN F. (1943). *Sociedad Explotadora de Tierra del Fuego, 1893-1943*. Valparaíso. Universo.

FAÚNDEZ J. (2011). *Democratización, desarrollo y legalidad*. Ediciones UDP: Santiago.

FFRENCH-DAVIS R.; MUÑOZ Ó.; BENAVENTE J. M.; CRESPI G. (2003). "La industrialización chilena durante el proteccionismo (1940-1982)", en *Industrialización y Estado en la América Latina. La Leyenda Negra de la Posguerra*. Editado por Cárdenas E.; Ocampo J.A. y Thorp R., Fondo de Cultura Económica, El Trimestre Económico. México D.F.

HEEMSKERK E. M. y FENNEMA M. (2014). "Women on bard: Female board membership as a form of élite democratization". *Enterprise and Society*, 15 (2): pp. 252-284.

IBÁÑEZ SANTA MARÍA A. (1994). "El liderazgo en los gremios empresariales y su contribución al desarrollo del Estado moderno durante la década de 1930". *Historia* 28, pp. 183-216.

ISLAS G. (2015). "Corporate governance and ownership in Chile, 1854-2012", en *The impact of globalization on Argentina and Chile: business enterprises and entrepreneurship*, editado por Geoffrey Jones y Andrea Lluch, Cheltenham, UK: Northampton, MA: Edward Elgar Publishing.

JOFRÉ J., LÜDERS R. y WAGNER G. (2000). "Economía Chilena 1810-1995: Cuentas Fiscales". Documento de Trabajo Nº 188, Instituto de Economía, Pontificia Universidad Católica de Chile, Santiago.

LEFORT F. & WALKER E. (2000). "The Effects of Economic and Political Shocks on Corporate Governance Systems in Chile". *Abante* 2(2): pp. 183-206.

LEFORT F. (2010). "Business Groups in Chile", en Colpan A., Hikino T. & Lincoln J. (eds.), *The Oxford Handbook of Business Groups*, Oxford: Oxford University Press.

Lluch A. and Salvaj E. (2014). "A longitudinal study of interlocking directories in Argentina and foreign firms' integration into the local capitalism (1923-2000)", en *The power of corporate networks: A comparative and historical perspective*, editado por Westerhuis G. y Thoma D., Routledge Press, Londres-New York, pp. 257-275.

Lluch A. y Salvaj E. (2016). *Reinterpreting corporate change in Latin America from a social network perspective: Argentina and Chile, 1901-2000.* BHC Meeting Portland, Oregon, Marzo 2016.

Lüders R. (1998). "The Comparative Economic Performance of Chile: 1810-1995", *Estudios de Economía*, 25, 2, diciembre, 1998.

Mamalakis M. y Reynolds (1965). *Essays on the Chilean economy.* Homewood, US: Richard D. Irwin, Inc.

Martinic M. (1986). *Nogueira. El pionero.* Ediciones Universidad de Magallanes, Punta Arenas, Chile.

Martinic M. (2000). *Última Esperanza en el tiempo.* Ediciones de la Universidad de Magallanes, Punta Arenas, Chile.

Martinic M. (2001). *Menéndez y Braun. Prohombres Patagónicos.* Ediciones Universidad de Magallanes, Punta Arenas, Chile.

Martinic M. (2003). *Mujeres Magallánicas.* Ediciones de la Universidad de Magallanes, Punta Arenas, Chile.

Martinic M. (2006). "El poblamiento rural en Magallanes durante el siglo xx. Realidad y Utopía". *Magallania* (Chile) Vol. 34 (1): pp. 5-20.

Martinic M. (2006). *Historia de la Región Magallánica.* Ediciones de la Universidad de Magallanes. Punta Arenas, Chile.

Martinic M. (2011). "Recordando a un imperio pastoril: La Sociedad Explotadora de Tierra del Fuego (1893-1973)". *Magallania* (Punta Arenas), 39(1), pp. 5-32.

Meller P. (1996). *Un siglo de economía política chilena (1980-1990).* Editorial Andrés Bello, Santiago.

Menges C. (1966). "Public policy and organized business in Chile: a preliminary analysis". *Journal of International Affairs*, 20(2), pp. 343-365.

Mizruchi M. (1996). "What Do Interlocks Do? An Analysis, Critique, and Assessment of Research on Interlocking Directorates". *Annual Review of Sociology*, 22, pp. 271-298.

Monteón M. (1998). *Chile and the Great Depression: The Politics of Underdevelopment, 1927-1948*, Tempe: Center for Latin American Studies Press, Arizona State University.

Moxlad - Base de Datos Oxford América Latina.

Muñoz O. (1986). "El papel de los empresarios en el desarrollo". *Estudios CIEPLAN*, 20 (December), pp. 95-120.

Nazer R., Camus P. y Muñoz I. (2009). *Historia de la Corporación de Fomento de la Producción CORFO, 1939-2009*. Patrimonio Consultores.

Ortega L. (1981). *Acerca de los orígenes de la industrialización Chilena, 1860-1879*, Nueva Historia (2).

Palma G. (1984). "Chile 1914-1935: De economía exportadora a sustitutiva de importaciones", *Estudios Cieplan* (12), pp. 61-88.

Pinto J. y Salazar G. (2002). *Historia Contemporánea de Chile* (1ª ed., Vol. 3) Santiago, LOM.

Ramírez J. (1939). *Anuario Guía de las Sociedades Anónimas*, Santiago, Talleres Gráficos La Nación, Chile.

Rojas Flores G. (1991). "La Casa Comercial Gibbs & Co. y sus Inversiones en Chile entre las Décadas de 1920 y 1940". *Historia*. 26, pp. 259-295.

Salas-Porras A. (2006). "Fuerzas centrípetas y centrífugas en la red corporativa mexicana (1981-2001)". *Revista Mexicana de Sociología*, 68, pp. 331-375.

Salvaj É. (2013). "Cohesión y Homogeneidad. Evolución de la red de directorios de las grandes empresas en Chile, 1969-2005". En *Adaptación. La empresa chilena después de Friedman*. Editado por José Ossandon y Eugenio Tironi. Santiago: Ediciones Universidad Diego Portales, pp. 55-83.

Salvaj É. y Couyoumdjian J.P. (2016). "'Interlocked' business groups and the state in Chile (1970-2010)". *Business History*. 58, pp. 129-148.

Salvaj É. y Lluch A (2016). *Women may be climbing on board, but not in first class: Female board participation in Chile and Argentina (1901-2010)*. LAEMOS, Viña del Mar, Abril 2016.

Schmidt-Hebbel K. (2006). "El crecimiento económico de Chile", Working Paper No. 365, Banco Central de Chile.

Schneider B. R. (2004). *Business Politics and the State in 20th Century Latin America*, New York: Cambridge University Press.

Vásquez D. (2012). "Notas Bibliográficas sobre Arturo Alessandri Palma". En M. Vásquez y F. Rivera (Eds.), *Arturo Alessandri Palma y su época: Vida, política y sociedad* (pp. 13-58). Santiago: Ediciones Biblioteca Nacional.

Wasserman S. y Faust K. (1994). *Social Network Analysis. Methods and Applications*. Cambridge: Cambridge University Press.

Windolf P. (2002). *Corporate Networks in Europe and the United States*. New York: Oxford University Press.

Yáñez C. (2014). *Consumo de energía primaria y crecimiento económico de Chile, 1844-2010*. Ponencia presentada en Energy in the Americas: Critical Reflections on Energy and History, University of Calgary, Rosza Centre.

Yáñez C., y Garrido Lepe M. (2015). "Coal consumption in Chile between 1933-1960. Energy transition and structural change". *Revista Uruguaya de Historia Económica* (8), pp. 76-95.

Anexo 1: Metodológia y datos

Análisis de redes sociales

El Análisis de las Redes Sociales (en inglés *Social Network Analysis*) tiene como primer objetivo elaborar gráficos, medidas y estadísticas para comprender las estructuras que surgen a partir de las relaciones entre directores de empresas. Estas diversas medidas ayudan a comprender cómo se organizan los vínculos y quiénes son los agentes más destacados y poderosos de la red. Según la terminología del Análisis de Redes Sociales, a los directores se los denomina nodos, mientras que la participación en más de un directorio por parte de una misma persona genera los vínculos que dan forma a la red. Como indicamos, la existencia de un director común entre dos empresas crea una relación proyectada en estas empresas.

La abundante y fructífera literatura que estudia las relaciones entre directorios reconoce distintas vertientes teóricas[65]. Este trabajo se nutre de los aportes provenientes de la sociología organizacional y de distintos enfoques que enfatizan dinámicas de la gobernanza corporativa de las empresas. En este capítulo utilizamos las medidas y metodología propuestas por el capítulo "Cohesión y Homogeneidad. Evolución de la red de directorios de las grandes empresas en Chile, 1969-2005"[66] y el proyecto "Las redes corporativas en el siglo 20: cambios estructurales y comparaciones "[67]. Para estimar las medidas de la red hemos utilizado el software Gephi y los libros de Wasserman y Faust (1994) para las definiciones y cálculos de las diversas medidas e índices presentados en este capítulo.

Datos

Los datos de la composición de directorios y de tamaño de las empresas utilizados para este estudio de redes empresariales provienen del *Anuario Guía de Sociedades Anónimas* escrito por Jorge Ramírez Baraona y publicado en 1939 por los Talleres Gráficos de La Nación, Santiago de Chile.

---

[65] Salas-Porras 2006.
[66] Salvaj 2013.
[67] David y Westerhuis 2014.

80

Anexo 2: Breves rasgos del perfil de los directores más centrales de 1939.

Nombre (año de nacimiento)	Estudios	Relación con Sector Privado	Relación con Sector Público	Relación con entidades sociales
Mauricio Braun Hamburguer		Vinculado con empresas ganaderas (varias) en la Patagonia, entre ellas (y además de las mencionadas en el texto), el Frigorífico de Río Seco. Socio de naviera Braun y Blanchard. Dirigió la Sociedad Industrial de Aysén. Director de la Panadería Argentina Limitada, Compañía Frigorífico Deseado, Banco de Chile y Argentina, Sociedad Ganadera Menéndez Behety. Presidente de la Compañía de Seguros La Austral.	Cónsul en Estados Unidos y Rusia.	
Carlos Balmaceda Saavedra (1879)	Instituto Nacional y Universidad de Chile. Se recibió como Ingeniero Agrónomo	Ex Consejero de la Caja de Crédito Hipotecario, Consejero del Banco de Chile. Presidente de la Sociedad Tierra del Fuego, Director de la Compañía de Carbón de Lota, Director de la Compañía de Seguros la Sud América. Miembro de Junta de Beneficencia y Administrador del Cementerio General. Propietario del Fundo de la Unión.	Diputado Liberal Democrático por Itata (1912-1918), Presidente de la Cámara de Diputados, Consejero de Estado. Ministro de Relaciones de don Juan Esteban Montero, Ministro de Relaciones Exteriores y Comercio; y de Tierras y Colonización de don Carlos Ibáñez del Campo. Ex presidente del Partido Liberal Democrático.	
Max Grisar		Presidente de la Cía. de Refinería de Azúcar de Viña. Director en Cía de Refinería Azúcar Santiago, Cía. Minera de Taltal, Cía. Salitrera de Tarapaca y Antofagasta, Empresa Carbonífera Lota Schwager, Paños Bellavista Tomé y la Sociedad Ganadera de Laguna Blanca. Dirigente en Gremio Comercial.		
Jorge Kenrick (1899)	Charter House Repton, Cambridge University y Escuela Naval de Inglaterra.	Gerente comercial y socio principal de la firma Geo C. Kenrick y Co. Representante de vapores extranjeros y nacionales, importación y exportaciones. Director de la Compañía de Ascensores Placeres y Cerro Alegre, y de la Compañía Eléctrica de Concepción. Propietario del Stud Kangoroo.		Socio del Bluc Inglés, Club de la Unión, Club de Viña del Mar, Club Valparaíso, Golf Club y Sporting Club. Oficial de Marina.

81

Continuación Anexo 2

Nombre (año de nacimiento)	Estudios	Relación con Sector Privado	Relación con Sector Público	Relación con entidades sociales
Luis Izquierdo Fredes (1864)	Instituto Nacional	Director en Banco de Chile, Cía. Minera Trepp y la Cía. Salitrera de Tarapacá y Antofagasta.	Secretario de la Legación de Chile en Londres, Subsecretario del Ministerio de Industrias y Obras Públicas, Cónsul General de Chile en Japón. Diputado por Lebu y Santiago. Miembro de las Comisiones de Hacienda y de Relaciones de la Cámara. Ministro de Chile en Argentina y ministro de Hacienda y de Relaciones.	Guardiamarina en la guerra del 79 y tomó parte en la Revolución del 91. Socio del Club de la Unión y del Club de Viña.
Rodolfo Jaramillo (1889)	Colegio Padres Franceses y Universidad de Chile. Se recibió de Ingeniero	Presidente de la Sociedad Industrial Pizarreño y Director Gerente de Cristalería de Chile. Propietario del fundo Juan Soldado en La Serena. Propietario del diario El Sol editado en Santiago.	Director de la Empresa de Ferrocarriles del Estado. Superintendente de la Casa de Moneda. Contralor General de la República. Director General de Obras Públicas y Ministro de Hacienda. Presidente de la Caja Hipotecaria y Ministro de Hacienda.	Ex presidente del Instituto de Ingenieros.
Arturo Phillips Sánchez (1891)	Instituto Nacional	Banco de Chile: Contador, jefe de cuentas corrientes, subcontador, subgerente, director gerente, gerente general y consejero. Consejero del Banco Central. Consejero de la Sociedad Tattersall, Director de la Compañía de Seguros La Sud América, Director de la S.A.C. Saavedra Benard y Director de S. A. Yarur. Explota el fundo Santa Isabel de Colo.		Socio del Club de la Unión.
Guillermo Purcell Verdugo (1874).	Colegio Mc. Kay de Valparaíso.	Socio y principal accionista de Casa Wessel, Duval y Cía. Vicepresidente del consejo del Banco de Chile. Presidente del Banco Hipotecario de Valparaíso, Presidente de la Compañía Carbonífera e Industrial de Chile y Director de la Compañía de Cervecerías Unidas.		

CONTINUACIÓN ANEXO 2

NOMBRE (AÑO DE NACIMIENTO)	ESTUDIOS	RELACIÓN CON SECTOR PRIVADO	RELACIÓN CON SECTOR PÚBLICO	RELACIÓN CON ENTIDADES SOCIALES
Arturo Matte Larraín (1893).	Instituto Nacional y Universidad de Chile. Se recibió como Abogado.	Gerente de la Sociedad de Renta Urbana Pasaje Matte. Presidente de la Sociedad Portal Fernández Concha, Sederías de Chile S.A. Consejero de la Caja de Seguro Obrero y de la Central de Leche. Compañía Petrolera y Compañía Manufacturera de Papeles y Cartones, Vicepresidente de la Sociedad Constructora de Establecimientos Educacionales y Ex presidente de la sociedad de Productos de papeles. Director de la Sociedad Cerámica El Carrascal.		Socio del Club de la Unión.
Francisco Langlois	Abogado	Abogado del Banco de Chile. Director de la Sociedad Ganadera Gente Grande. Director de la Sociedad Nacional de Tejidos El Salto. Director de la Sociedad Loza de Penco. Director del Banco de Chile. Explota el fundo Campusano.		
Vicente Izquierdo Phillips	Instituto Nacional y Universidad de Chile. Se recibió como ingeniero civil.	Presidente y director de la Compañía Manufacturera de Papeles y Cartones. Consejero de la Caja de Crédito Agrario y director de la Compañía de Seguros Alemana. Director del Banco Central de Chile.		Socio del Club de la Unión, de la Sociedad de Fomento Fabril y del Instituto de Ingenieros.
Hernán Prieto (1875)	Colegio San Ignacio, Universidad de Chile y Universidad Católica. Se recibió de abogado.	Gerente de la Sociedad Explotadora de Tierra del Fuego. Consejero del Banco de Chile. Propietario del fundo El Cruceral de Pirque. Socio y director del Club Hípico.	Secretario de la Cámara de Diputados.	Socio del Club de Viña.

83

CONTINUACIÓN ANEXO 2

Nombre (Año de nacimiento)	Estudios	Relación con Sector Privado	Relación con Sector Público	Relación con entidades sociales
Carlos Cavallero Spinetto (1883)	Superiores de Comercio en Suiza.	Gerente de Compañía Salitrera Progreso. Gerente en Antofagasta y Valparaíso de firma Bruna, Sampalo y Cía. Administrador de la Compañía Salitrera Lautaro. Director del Banco Central de Chile. Director de la Sociedad Matadero Modelo de Valparaíso, Compañía Hacienda Las Ventanas, Sociedad Inversiones y Renta Inmobiliaria, Compañía Agrícola San Vicente. Presidente de la Sociedad de Turismo y Hotel de Chile, Sociedad Termas de Puyehue y Compañía Minera de Oruro. Director gerente de la Sociedad Agrícola Ñuble y Rupanco.		
Juan Manuel Valle Ferreira (1872)	Instituto Nacional y Seminario de Santiago.	Gerente de la Compañía Minera e Industrial de Chile y Director de la Asociación Carbonera. Presidente de la Compañía Chilena de Tabacos.	Administrador de la primera Zona de los Ferrocarriles del Estado y del Ferrocarril de Arica a La Paz. Primer Alcalde de Arica y miembro de la Junta de Beneficencia.	Socio del Club de la Unión, Viña del Mar, Concepción y de Lota.
Juan Montero (1879)	Colegio San Ignacio y Universidad de Chile. Se recibió de abogado.	Director del Banco de Chile. Director de la Sociedad de Tejidos El Salto y Director de la Sociedad de Renta Urbana Matías Cousiño.	Abogado en Defensa Fiscal. Fiscal de la Caja de Retiro de los FF. CC. del E. Profesor de Derecho Romano y Civil de la Universidad de Chile. Militante del Partido Radical. Ministro del Interior (1931). Presidente de la República en período constitucional (1931-1932).	Socio del Club de la Unión.
Guillermo Condón	Estudió en Concepción y Valparaíso.	Consejero del Banco de Chile en Valparaíso. Presidente del Directorio de la Compañía Sud Americana de Vapores. Gerente de la Compañía Minera de Lota. Vicepresidente del Banco Hipotecario de Valparaíso.		Socio del Club de la Unión, y del Club de Viña del Mar.

CONTINUACIÓN ANEXO 2

NOMBRE (AÑO DE NACIMIENTO)	ESTUDIOS	RELACIÓN CON SECTOR PRIVADO	RELACIÓN CON SECTOR PÚBLICO	RELACIÓN CON ENTIDADES SOCIALES
Ricardo Searle Lorca (1882)	Padres Franceses y Saint Louis English College de Valparaíso.	Contador, agente, gerente, director gerente, vicepresidente y consejero del Banco Edwards. Consejero del Banco Central. Presidente de la Compañía de Seguros La Estrella y Director de La Minerva. Director de Seager y Burke.		Socio del Club de la Unión y Club Hípico Automóvil.
Maximiano Errázuriz Valdés (1895)	Estudió en Francia e Italia. Se recibió de abogado en la Universidad de Roma.	Director en Cía. de Consumidores de Gas de Santiago, Cía. Nacional de Tejidos El Salto, Cía. Sud Americana de Vapores y Ganadera Gente Grande.	Miembro de la Embajada de Chile ante la Santa Sede. Diputado de Aconcagua por el Partido Conservador. Senador de la República por Talca, Linares y Maule. Presidió embajada comercial chilena enviada a lejano oriente. Director de Patronato de la Infancia, Vice administrador del Asilo Maternal.	
Salustio Barros Ortúzar (1869)	Universidad de Chile. Se recibió como abogado.	Gerente y presidente del Banco Hipotecario. Presidente del Patronato de la Infancia, consejero de Enseñanza Comercial, Presidente de la Sociedad Agrícola Ñuble y Rupanco.		Socio de Club de la Unión.
Albert Wilcox (1884)	El Paso (Texas) y Universidad de Nueva York. Se recibió de Ingeniero.	Trabajó para firma Guggenheim Bros y en American Smelting and Refining Co. Constructor y gerente de la Oficina María Elena. Representante de la Foundation Company of New York, Ingeniero jefe de Empresas Eléctricas Brasileras y director gerente de la Compañía Energía Eléctrica de Bahía. Director general de la Compañía Chilena de Electricidad Ltda.		Socio de la American Society of Chile C.E, de Bankers Club of New York, del Jockey Club de Río de Janeiro. Socio del Club de la Unión y de Viña del Mar.

CONTINUACIÓN ANEXO 2

NOMBRE (AÑO DE NACIMIENTO)	ESTUDIOS	RELACIÓN CON SECTOR PRIVADO	RELACIÓN CON SECTOR PÚBLICO	RELACIÓN CON ENTIDADES SOCIALES
José Fabres Pinto	Instituto Nacional y Universidad de Chile. Se recibió de abogado.	Gerente del Banco Nacional de Valparaíso. Gerente de la Compañía de Seguros La Chilena Consolidada. Profesor de Derecho Penal en el curso de Leyes de Valparaíso.	Juez en lo civil y del Crimen en Valparaíso. Superintendente del cuerpo de Bomberos de Valparaíso, director de la sociedad Protectora de la Infancia, Director de la Compañía de Cervecerías Unidas, Director de la Compañía Chilena de Tabacos, Director de la Compañía de Refinería de Azúcar de Viña del Mar. Miembro de la Junta de Agua Potable y de la Junta de Reconstrucción de la Municipalidad de Valparaíso.	Socio del Club de Valparaíso y de la Liga de Estudiantes Pobres.
Manuel Foster Recabarren (1864)	Seminario de Santiago y Universidad de Leipzig. Se recibió de Abogado.	Abogado de Empresas comerciales. Presidente de Compañía de Seguros La Nacional. Miembro Sociedad Nacional Agrícola.	Dirección y Redacción del Diario *La Unión*. Secretario del Juzgado de Comercio. Subsecretario del Ministerio de Relaciones Exteriores. Ministro de Guerra. Miembro de la comisión de jurisconsultos para redactar código Internacional. Diputado por Rancagua y luego por Santiago. Profesor de Derecho Internacional y de derecho Comercial en Universidad Católica. Ministro de Hacienda en periodo de Sanfuentes y Ministro de Relaciones Exteriores en periodo de Pedro Montt y Carlos Ibáñez. Ex director y miembro del Partido Conservador.	Socio del Club de la Unión.

86

CONTINUACIÓN ANEXO 2

NOMBRE (AÑO DE NACIMIENTO)	ESTUDIOS	RELACIÓN CON SECTOR PRIVADO	RELACIÓN CON SECTOR PÚBLICO	RELACIÓN CON ENTIDADES SOCIALES
Roberto Ovalle Aguirre (1892)	Instituto Nacional y Universidad de Chile. Se recibió de Ingeniero.	Ingeniero de FF.CC. Subadministrador y gerente de la Refinería de Azúcar. Director de la Compañía Manufacturera de Papeles y Cartones. Director de la Distribuidora Nacional y Director de la Compañía de Carbón de Lirquén.		Miembro del Club de la Unión y del Club Viña del Mar.

Fuente: Elaboración propia a partir de *Diccionario Biográfico de Chile* (1942). Empresa Periodística de Chile (4ª ed.). Santiago: Chile. Talleres Gráficos La Nación.

Anexo 3: Breves rasgos del perfil de las directoras de 1939.

Nombre (año de nacimiento)	Familia	Relación con Sector Privado	Información Extra
Sara Braun (1862)	Elías Braun (padre) y Sofía Hamburguer (madre). Fueron casi el primer grupo de inmigrantes extranjeros que llegó a Punta Arenas. Realizaron gran cantidad de actividades comerciales.	Hereda la fortuna de su marido y se convierte en dueña de la estancia "Peckett Harbour" y de acciones en la Sociedad Explotadora de Tierra del Fuego. Estaba a cargo del transporte, retail e industria. En 1910 explotaba alrededor de dos millones de hectáreas entre propiedades y concesiones y un millón de cabezas de ganado. En 1894 compra la Estancia Sara y en 1901 compra la Estancia Rospentek. En 1914 funda la Sociedad Anónima Ganadera y Comercial Sara Braun que compró nuevas estancias y llega a ser una de las 125 empresas más grandes de Chile.	Afiliación al club de servicio más Rotary y rango en el ejército suizo.
	José Nogueira (marido) fue uno de los pioneros en la crianza de ovejas y el fundador de la Sociedad Explotadora de Tierra del Fuego. Junto a Sara, viajan continuamente al centro de Chile estableciendo beneficiosos contactos como el presidente Balmaceda, lo que les permitió expandir su negocio a través de nuevas concesiones. José muere en 1893.		Gran vocación benefactora: donó edificio de la Cruz Roja, del Liceo de Niñas y el pórtico del Cementerio Municipal, además de permanentes aportes a hospitales, colegios y asilos.
		Directora de Soc. Ganadera y Comercial Sara Braun.	
María Montes (1902)	María Eugenia Thurler Roux (madre) y José Montes Bello (padre) pionero magallánico que primero se empleó en una casa comercial y luego compró campos en Chile y Argentina dedicándose a la ganadería. Fundó la Sociedad Ganadera y Comercial José Montes y Cía. Dedicada a la cría ovejuna, pastoreo, industria frigorífica y de aserradero. Tenían tres estancias que ocupaban 42.000 hectáreas.	Directora en la empresa Sociedad Ganadera y Comercial José Montes	

Nombre (Año de nacimiento)	Familia	Relación con Sector Privado	Información Extra
Herminia Menéndez Behety (1886)	José Menéndez (padre) fundador de los negocios Menéndez-Behety, inimigrante asturiano pionero, comerciante, ganadero, armador e industrial. María Behety Chapital (madre), perteneciente a la acomodada familia vasco-francesa radicada en Uruguay. Arturo Gómez Palmés (marido), hijo de industrial talabartero de Buenos Aires. Herminia enviudó joven y no tuvo hijos.	Accionista y directora en la Sociedad Anónima Ganadera y Comercial Menéndez Behety (sociedad creada para administrar su herencia materna). En Chile la sociedad abarcaba la Casa de Comercio, la flota mercante y la estancia San Gregorio y las acciones de la Compañía Frigorífica de la Patagonia. La sociedad tenía un capital de 800.000 libras esterlinas.	

Fuente: Elaboración propia basada en diversas fuentes secundarias (listadas en la Bibliografía).

Mujeres y negocios en Chile: una exploración al periodo 1945-1958

Bernardita Escobar Andrae[1]

Introducción

La presencia de mujeres en la tenencia de negocios en Chile en el pasado corresponde a un área de creciente interés de la academia, no solo estimulado por la escasa investigación de la historia económica de las mujeres chilenas, sino también porque los paradigmas internacionales respecto de la participación de las mujeres en los países desarrollados en el pasado han cambiado notablemente en los últimos años. Desde la noción de mujeres ausentes de la actividad económica durante los siglos XVIII y XIX en el mundo anglosajón y europeo, la evidencia más reciente nos muestra que ellas no solo no estaban ausentes, como se alegó, sino que en muchos casos su injerencia en el mundo de los negocios fue más frecuente de lo imaginado previamente y en numerosas oportunidades en sectores considerados ajenos para ellas[2]. Del mismo modo que en los países del hemisferio norte, y contrariamente al sentido común prevalente que ha sugerido la ausencia de las mujeres en el manejo de negocios en el pasado nacional, estudios recientes han aportado evidencia que indica que pese a los indiscutidos rasgos patriarcales conservadores de la sociedad chilena durante su primer siglo de historia independiente, ingresaron de manera activa y significativa como actores de la esfera económica de la sociedad. Dichos estudios han permitido caracterizar dicho ingreso de las mujeres, como lo ocurrido durante la era liberal y

---

[1] Facultad de Economía y Negocios, U. Talca; Programa CIEPLAN-U. Talca, bernardita.escobar@cieplan.org. La digitalización de los datos recopilados contó con el apoyo de Mirentxu Jiménez (1945 y 1955), Eloy Navarrete (1948), Javier Belén Hernández (1949-1954) y Andrea Valenzuela (1956-1958). Joaquín Gana, Andrea Valenzuela y Andrés Leslie apoyaron en la revisión de consistencia de los datos.

[2] Para el caso de Inglaterra, véase el estudio pionero de Pinchbeck, 1930, y estudios más recientes como los de Barker 2006; Rutterford y Maltby 2007; Burnette 2008. Para el caso de EE.UU., véase el estudio pionero de Dexter 1931, y los más recientes de Khan, 1996; Ingalls Lewis 2009, entre muchos otros.

en gran medida en la capital para el caso de mujeres de clases media y obrera[3]. Los bajos niveles de participación laboral femenina que se han observado en el Chile contemporáneo (véase discusión sobre el caso y los factores culturales que lo explicarían en Contreras y Plaza, 2010), permiten plantearse la hipótesis de que el recorrido experimentado por las mujeres chilenas durante el siglo xx en materia de participación económica y de tenencia de negocios no ha sido particularmente dinámico. Incluso existe una literatura que sugiere que los países experimentan un retroceso en materia de participación en la fuerza laboral en las primeras etapas de industrialización de los mismos[4], y datos contemporáneos que sustentan la hipótesis en Mammen y Paxson (2000). Al margen de la literatura existente respecto del emprendimiento femenino en el pasado para otros países, el caso de Chile no cuenta con mayores antecedentes de investigación que permitan corroborar o contrarrestar la conjetura. Este trabajo persigue iluminar un periodo relativamente desconocido de la historia económica de las mujeres en Chile respecto del rol y la presencia femenina en la tenencia de negocios. Este estudio analiza el nivel existente y la evolución de la participación de las mujeres en la tenencia de negocios a mediados del siglo xx en Chile, entre los años 1945 y 1958. El periodo de este estudio se caracteriza por estar fuera de la era de las grandes crisis globales, políticas y económicas que ocurrieron durante la primera mitad del siglo xx (la primera y la segunda guerras mundiales, así como la crisis financiera de los años 1930). Nacionalmente, este periodo correspondió a una era de plena industrialización y de ocaso de la era del salitre, mientras que en lo social se consolidaban logros feministas con la obtención de derechos políticos para las mujeres[5].

Pese a la discusión que ha existido en la literatura respecto de la evolución que habría seguido la participación laboral femenina durante los procesos de industrialización de los países[6], en el caso de Chile los autores que han usado lo datos censales han tendido a coincidir en que la participación laboral femenina ha seguido una relación inversa con el

---

3 Escobar Andrae 2015 y 2017.

4 Véase al autor de la hipótesis en Sinha 1965, y un planteamiento formal en Goldin 1995.

5 El derecho a voto de las mujeres fue un proceso que comenzó en 1934, con la conquista de este derecho por autoridades municipales, el cual fue ejercido por primera vez en las elecciones de 1935. En 1945 las mujeres obtuvieron recién el derecho a votar por autoridades políticas a nivel nacional, derecho que se ejerció por primera vez en la elección presidencial de 1952 y del Congreso en 1953.

6 Véase un ejemplo de esta discusión en Hudson 1995.

proceso de industrialización[7]. Pese a que el rol empresarial se encuentra comprendido dentro de la tasa de participación laboral de la fuerza de trabajo, al tratarse de una fracción pequeña de las personas económicamente activas, y no tan menor tratándose de los trabajadores por cuenta propia, no es del todo evidente conjeturar si la evolución de los diferentes componentes de la fuerza de trabajo (empleados, empleadores y trabajadores por cuenta propia) fue similar entre ellos, pese a que el indicador englobador pueda usarse como proxy de los distintos componentes.

Cuadro Nº 1: Empleadores en el Gran Santiago.

Año	Empleadores				Ocupados				Observaciones Encuesta	
	H	M	Total	%M	H	M	Total	% Total	Total	% Ocupados
1957	82	18	100	18	2.574	1.397	3.971	35	10.756	37
1958	101	18	119	15	2.429	1.403	3.832	37	10.556	36
1959	131	18	149	12	2.438	1.374	3.812	36	10.691	36
1960	73	12	85	14	2.280	1.383	3.663	38	10.197	36
1961	97	10	107	9	2.531	1.467	3.998	37	11.312	35
1962	151	8	159	5	2.768	1.610	4.378	37	12.360	35
1963	140	11	151	7	3.003	1.741	4.744	37	13.518	35
1964	112	7	119	6	3.324	1.749	5.073	34	14.855	34
1965	94	6	100	6	3.294	1.778	5.072	35	14.759	34
1966	99	11	110	10	3.265	1.841	5.106	36	14.980	34
1967	102	12	114	11	3.573	1.960	5.533	35	15.944	35
1968	97	13	110	12	3.266	1.813	5.079	36	14.834	34
1969	94	10	104	10	3.148	1.718	4.866	35	14.167	34
1970	92	10	102	10	3.281	1.843	5.124	36	14.536	35

H: Hombre; M: Mujeres.
Fuente: Encuesta de empleo de la Universidad de Chile, mes de junio.

Los primeros datos sistemáticos conocidos que permiten analizar a estas poblaciones de personas económicamente activas comienzan a aparecer a fines del periodo analizado en este estudio, en 1957, con el inicio de la encuesta de empleo de la Universidad de Chile. Un resumen de dichos datos, contenidos en el Cuadro Nº 1, permite concluir que esos datos no parecen ser demasiado útiles para esto fines, por cuanto el nivel de representatividad que tienen los empleadores entre los ocupados y en

---

[7]   Para el periodo 1854-1920 véase a Gálvez y Bravo Barja 1992, y Hutchison 2001 para el periodo 1900-1930.

el total de la muestra es bajo (correspondiendo a aproximadamente 100 observaciones dentro de 3.000 a 5.000 ocupados en una encuesta de 10 mil a 16 mil observaciones por año). Por ello, no parece ser del todo informativo el análisis que se puede extraer de esos datos respecto de la evolución en la participación de las mujeres en la tenencia de negocios. Sin embargo, vale tener presente que la muestra de empleo de la Universidad de Chile es concordante con la hipótesis de contracción en la presencia de mujeres como tenedoras de negocios (empleadoras), desde niveles del 18% del total hacia fines de nuestro periodo de estudio en 1957 a niveles del 6-7% a fines de los años 1960, para recuperarse a niveles del 10% hacia 1970. Los antecedentes disponibles permiten concluir que es importante recurrir a fuentes alternativas a las disponibles a la hora de estudiar la evolución en la tenencia de negocios por parte de las mujeres en Chile.

Los datos

Con el propósito de identificar la participación de mujeres en la actividad productiva este trabajo recurre a datos no explorados con anterioridad para estos fines, que tienen la ventaja de describir la estructura productiva a nivel nacional por rubro de actividad económica, e identificando a los empresarios responsables de cada una de las empresas. La designación del nombre de la empresa y/o su empresario(a) contenido en los datos permite la identificación del género de estos(as), usando para ello el género del nombre propio. Además, la fuente permite identificar por su nombre a las empresas durante el tiempo, lo que permitió esbozar una base de datos tipo panel (no balanceado). Los datos usados en este estudio fueron obtenidos de publicaciones sistemáticas en el *Diario Oficial* (D.O.) de empresas registradas en el Ministerio de Economía y Reconstrucción, a partir de la obligatoriedad de publicar anualmente el registro de empresas sujetas al pago de un impuesto creado para fines habitacionales en 1942[8]. El estudio incluye datos a nivel nacional entre 1945 y 1958 para empresas del *Rol Industrial* (i.e. no mineras). La ley en

---

[8]   El artículo 16 de la Ley 7600, publicada el 28 de octubre de 1942 en el D.O., estableció la obligación de las empresas industriales y mineras de pagar un impuesto de 5% y 4% de las utilidades, respectivamente, destinado a la Caja de la Habitación, siempre que las utilidades del año previo no hubiesen sido inferiores a $500.000. Por su parte, el artículo 34 del reglamento de la ley (DS 187, publicado el 29 de noviembre de 1944) estableció la obligatoriedad de publicar el listado de empresas gravadas cada año para el pago del impuesto.

cuestión excluía del pago del impuesto a las empresas cuyas utilidades anuales fueran inferiores a un cierto monto nominal ($500.000). Aunque esta norma introduce un sesgo de selección hacia las empresas de mayor tamaño en la muestra de empresas analizadas, el poder de exclusión de la norma fue perdiendo efectividad en la medida que el país experimentaba altos niveles de inflación (2 dígitos) durante el periodo[9]. Esta característica de la Ley favoreció crecientemente el nivel de representatividad de la muestra anual de empresas respecto del universo de empresas formalmente establecidas en Chile. El Apéndice N° 1 detalla el origen de los datos usados indicando las fechas de las publicaciones que se usaron para construir la base de datos[10].

Los datos fueron homogenizados para identificar de manera única a cada empresa, en la medida de lo posible. Así, una empresa que en un año aparecía como "A. Pérez" y en otro como "Amalia Pérez" fue identificada con el nombre más completo en la base de datos, en la medida que los rubros y dirección de los datos fueran concordantes[11]. Los datos normalmente detallan el rubro de la empresa, lo que permitió realizar una clasificación sectorial usando la Revisión 4 del sistema de la Clasificación Industrial Internacional Uniforme de todas las actividades económicas (CIIU) de la ONU[12], a 4 dígitos, pero agregando, para efectos de simplicidad, el sector a 2 dígitos.

---

[9]   Los datos de inflación del Banco Central permiten establecer que el promedio de la inflación anual entre enero de 1945 y enero de 1958 fue de 32%, con un máximo de 84% en 1956 y un mínimo de 10% en 1946.

[10]   Como se aprecia en el Apéndice 2, los datos representan una muestra amplia pero de cobertura indeterminada de lo que fue publicado cada año, pues no se puede asegurar que no haya habido más publicaciones en otras fechas. Por una parte, no fue posible encontrar las publicaciones en el D.O. para 1946 y 1947, pese a realizar búsquedas diferentes en el buscador del Diario, y de explorar lo publicado diariamente durante los meses de enero y diciembre para esos años. Para acotar la omisión de información, y con posterioridad al trabajo de levantamiento de datos, se procedió a revisar las publicaciones diarias durante los meses de enero y diciembre para todo el periodo. Este análisis posterior permitió encontrar algunas páginas adicionales publicadas el 26 de diciembre de 1955 (páginas 19 a la 30), que no han sido incorporadas en este análisis.

[11]   Con el propósito de tener un identificador único por negocio, se recurre solo al nombre del primer socio detallado en la fuente. Así, el abanico de eventuales socios que pudiera haber participado del negocio en el tiempo, no es usado como elemento en la identificación de cada empresa. Asimismo, en los casos de defunciones las empresas suelen aparecer como sucesiones o comunidades. En estos casos las empresas se identifican con el nombre y el género del difunto, aun cuando el género de estos casos puede distinguirse posteriormente.

[12]   Estadística ONU, 2009.

Mujeres empresarias en el periodo 1945-1958

Los datos compilados se presentan en el Cuadro N° 2. Allí se puede apreciar que la base de datos comprende más de 85.000 observaciones en los diferentes años, no siendo similar la representación de datos para los diferentes años, en especial en 1958. Del total, un 31% de las observaciones corresponde a firmas con nombres de fantasía no vinculados al nombre de una persona. Estas empresas "sin género" se abultan más en regiones en determinados años (1948, 1949). La mayor cantidad de datos corresponde a empresas ubicadas en Santiago (59% del total). No obstante, en términos de la distribución por género, los números agregados de la muestra no permiten identificar rasgos gruesos diferenciadores entre las firmas radicadas en Santiago con respecto a aquellas radicadas en el resto de Chile. Las empresas con mujeres al mando representan un 9% del total aproximadamente, ya sea que estén ubicadas en Santiago o en el resto de Chile.

Cuadro N° 2: Composición de Empresas por género y ubicación.

Año	Chile	Resto Chile				Santiago			
		Total	Hombre	Mujer	Sin género (SG)	Total	Hombre	Mujer	Sin género (SG)
1945	6.188	2.888	1.899	224	763	3.300	2.106	237	957
1948	7.918	4.214	2.459	165	1.590	3.704	2.284	202	1.218
1949	7.227	4.202	2.622	238	1.341	3.025	1.794	159	1.072
1950	8.054	2.730	1.740	154	836	5.324	3.288	351	1.685
1951	9.024	3.300	2.125	178	996	5.724	3.537	390	1.797
1952	7.931	2.695	1.742	173	780	5.236	3.297	366	1.573
1953	6.898	2.485	1.615	137	731	4.413	2.733	282	1.398
1954	7.548	2.861	1.846	178	835	4.687	2.866	280	1..541
1955	5.082	3.128	2.030	206	891	1.953	1.153	123	677
1956	7.543	2.787	1.711	182	892	4.756	2.853	292	1.611
1957	8.078	3.177	1.969	210	996	4.901	2,.920	294	1.687
1958	3.666	118	20		96	3.548	2.036	193	1.319
Datos	85.157	34.585	21.779	2.045	10.761	50.571	30.867	3.169	16.535
%Total	100	41	63	6	31	59	62	6	32
% sin SG		100	91	9	-	100	91	9	-

Fuente: Elaboración propia sobre la base del Rol Industrial de empresas gravadas por el impuesto a la Caja de Habitación, y publicadas en el D.O.

Sin embargo, identificando las observaciones entre sí por su nombre y su presencia identificada en los diferentes años, nos permite rastrear a las empresas "nuevas" que van ingresando a la muestra en los diferentes años. Estas empresas pueden corresponder a genuinas nuevas empresas, o bien a empresas que existían pero que caben por primera vez dentro del universo de empresas grabadas. En cualquier caso, no existe una conjetura que permita elucubrar una hipótesis de diferencia de género entre estas "nuevas" empresas. La clasificación se presenta en el Cuadro N° 3, donde se observa que las 85 mil observaciones corresponden a un poco más de 20 mil empresas, estando también el 59% de las firmas localizadas en Santiago. Sin embargo, la identificación de firmas por su nombre permite destacar que las ubicadas en Santiago representan en realidad un 11% del total, mientras que aquellas ubicadas en regiones corresponden al 9% de aquellas identificadas por género, cifra similar a la proporción total de observaciones del periodo. Este resultado sugiere que las empresas de mujeres son más dinámicas en aparecer como nuevas en Santiago respecto de las regiones. Este antecedente sugiere entonces que podríamos estar frente a un fenómeno de dinamismo en la tenencia de empresas por mujeres, lo que contradice la hipótesis de contracción en la participación económica de las mujeres como tenedoras de negocios sugeridas por los estudios basados en datos censales, y la caracterización presentada por la encuesta de empleo de la Universidad de Chile.

Cuadro N° 3: Empresas nuevas ingresando a la muestra.

Año	Chile	Resto Chile				Santiago			
		Total	Hombre	Mujer	Sin género (SG)	Total	Hombre	Mujer	Sin género (SG)
1945	5.644	2.558	1.794	216	3	3.086	2.026	234	826
1948	3.767	1.862	1.151	66	548	1.905	1.196	105	604
1949	2.003	1.005	684	53	645	998	576	63	359
1950	1.701	219	156	11	268	1.482	902	126	454
1951	1.005	326	235	17	52	679	412	57	210
1952	592	215	146	16	74	377	250	33	94
1953	1.358	472	342	47	53	886	559	63	264
1954	880	332	230	40	83	548	324	47	177
1955	546	335	213	25	62	211	123	22	66
1956	1.641	450	278	39	97	1.191	690	101	400
1957	1.000	511	339	43	133	489	286	23	180
1958	205	0			129	205	97	17	91
Firmas	20.345	8.288	5.568	573	2.147	12.057	7.441	891	3.725
%Total	100	41	67	7	26	59	62	7	31
% sin SG		100	91	9	-	100	89	11	-

Fuente: Elaboración propia sobre la base del Rol Industrial de empresas gravadas por el impuesto a la Caja de Habitación y publicadas en el D. O.

La distribución sectorial de la muestra de empresas nacionales se presenta en el Cuadro N° 4 y el detalle se encuentra en Apéndice N° 2. El cuadro muestra que las empresas de mujeres se encuentran más concentradas en el sector de vestuario en Santiago que en el resto del país, y respecto de las empresas de hombres de la capital. El sector representa el 24% de las empresas controladas por mujeres en Santiago, lo que se compara con el 16% de las empresas controladas por hombres en la ciudad. El sector de alimentos, segundo en importancia en la capital, con un 17% del total de empresas de mujeres, es mucho más significativo para las empresas de fuera de la capital, representando un 45% del total de esas empresas de mujeres y al mismo tiempo son muy significativas dentro de las empresas manejadas por hombres fuera de Santiago (32% de esas empresas). En la capital le siguen en importancia las empresas del sector textil, tanto para las empresas de mujeres (11%) como aquellas controladas por hombres (10%). El sector de cuero y calzado cubre el 9% de las empresas de mujeres de Santiago, 11% en el caso de las empresas de hombres, mientras que el sector llega a representar solo un 8% en el caso de las empresas en el resto de Chile. En términos generales, los datos muestran una diferenciación en la composición sectorial entre las empresas de mujeres radicadas en Santiago respecto de las empresas de regiones, especialmente entre los principales sectores en que las mujeres empresarias se desenvuelven.

Para explorar la hipótesis de dinamismo emprendedor de las mujeres recurrimos a un análisis econométrico sencillo, mediante el uso de regresiones *probit*, para evaluar la probabilidad de encontrar una mujer entre las nuevas empresas cada año. Una simplificación de las estimaciones realizadas para este análisis se presenta a continuación[13]. Comprendiendo que el detalle de las estimaciones excluye los resultados de las variables de control sectorial por consideraciones de espacio, las regresiones muestran que la probabilidad de observar mujeres a medida que transcurre el tiempo crece con una significancia del 10%, tendencia que no es exclusiva de Santiago. Estos resultados sugieren que durante el periodo de estudio hubo un nivel de dinamismo moderado (1,5% anual de crecimiento) en la aparición de nuevas mujeres empresarias en Chile, pese a que la estructura sectorial entre las empresas de Santiago y de regiones difiere marcadamente.

---

[13] El detalle de las regresiones y los parámetros de los controles están disponibles para consulta con la autora.

Cuadro N° 4: Distribución sectorial de las empresas.

SECTOR CIIU		TOTAL				SANTIAGO				RESTO CHILE			
	EMPRESAS	TOTAL	HOMBRE	MUJER	GÉNERO NO IDENTIFICADO	TOTAL	HOMBRE	MUJER	GÉNERO NO IDENTIFICADO	TOTAL	HOMBRE	MUJER	GÉNERO NO IDENTIFICADO
14	Vestuario	12	12	18	12	16	16	24	13	7	6	9	8
10	Alimentos	19	20	28	16	12	12	17	11	31	32	45	25
13	Textil	8	7	9	11	12	10	11	14	3	3	6	5
15	Cueros y Calzado	9	10	8	6	10	11	9	6	8	8	5	6
20	Químico	7	7	6	9	8	7	5	9	7	6	6	8
32	Otras Manufacturas	4	4	4	3	4	5	5	3	3	4	3	3
24	Fab. Metales	4	3	1	6	4	4	1	6	3	2	2	5
23	Fab. Minerales No Metálicos	4	4	2	4	3	3	2	5	5	5	2	4
45	Comercio Autos	3	4	1	2	3	4	2	2	2	3	1	1
25	Fab. Metales Otros	3	3	1	4	3	3	1	5	2	3	1	2
16	Fab. Madera	5	6	2	5	3	3	2	4	9	9	4	8
31	Muebles	3	4	2	2	3	3	3	2	3	4	1	2
18	Impresión	3	3	1	2	3	3	1	2	3	2	1	3
	Resto	15	14	17	17	16	15	18	17	14	12	14	18
	Total	100	100	100	100	100	100	100	100	100	100	100	100

Fuente: Elaboración propia sobre la base del Rol Industrial de empresas gravadas por el impuesto a la Caja de Habitación y publicadas en el D. O.

99

Cuadro N° 5: Dinamismo emprendedor por género de la empresa.

VARIABLES	MOD 1	MOD 2	MOD 3
Controles	..	..	..
Santiago (SCL)	1,071*	0,000	0,000
	(0,034)	(0,000)	(0,000)
Año Ingreso	1,014***	1,009	1,015*
	(0,004)	(0,006)	(0,006)
Año ingreso * SCL	1,008	1,012	
	(0,007)	(0,008)	
Viuda	(omitida)		
constante	0,000***	0,000	0,000**
	(0,000)	(0,000)	(0,000)
Pseudo r2-Ajustado	0.046	0.0461	0.0565
N	14453	14453	14192
aic	9,103,092	9,103,868	7,835,533
bic	9,330,452	9,338,807	8,069,907

Conclusiones

Los datos analizados en este trabajo son valiosos porque permiten realizar una reflexión informada sobre la estructura productiva nacional y de género durante el periodo de estudio. Ello, considerando que los datos usados corresponden a una muestra con creciente nivel de representatividad del universo de firmas nacionales establecidas formalmente durante el periodo 1945-1958. Los datos sugieren que las empresas controladas por mujeres representaban un 9% de las firmas de cada año, tanto en la capital como en regiones. No obstante, el esfuerzo realizado para lograr identificar a las empresas a nivel de firma habilitó el estudio de la trayectoria de la actividad comercial de las empresas, permitiendo de ese modo avanzar en identificar la frecuencia con que aparecían "empresas nuevas" operando durante el periodo. Esta identificación permitió mostrar que el 9% de empresas de mujeres en el periodo en realidad correspondía a un 11% del total de firmas ubicadas en la capital. Esta diferencia entre la frecuencia de observaciones y de firmas sugiere que las empresas de mujeres fueron más dinámicas en surgir en Santiago que en otras zonas del país y respecto de las empresas controladas por hombres, que corresponden a la mayoría. No obstante, se pudo establecer que la concentración sectorial de las empresas entre hombres y mujeres no era equivalente a las empresas controladas por empresarios del mismo género, pero localizadas en Santiago o en regiones. La evidencia presentada en este estudio permite sugerir que ciertos sectores fueron claves en el dinamismo emprendedor femenino, tales como la fabricación de vestuario en Santiago y de alimentos en regiones. El análisis econométrico permite corroborar que, controlando por las diferencias de composición sectorial de las empresas de mujeres en Santiago y en regiones, existe un nivel de dinamismo de 1,5% anual de empresas controladas por mujeres, al margen de su localización.

La evidencia discutida en este trabajo pone en entredicho la hipótesis de bajo dinamismo o abierto retroceso en la presencia de mujeres al mando de empresas durante el periodo de industrialización que ha sido sugerido como realidad nacional sobre la base de datos de empleo construidos con la información de los censos. Sin embargo, los niveles de participación de las mujeres como empresarias de 9 a 11% de las empresas identificadas por el género de su dueño parecen reflejar una caída respecto de los niveles y expansión observados durante fines del siglo XIX en Santiago, en que las empresas susceptibles de pagar patentes municipales pasaron de representar de un 14% a un 23% entre 1878 y 1893[14]. No obstante, los negocios incluidos en el universo que debía pagar patentes municipales incluían rubros y actividades económicas que están fuera del espectro de rubros incluidos en el Rol de Empresas Industriales y que ha sido analizado en este estudio. Un pronunciamiento definitivo sobre esta materia está fuera del objetivo de este trabajo, y en sí se constituye como agenda de investigación futura. Pero hasta que ello quede establecido, podemos asegurar que no se dispone de evidencia que permita sugerir que las mujeres han experimentado procesos de contracción en la participación económica como actores empresariales desde la república liberal y hasta mediados del siglo XX.

[14]   Escobar Andrae 2016.

Apéndices

Apéndice N° 1: Fechas de las publicaciones en el D.O. de los datos.

Año	Enero	Abril	Mayo	Diciembre
1945		26,27,28,30	2,3	
1948				23,24,27
1949				23,24,26
1950				12,13,14,15,16
1951				18,19,20,21
1952				18,19,20,22
1953				24,26,28
1954				23,24,26
1955				26,27,28
1956				28,29,31
1957	7,8,9,10			30,31
1958	2,4			30,31

Fuente: Elaboración propia.

Apéndice N° 2: Distribución Sectorial de los rubros de las empresas.

	Sector CIIU	Total				Santiago				Resto Chile			
	Rubro	Total	Hombre	Mujer	Género No Identificado	Total	Hombre	Mujer	Género No Identificado	Total	Hombre	Mujer	Género No Identificado
1	Agricultura	18	12	0	6	11	9	0	2	7	3	0	4
2	Silvicultura	38	32	3	3	11	10	0	1	27	22	3	2
7	Minería	4	4	0	0	0	0	0	0	4	4	0	0
8	Otra Minería	20	13	0	7	4	2	0	2	16	11	0	5
10	Alimentos	3.990	2.569	408	1013	1.537	922	155	460	2.453	1.647	253	553
11	Bebidas	423	276	26	121	116	67	3	46	307	209	23	75
12	Tabaco	20	16	0	4	8	8	0	0	12	8	0	4
13	Textil	1.781	957	128	696	1.504	825	97	582	277	132	31	114
14	Vestuario	2.623	1.619	265	739	2.055	1.282	217	556	568	337	48	183
15	Cueros y Calzado	1.847	1.325	114	408	1.239	884	85	270	608	441	29	138
16	Fab. Madera	1.103	729	36	338	416	243	14	159	687	486	22	179
17	Papel	292	175	10	107	223	145	6	72	69	30	4	35
18	Impresión	539	368	18	153	334	239	10	85	205	129	8	68
19	Petróleo	18	4	0	14	7	2	0	5	11	2	0	9
20	Químico	1.528	868	85	575	985	545	50	390	543	323	35	185
21	Fármaco	191	86	5	100	160	75	3	82	31	11	2	18
22	Plástico y Caucho	202	90	9	103	173	79	7	87	29	11	2	16
23	Fab. Minerales No Metálicos	821	507	31	283	454	246	18	190	367	261	13	93
24	Fab. Metales	820	416	20	384	572	293	11	268	248	123	9	116

Continuación Apéndice 2

Sector CIIU		Total				Santiago				Resto Chile			
	Rubro	Total	Hombre	Mujer	Género No Identificado	Total	Hombre	Mujer	Género No Identificado	Total	Hombre	Mujer	Género No Identificado
25	Fab. Metales Otros	648	386	14	248	453	248	11	194	195	138	3	54
26	Informática	142	68	1	73	88	63	1	24	54	5	0	49
27	Eléctricos	206	95	7	104	158	75	7	76	48	20	0	28
28	Maquinaria	208	114	4	90	150	76	2	72	58	38	2	18
29	Vehículos	182	130	7	45	118	74	5	39	64	56	2	6
30	Otro Vehículos	70	44	3	23	41	33	1	7	29	11	2	16
31	Muebles	639	472	31	136	381	274	23	84	258	198	8	52
32	Otras Manufacturas	844	583	62	199	574	389	44	141	270	194	18	58
33	Reparación Máquinas	224	127	53	44	182	102	44	36	42	25	9	8
35	Electricidad, gas, etc.	158	76	8	74	29	17	0	12	129	59	8	62
36	Captación Agua	1	0	0	1	1	0	0	1	0	0	0	0
37	Evacuación Aguas	1	1	0	0	0	0	0	0	1	1	0	0
41	Construcción	54	18	0	36	34	6	0	28	20	12	0	8
43	Especial Construcción	4	3	0	1	2	2	0	0	2	1	0	1
45	Comercio Autos	630	483	18	129	453	336	15	102	177	147	3	27
46	Comercio Otros	9	2	0	7	6	1	0	5	3	1	0	2

CONTINUACIÓN APÉNDICE 2

Sector CIIU		TOTAL				SANTIAGO				RESTO CHILE			
	Rubro	Total	Hombre	Mujer	Género No Identificado	Total	Hombre	Mujer	Género No Identificado	Total	Hombre	Mujer	Género No Identificado
47	Comercio Menor	5	3	0	2	3	2	0	1	2	1	0	1
49	Transporte	59	34	0	25	45	26	0	19	14	8	0	6
52	Almacenamiento	4	3	0	1	4	3	0	1	0	0	0	0
73	Publicidad	1	0	0	1	1	0	0	1	0	0	0	0
74	Otras profesiones	1	1	0	0	0	0	0	0	1	1	0	0
81	Ss. Construcción	1	0	1	0	1	0	1	0	0	0	0	0
82	Ss. Apoyo empresas	7	4	1	2	6	4	1	1	1	0	0	1
95	Reparación enseres domésticos	269	211	16	42	209	166	11	32	60	45	5	10
96	Otros Servicios personales	350	179	91	80	263	133	73	57	87	46	18	23
	Total	20.995	13.103	1.475	6.417	13.011	7.906	915	4190	7.984	5 197	560	2.227

Fuente: Elaboración propia.

Bibliografía

BARKER H. (2006). *The Business of Women, Female Enterprise and Urban Development in Northern England 1760–1830*. Oxford, New York, Oxford University Press.

BURNETTE J. (2008). *Gender, Work and Wages in Industrial Revolution Britain*. Cambridge, Cambridge University Press.

CONTRERAS D. y G. PLAZA (2010). "Cultural Factors in Women's Labor Force Participation in Chile." *Feminist Economics*, 16, N. 2, pp. 27-46.

DEXTER E. A. (1931). *Colonial Women of Affairs. Women in Business and the Professions in America before 1776*. New York, Houghton Mifflin Company.

ESCOBAR ANDRAE B. (2015). "Female Entrepreneurship and Participation Rates in 19th Century Chile.", *Estudios de Economía*, 42, N. 2, pp. 67-92.

ESCOBAR ANDRAE B. (2017). "Women in Business in Late 19th Century Chile: Class, Marital Status and Economic Autonomy." *Feminist Economics*, 23, N. 2, pp. 33-67.

ESTADÍSTICA ONU. Departamento de Asuntos Económicos y Sociales (2009). "Clasificación Industrial Internacional Uniforme de Todas las Actividades Económicas (CIIU), Revisión 4," *Informes Estadísticos*. Ginebra, ONU, 328.

GÁLVEZ T. y R. BRAVO BARJA (1992). "Siete Décadas de Registro del Trabajo Femenino: 1854-1920." *Estadística y Economía*, 5, N. pp. 1-52.

GOLDIN C. (1995). "The U-Shaped Female Labor Force Function in Economic Development and Economic History.", en *Investment in Women's Human Capital*. T. P. Schultz eds. University of Chicago Press. Chicago.

HUDSON P. (1995). "Women and Industrialization", en *Women's History: Britain, 1850-1945. An Introduction*. J. Purvis eds. St. Martin's Press. London, New York.

HUTCHISON E. Q. (2001). *Labors Appropriate to Their Sex: Gender, Labor, and Politics in Urban Chile, 1900-1930*. Durham & London, Duke University Press.

INGALLS LEWIS S. (2009). *Unexceptional Women, Female Proprietors in Mid-Nineteenth-Century Albany, New York, 1830–1885*. Columbus, The Ohio State University Press.

KHAN B. Z. (1996). "Married Women's Property Laws and Female Commercial Activity: Evidence from United States Patent Records, 1790-1895", *Journal of Economic History*, 56, N. 2, pp. 356-88.

MAMMEN K. y C. PAXSON (2000). "Women's Work and Economic Developoment." *Journal of Economic Perspectives*, 14, N. 4, pp. 141-64.

PINCHBECK I. (1930). "Craft Women and Business Women", en *Women Workers and the Industrial Revolution*. eds. Frank Cass and Company Limited. Abigdon, UK; New York, USA.

RUTTERFORD J. y J. MALTBY (2007). '"The Widow, the Clergyman and the Reckless": women investors in England, 1830- 1914'. *Feminist Economics*, 12(1-2) pp. 111–138.

SINHA J. N. (1965). "Dynamics of Female Participation in Economic Activity in a Developing Economy," *World Population Conference*. Belgrade.

La intervención del Estado en el sector eléctrico chileno. Los inicios de la empresa pública monopólica[1]

César Yáñez[2]

Introducción: "hambre de energía eléctrica"

En la antesala de la Gran Depresión de los años 1930 el sector eléctrico chileno estaba compuesto exclusivamente por empresas privadas con una potencia instalada de 300 mil kilowats[3]. En términos relativos a América Latina, gracias al trabajo de Xavier Tafunell (2011), sabemos que Chile estaba por debajo de Argentina, Brasil, México y Cuba en capacidad instalada bruta, pero mejoraba su desempeño cuando estos mismos datos los dividimos por el número de habitantes, caso en el que la capacidad eléctrica instalada chilena sube al segundo puesto regional, solo por detrás de Cuba. En todo caso, cabe advertir el atraso acumulado por América Latina a esas alturas de la historia eléctrica. Los líderes mundiales consumían el doble de la electricidad por habitante que Chile si la comparación se hace con Alemania; cuatro veces más si la comparación es con Estados Unidos; y hasta 15 veces si nos comparamos con Noruega, líder absoluto de esta categoría.

Al predominio absoluto de la iniciativa privada se debe agregar el hecho que los autoproductores de electricidad, es decir, las empresas que habían sido creadas para abastecer a un solo consumidor (propiedad integrada verticalmente) eran tanto o más importantes que las empresas de servicio público (compañías independientes que vendían la electricidad a otras empresas, al Estado para el alumbrado –municipal generalmente– o a particulares para el consumo doméstico). En términos de capacidad eléctrica instalada, los auto productores controlaban en 1930

[1] Este capítulo es un resultado de la investigación financiada por el proyecto FONDECYT N° 1161425, titulado "Historia de las Transiciones Energéticas y el Cambio estructural en la Economía Chilena (Siglos XIX a XXI)", en el que César Yáñez es el investigador responsable.
[2] Universidad de Valparaíso y Universidad de Barcelona.
[3] Los estudios de la época (CORFO 1966: 392), como los recientes trabajos de historia económica (Tafunell 2011; y Yáñez 2017) coinciden en los 300.000 Kw. de potencia instalada para 1930.

el 53% y en 1945 el 62% del total nacional[4]. La razón del protagonismo alcanzado por las empresas autoproductoras tiene que ver con la importancia del consumo eléctrico de la minería chilena ya en esa época. El sector del carbón fue pionero en estas iniciativas, el cobre lo elevó en complejidad y escala y el salitre no se quedó atrás en la década de 1920, acompañándole grandes empresas manufactureras que tempranamente se sumaron a la "revolución eléctrica"[5].

El trabajo publicado en 1936 por el Instituto de Ingenieros de Chile con el título *Política Eléctrica Chilena*, destaca el bajo consumo eléctrico por habitante de Chile, en particular en el segmento de servicio público[6]. Los números para 1928 son elocuentes: de los 240 Kw consumidos en el país, solo 50 se destinaban al servicio público. Esto es el 20% de su consumo[7], que comparado con países más avanzados (Alemania 92%, Estados Unidos 55%), pone de relieve el verdadero atraso eléctrico de Chile al finalizar la tercera década del siglo XX.

Lo que quisieron poner de relieve Harnecker y sus colegas en 1936 fue que existía un ancho margen para el desarrollo del sector eléctrico de servicio público en el Chile de la época. Es lo que ellos llamaron retóricamente "el hambre de energía eléctrica que sufre nuestro país"[8]. Con esta elocuencia, los ingenieros pusieron en el debate público la importancia de la energía en el desarrollo económico, la necesidad de que fuera el Estado el que tomara la iniciativa y que el precio de la electricidad no fuera el determinante de la producción, todos factores de intensa polémica que se vivieron con pasión en los años de la crisis económica y

---

[4] Corfo 1966.

[5] En el caso de la minería del cobre y el salitre, las inversiones eléctricas se deben a empresas extranjeras. En los otros sectores, carbón y manufacturas, son empresarios chilenos los que se sumaron a la "revolución eléctrica". Una historia de las empresas eléctricas chilenas en las primeras décadas del siglo XX se encuentra en Yáñez (2017). El término de "revolución eléctrica" se debe al título del artículo de Tafunell 2011.

[6] El estudio "Política eléctrica chilena", cuyos autores fueron Reinaldo Harnecker, Fernando Palma Rogers, José Luis Claro Montes, Hernán Edwards Sutil, Vicente Monge Mira, Dario Sánchez Vickers y Domingo Santa María, fue publicado en 1936 en los Anales del Instituto de Ingenieros de Chile. Su influencia en las controversias posteriores es innegable, por lo que este trabajo aparecerá citado con reiteración en este artículo. Nosotros consultamos el texto que se publicó como Reinaldo Harnecker, "Política Eléctrica Chilena" (Cámara Chilena de la Construcción, Pontificia Universidad Católica de Chile y Dirección de Bibliotecas, Archivos y Museos, Santiago de Chile, 2012). Esta edición cuenta con un estudio preliminar de Rafael Sagredo Baeza, titulado "Electricidad para el desarrollo" (pp. ix-xxviii), que pone en contexto la publicación de la *Política eléctrica chilena*. Se citará en adelante como Harnecker 1936.

[7] Harnecker 1936: Cuadro 1.

[8] *Ibídem*: 19.

que terminaron con la creación de la Empresa Nacional de Electricidad (ENDESA) en 1944.

Este capítulo pone atención a los años previos a la creación de la ENDESA y ofrece un marco para comprender por qué el gobierno puso el énfasis en aumentar la producción eléctrica con recursos públicos y el papel de los privados en la política energética de los años 1930 y los primeros de la década de los años 1940. El capítulo aprovecha a su vez la ocasión para ir un poco más allá de lo estrictamente eléctrico, ofreciendo una interpretación a la política industrial de la época en los casos de "monopolios naturales". Los argumentos que se pusieron sobre la mesa a la hora de decidir inversiones en el sector eléctrico superan el estricto marco sectorial, develando algunos elementos claves de la racionalidad económica que marcó una época en la historia económica y política de Chile.

La razón que aquí se defiende para explicar el protagonismo del Estado en la expansión del sector eléctrico de servicio público en Chile, con posterioridad a la Gran Crisis de 1929, es que la intervención del Estado en actividades empresariales estaba ocurriendo desde la década de los años 1860, en sectores identificados como "monopolios naturales". En ese sentido, el quiebre de 1929 es menos fuerte de lo que hasta ahora se pensaba. El Estado empresario tiene antecedentes vigorosos en sectores de transportes –ferrocarriles– y servicios públicos, donde existían economías de escala, con uso intensivo de infraestructuras y trabajo en red. Esto que estaba ocurriendo en Chile desde mediados del siglo XIX no fue muy diferente de lo que pasaba en otras partes del mundo, y se replicó para el sector eléctrico desde la creación de la CORFO y su filial eléctrica (ENDESA). De esa larga y fructífera experiencia es que surge el consenso para que fuera el sector público el encargado de electrificar el país. Otras explicaciones que han visto razones de doctrina política, por la presencia de un "socialismo de cátedra" y/o un grupo nacionalista con influencia política y cultural en el país; o factores sociológicos como es la influencia de una élite tecnocrática identificada con los ingenieros que ocuparon puestos claves en la administración pública, son argumentos de segundo orden frente a los anteriores. En Chile fueron razones económicas las que llevaron al Estado a asumir un alto protagonismo en la industria eléctrica en la década de los años 1940. Sobre las razones políticas y sociológicas, se podría decir, a lo más, que eran una condición necesaria pero no suficiente.

¿Los hechos detrás de la doctrina o todo lo contrario? El sector eléctrico de servicio público puesto a debate

Desde que en el año 2000 se publicó el volumen de Enrique Cárdenas, José Antonio Ocampo y Rosemary Thorp sobre la industrialización latinoamericana, entró con fuerza en el debate historiográfico el protagonismo de lo público en la economía de la región durante las décadas centrales del siglo xx[9]. El tema tuvo una segunda entrada con el libro de Luis Bértola y José Antonio Ocampo de 2011[10]. En lo central, estos trabajos proponen una revisión de los conceptos con que se ha estudiado el proceso de industrialización latinoamericana, discutiendo si es adecuado, o no, definir esa época como de industrialización por sustitución de importaciones, más conocido con su acrónimo ISI. Para estos autores la ISI habría ocurrido en un breve periodo inicial de la industrialización, en la que habría existido una sustitución de importaciones orientada por variables de mercado, para imponerse después una política premeditada de industrialización con fuerte protagonismo público. La industrialización latinoamericana, entonces, se explicaría mejor con el concepto de industrialización dirigida por el Estado (IDE), que acentúa la acción de las políticas públicas deliberadamente industrialistas por sobre la espontaneidad de decisiones tomadas por el mercado.

En Chile este debate ha llegado tenuemente. Primero muy moderadamente a través del artículo de Ricardo Ffrench-Davis, Oscar Muñoz, Crispi y Benavente incluido en el libro de Cárdenas, Ocampo y Thorp del año 2000[11], y por el artículo que Luis Bértola dedicó a Bolivia, Perú y Chile en un libro publicado por la CEPAL en 2011[12]. La polémica abierta por los "ingenieros" encabezados por Harnecker en la "Política Eléctrica Chilena" puede ser una buena manera para entrar en el tema[13], ya que

[9]   Cárdenas, Ocampo y Thorp 2000.
[10] Bértola y Ocampo 2011, 2013.
[11] Ffrench-Davis, Muñoz, Crespi y Benavente 2000.
[12] Bértola 2011.
[13] La historiografía ha destacado el papel de los "ingenieros" en el diseño de políticas públicas a partir de 1927, desde el momento que Ibáñez llamó a Pablo Ramírez a tomar responsabilidades de gobierno. Adolfo Ibáñez Santa María (1983, 2003) ensalza el papel modernizador del Estado que habrían cumplido los técnicos llamados al gobierno por Ibáñez y pone en sintonía esta política con las iniciativas corporativistas surgidas desde los gremios empresariales (Confederación de la Producción y el Comercio y Sociedad de Fomento Fabril), en concordancia con el protagonismo que Pablo Ramírez asigna al Instituto de Ingenieros de Chile. El hecho que Raúl Simón haya estado en la dirección de la Oficina de Presupuestos de Ibáñez, en la defensa del proteccionismo a la industria, en los planes de electrificación y la creación de la CORFO, con-

sus proposiciones sobrepasaron con mucho el limitado ámbito del sector eléctrico para entrar de lleno en la formulación de una estrategia de desarrollo de la economía chilena de largo plazo. Pero no se puede ir al extremo de sostener que sus planes se hayan realizado tal como fueron concebidos, ni que las ideas de quienes discutieron sus proposiciones no hayan tenido influencia en la manera como terminó cuajando la política eléctrica efectivamente aplicada, ni sobre que hubo hechos económicos que se terminaron imponiendo a la voluntad de los actores de la época.

¿Cómo se explica que se haya pasado de un escenario dominado por la iniciativa privada a otro con alto protagonismo de lo estatal? La Endesa, privatizada en un opaco proceso, daba su interpretación de lo ocurrido, lo que nos sirve para comenzar a hilvanar nuestros argumentos:

LA NUEVA IDEOLOGÍA: Nuevas ideas penetraban profundamente en Chile, apuntaban a redefinir el papel del Estado en la vida nacional. Procedían de los planteamientos conocidos como "socialismo de cátedra", cuyo origen se encontraban en la ideología positivista, y propiciaban la radical transformación del concepto de Estado del siglo xix, asignándole un destacado papel en materias económicas y sociales, al mismo tiempo que propugnaban un acentuado nacionalismo. Para lograr la materialización de esas nuevas finalidades se desarrolló el espíritu planificador como la más eficaz herramienta. Rasgos distintivos del "Estado Moderno" –fenómeno al cual se le conoce ahora también como Estado "providencia", "benefactor", "empresario" en definitiva, fueron el afán

---

funden al autor. Ibáñez Santa María no lee bien los intensos cambios que están ocurriendo en Chile y en los protagonistas de esta época convulsa, que van desde la crisis de la oligarquía a la construcción del régimen democrático que abarca toda la época cubierta por la Constitución de 1925. La tecnocracia modernizadora no es neutra políticamente hablando ni avala automáticamente las ventajas del corporativismo. Mucho más elaborado es el argumento de Silva (2010), que ve una influencia decisiva de la tecnocracia en las iniciativas del sector público, pero no llega a atribuirle a ellos la intervención del Estado en la economía. Oscar Muñoz y Ana María Arriagada (1976) tocan también el tema de los ingenieros, como antecedentes del protagonismo económico del Estado Empresarial. Para ellos es uno más de los factores que confluyeron para crear un consenso en la sociedad chilena favorable a la creación de la CORFO y a que el gobierno se decidiera a crear empresas públicas mixtas. Pero el tema quedó en un punto de ambigüedad. Mucho más tarde, Ffrench-Davis, Muñoz, Crispi y Benavente (2000) traslucieron una crítica mayor a los ingenieros, en el sentido que habrían carecido de un análisis económico refinado. Ibáñez Santa María (2003), no se puede decir con certeza si influido por los anteriores o no, coincide con ellos, al calificarlos como "creacionistas", queriendo expresar su afán realizador y criticar la falta de rigor económico de sus iniciativas. Sin duda el tema es interesante, pero su importancia reclama un estudio que tenga en cuenta el cambiante contexto en que se desempeñaron estos técnicos y sus biografías políticas y profesionales específicas.

113

tecnificador, el nacionalismo y una preocupación global por los aspectos económicos y sociales[14].

Para los nuevos dueños de ENDESA se trata de una cuestión ideológica promovida por una parte minúscula del espectro político, que habría magnificado su influencia en una época de crisis del sistema político[15]. Con la alusión al socialismo de cátedra cargado de nacionalismo están mirando las huellas de los ingenieros aludidos en los párrafos anteriores y reinterpretando la historia a su antojo. La propuesta de Ibáñez Santa María no por más compleja es más acertada. La combinación de nacionalismo y racionalidad planificadora no alcanza para comprender las iniciativas que emprendió la CORFO y que dieron lugar a la ENDESA[16]. Tampoco aciertan Muñoz y Arriagada cuando siguen agregando factores a una sumatoria aritmética: 1) antecedentes de intervención pública en el ámbito laboral, del comercio exterior y financiero; 2) confluencia de perspectivas de la izquierda, los empresarios y los tecnócratas; 3) grupos de interés interesados en buscar apoyo del Estado; 4) cambio histórico en el sistema del poder, y 5) ambigüedad empresarial[17]. No aciertan estos autores porque estos elementos no estuvieran presentes, sino porque no todos ellos actuaron a la vez y en la misma dirección, como si hubiera existido una inevitabilidad histórica.

En realidad, durante el periodo de crecimiento exportador anterior a la Gran Depresión, el Estado no se inhibió de la iniciativa económica según un clásico modelo de *laissez faire*. Tampoco fue una época homogénea al respecto, habiendo etapas más y menos proclives a la intervención del Estado en la economía. El primer claro impulso prointervención pública en lo económico está tan atrás en el tiempo como la década de los años 1860, en pleno auge exportador de recursos naturales, cuando el gobierno decide tomar en sus manos la construcción de los ferrocarriles[18]. No solo comenzó un pingüe esfuerzo público por financiar la red ferroviaria, sino que el Estado se dotó de capacidades administrativas y técnicas, poniendo a un equipo de ingenieros dependientes de Minis-

---

[14]   ENDESA 1993: 24.
[15]   Con esta interpretación no hacen otra cosa que desplazar 50 años atrás las maniobras que ellos hicieron para apoderarse de la empresa durante la dictadura de Pinochet.
[16]   En los propios términos del autor: "la concepción mecanicista que subyace en la comprensión de la colectividad chilena y que se expresa en el afán planificador y en la seguridad de los resultados a obtener". Ibáñez Santa María, 1983: 101.
[17]   Muñoz y Arriagada 1976.
[18]   Guajardo 2007.

terio del Interior a cargo de las obras desde 1868. Quince años después, en 1884, el gobierno liberal de Domingo Santa María creó la Empresa de Ferrocarriles del Estado, que construyó la red ferroviaria nacional y gestionó el principal sistema de transporte terrestre. Este hito no se puede despreciar en nuestro análisis, los mismos autores de la *Política Eléctrica Chilena* veían reflejado el porvenir de la industria eléctrica del país en la historia de la Empresa de Ferrocarriles del Estado:

> El desarrollo financiero de la empresa de los FF.CC. del Estado tiene estrecha relación con el desarrollo probable de la Empresa Eléctrica del Estado, en la forma como preconizamos para su financiamiento. Los ferrocarriles han formado su capital y llevado a cabo la construcción de la red ferroviaria y la adquisición de equipos y demás instalaciones y la modernización de sus servicios, incluso la electrificación de parte de sus redes, mediante aportes fiscales sucesivos directos del Estado, mediante las cuotas de construcción de ferrocarriles o a través del servicio y pago de empréstitos fiscales destinados a llevar a cabo las obras ferroviarias[19].

El gobierno de Santa María hizo mucho más por forjar capacidades económicas en el sector público chileno. Tuvo el atrevimiento de gravar las exportaciones de salitre con un impuesto lo más parecido a un *"royalty* minero" y aumentó la carga fiscal interna directa e indirecta, con el objeto de dotar de capacidad financiera al Estado. Estas políticas fueron heredadas por Balmaceda, que tuvo un plan de industrialización basado en las capacidades del sector público, avanzando un grado más las políticas de su predecesor[20]. Pero chocó con los intereses de quienes eran favorables al *statu quo* que derribaron su gobierno, provocaron una guerra civil y procedieron a eliminar del todo las cargas fiscales que los gobiernos precedentes les habían impuesto, imponiendo un giro rentista a las iniciativas privadas[21]. Los conservadores, que sacaron por la fuerza a Balmaceda del gobierno, tuvieron el atrevimiento de librarse de toda responsabilidad para financiar su propio Estado, pero no osaron de sacar de las manos del Estado la empresa de los ferrocarriles, que siguió creciendo en manos del sector público. Asimismo, los gobiernos del periodo parlamentario, apoyándose en los recursos del salitre y su capacidad para endeudarse, siguieron expandiendo el gasto en infraes-

---

[19] Harnecker 1936: 213.
[20] Ramírez Necochea 1958.
[21] Castillo y Yáñez 2017.

tructuras, en educación y en defensa. Es lo que se formula como el efecto modernización, gasto social y represión, siguiendo a Ross[22].

Lo que se sostiene aquí es que el impulso modernizador de la economía, con crecientes capacidades del sector público, no es un hecho novedoso que surgiera por primera vez en la coyuntura adversa de la crisis económica de 1929[23], sino que incluso para la oligarquía chilena de los negocios, recurrir al Estado para las grandes y arriesgadas inversiones en sectores donde había monopolios naturales, como fueron los ferrocarriles, tenían en esa época una consistente tradición que se extendió después de la Gran Depresión hacia el sector eléctrico.

El sector eléctrico chileno antes de 1930, como ha quedado dicho tan solo comenzar este artículo, estaba formado únicamente por empresas privadas. La mayor parte de la capacidad instalada hasta 1921 era de autoproductores (108 MKw). O sea, tres cuartas partes del total, frente a solo 36 MKw para el servicio público[24]. Las empresas autoproductoras tenían garantizado su mercado trabajando principalmente para la minería (del cobre en particular), generaban electricidad a la medida de la demanda de sus empresas matrices, integradas verticalmente, mientras las centrales de servicio público se concentraban en la demanda de la ciudad en Santiago, en pleno proceso de expansión, sin llegar a compararse en potencia con las de autoproducción. Las centrales La Florida, propiedad de la Sociedad Canal del Maipo, y Mapocho de la Compañía Alemana Transatlántica de Electricidad, tenían respectivamente 12 MKw de potencia y 9,2 MKw de potencia[25]. Entre ambas tenían el 59% de la capacidad de generación eléctrica de servicio público hasta 1921,

[22] La idea de Ross (1999) es que los países que han enfrentado un shock de recursos provenientes de la exportación de recursos naturales (como en el caso de Chile con el salitre), han solido usar estos recursos en la modernización de la economía –incluyendo la modernización del sector público–, en la expansión del gasto social para satisfacer su clientela y en un "efecto represión" para contener las demandas sociales en última instancia.

[23] El caso del salitre, la primera actividad económica de Chile entre 1880 y c.1930, nunca estuvo amenazado de estatización durante su ciclo expansivo, ni en su declive (González Miranda 2015; González Miranda, Calderón Gajardo y Artaza Barrios 2016), a pesar que no faltaron propuestas en este sentido sin incidencia práctica alguna (Donoso Rojas 2014 a, 2014b). Los gobiernos, a partir de Ibáñez (1927), estuvieron disponibles para ayudar a sortear las crisis a las empresas salitreras, pero no entraron en su propiedad hasta mucho después. Solo en 1960 la CORFO intervino en la Oficina Victoria, en el ocaso de esta actividad.

[24] Yáñez 2017.

[25] La Compañía Alemana Transatlántica de Electricidad tenía una participación importante en la propiedad de la central La Florida.

y tenían, además del suministro del alumbrado público, la concesión de los tranvías eléctricos de la ciudad.

La década siguiente vio la gran expansión de la electricidad de servicio público en Chile, entrando en funcionamiento las centrales Los Maitenes y Los Queltehues y expandiéndose la capacidad de la central Mapocho[26]. Todas en Santiago, con capital mixto chileno y extranjero (estadounidense y no alemán, por efecto del Tratado de Versalles que castigó las inversiones de la derrotada Alemania en el mundo[27]), y con contratos para proveer de electricidad a la línea de ferrocarril del Estado que unía Santiago con Valparaíso. Con estas iniciativas, en 1930 la electricidad de servicio público había ascendido al 47% de la capacidad instalada en el país. Entre tanto, la autoproducción solo creció por las inversiones en la modernización de las explotaciones salitreras[28].

El entorno institucional de estas iniciativas es de lo más complejo y desconcertante, en un principio. Si nos tuviéramos que ceñir a la ortodoxia neoinstitucionalista, que nos propone que, ante la falta de reglas claras (confianza y seguridad), la inversión se inhibe por el incremento de los costes de transacción, los años 1920 deberían haber sido un desastre para la economía chilena[29]. Y sin embargo no lo fueron: el PIB creció rápido y el segmento industrial tuvo un comportamiento por sobre la media de los sectores de la economía[30]. En nuestro caso, los años 1920 fueron una época de importantes inversiones eléctricas, superando las de servicio público a las de autoproducción[31].

---

[26] Yáñez 2017.

[27] Este capítulo de la historia de la empresa no lo alcanzamos a desarrollar en este trabajo, pero en resumen consistió en la expropiación de las empresas alemanas fuera de su territorio como forma de pago de las indemnizaciones de la Primera Guerra Mundial. Para evitarlo, las acciones de la Compañía Alemana Transatlántica de Electricidad se transfirieron a una empresa de oscuros orígenes de aparente titularidad española, la Compañía Hispano Americana de Electricidad (CHADE), que actuó como rescatadora de los intereses de los dueños alemanes.

[28] Yáñez 2017.

[29] La descomposición política del sistema parlamentario, la aparición de la "cuestión social" y la sucesión de gobiernos inestables o dictatoriales, incluyendo la redacción de una nueva Constitución en 1925 que no entró en vigor hasta 1932, es un signo del desorden institucional, social y político. Véase Collier y Sater 1998: 183 y ss. y Correa, Figueroa, Joselyn-Holt, Rolle, y Vicuña 2015: 89 y ss.

[30] Ducoing y Badía-Miró 2013.

[31] Yáñez 2017.

La electricidad y la demanda de intervención pública en un monopolio natural

Las teorías sobre la existencia de mercados con características excepcionales están presentes desde las primeras obras de los economistas clásicos, siendo los monopolios los primeros aludidos. Manuela Mosca (2008) nos aclara la trayectoria del concepto de monopolio natural desde la época de Smith y Malthus, que tienen una cierta intuición sobre el fenómeno, hasta que J. S. Mill y Walras, a mediados del siglo XIX, lo hacen explícito y reclaman la intervención de los gobiernos en su gestión o regulación, este último en clara referencia a los ferrocarriles. En el centro de la argumentación económica, la teoría sostiene que ante un tipo de tecnología dada que mantiene altos los costos fijos de producción, algunas industrias tienen economías de escala que son responsables de costos medios decrecientes. En sectores con estas características, un productor podrá producir a costos menores que varios produciendo alternativamente, generándose un monopolio natural. En cambio, varios productores darían lugar a precios más altos.

Los ferrocarriles fueron el caso predilecto de los teóricos para ejemplificar los monopolios naturales en el siglo XIX: requerían de infraestructuras en red de costos altos, con la mayor parte de la inversión orientada a la construcción de una infraestructura intensiva en territorio y con una fuerte orientación a los servicios públicos. Como la manera de unir dos puntos por tierra en forma eficiente era solo una, argumentaban, una segunda red ferroviaria sería siempre más costosa que la primera y terminaría ofreciendo precios más altos y no resistiría la competencia. Históricamente, esta situación llevó a una temprana intervención de los gobiernos sobre el mercado ferroviario para poner límite a los abusos a que el monopolio podía dar lugar y que esta intervención fuera recogida por la teoría. Mosca (2008) nos remite a las obras de Depuit de 1842-53, de Walras de 1875, de Ely de 1886 y 1889 y de Adams de 1887 para señalarnos a quienes mejor defendieron la intervención del Estado en el sector ferroviario; pero no deja de señalar las importantes matizaciones expresadas por Marshall en 1890 y sobre todo de De Viti de Marco (1890), que veían con mejores ojos que los gobiernos "licitaran" estos servicios a empresas privadas sometidas a fuertes regulaciones.

Los historiadores económicos han observado además una secuencia muchas veces repetida en la historia de la empresa: 1) empresarios privados motivados por la aplicación de innovaciones técnicas, invierten en sectores que en los hechos terminan siendo espacios predilectos para la formación de monopolios naturales –volvemos a poner el ejemplo del ferrocarril, pero se encuentran ejemplos en los servicios de correos y telégrafos, en la producción y distribución de agua y gas y en el sector eléctrico que aquí nos ocupa–; 2) en una segunda instancia, ante la evidencia de que se ha formado un monopolio y que los consumidores están o pudieran estar sometidos a un trato injusto, los gobiernos intervinieron sobre las tarifas del servicio y comienzan a regular el acceso a los recursos naturales del país; 3) en un tercer momento, generalmente después de una crisis en el sector monopolístico, los gobiernos se decidieron a tomar parte en las empresas del sector o iniciar una etapa de regulaciones que en ocasiones terminó con el Estado como empresario.

La historia del sector eléctrico chileno de servicio público tiene muchos elementos de la secuencia descrita en el párrafo anterior. En sus inicios el sector se desarrolló en un entorno regulatorio virtualmente inexistente. La ley 1.665 de 1904 constaba de escasos cinco artículos que dejaban al arbitrio del Presidente de la República la concesión de permisos para la creación de empresas eléctricas de servicio público. No se definían los márgenes de una empresa eléctrica de servicio público, ni se distinguían las hidroeléctricas de las termoeléctricas (en lo que tiene que ver con el uso del agua), ni las servidumbres de paso para la postación y cableado, ni mucho menos se aludía a las tarifas. La realidad era que, al no existir el sujeto a regular, las autoridades del país tampoco podían imaginar cuál sería el futuro de un sector que en 1904 estaba formado por apenas dos empresas pioneras con menos de 2 Mw de potencia[32].

El arranque del sector eléctrico chileno fue relativamente temprano con respecto a la experiencia internacional y bastante tímido en el sector de servicio público, por lo que aprovechó unas primeras décadas de franca libertad de empresas –como los primeros ferrocarriles del país. Su carácter innovador, tecnológicamente hablando, le daba una condición de *laissez faire* de facto. El gobierno miraba con interés su carácter pionero y modernizador y dejaba hacer. Sobre todo porque los clientes particulares eran pocos, la mayoría de ingresos altos, y la electricidad en los hogares estaba catalogada como un consumo de lujo. A la vez, para las empresas privadas, las municipalidades que contrataban electricidad para alumbrar zonas delimitadas de las ciudades eran clientes tan importantes que ofrecían precios todavía atractivos para asegurarse una demanda básica que permitiera su funcionamiento.

[32] Yáñez 2017.

En ese entorno desregulado surgió el sector eléctrico chileno de servicio público. Entre 1904 y 1924, fecha de la primera ley eléctrica "de verdad", se instalaron 12 centrales generadoras de electricidad para abastecer a clientes particulares, empresas, alumbrado público y servicios de transporte particular. En conjunto sumaron 63,5 Mw de capacidad instalada al sistema. Y las autoridades asistían a un complejo escenario en el que empresarios locales y extranjeros armaban y desarmaban compañías en un ciclo de complejas fusiones y cambios de propiedad, se intervenían espacios y recursos de titularidad pública (tierras rurales y urbanas que reclamaban regular la "servidumbre" y recursos hídricos especialmente), y cuestiones de ineludible tratamiento político entraban a la agenda de las autoridades. El final de la Primera Guerra Mundial, por ejemplo, planteó el problema de la propiedad de las empresas eléctricas alemanas en Chile, que a consecuencia del Tratado de Versalles debía incluir estos activos en las reparaciones de guerra que Alemania debía pagar a los vencedores del conflicto. Se trataba de un problema diplomático que el gobierno no podía eludir. Pero tal vez más contingente en términos económicos para el gobierno era el hecho de que desde 1921 los ferrocarriles del Estado habían comenzado a implementar cambios técnicos para que los trenes que unían Santiago con Valparaíso usaran fuerza eléctrica para sustituir las viejas locomotoras a vapor.

No conocemos los detalles de la discusión que dio lugar a la promulgación de la ley General de Servicios Eléctricos de 1925, ni las presiones que pudieron haber ejercido las compañías afectadas. Solo sabemos, hasta ahora, que fue un decreto ley (número 252) dictado por un gobierno de muy corta duración presidido por Emilio Bello Codecido[33], que por sus imperfecciones tuvo que ser corregido en 1931 en las postrimerías del gobierno autocrático de Carlos Ibáñez[34]. Esta ley dejó una huella perdurable en el tiempo en lo relativo a las concesiones de aguas y servidumbres mejorando la seguridad jurídica para las empresas de servicios públicos como de interés privado (autoproductoras), pero fue efímera en lo relativo a la institucionalidad reguladora, los impuestos que debían pagar las empresas y el sistema tarifario.

---

[33] Bello Codecido presidió la Junta de Gobierno formada por el general Pedro Pablo Dartnell y el Almirante Carlos Ward, que ejerció el Poder Ejecutivo entre el golpe militar de Ibáñez, que reclamaba el regreso de Arturo Alessandri desde el exilio en 1925.

[34] La nueva ley eléctrica la promulgó Ibáñez dos meses antes de verse obligado a dejar el gobierno en un contexto de crisis económica y política marcada por los efectos de la Gran Depresión.

En términos institucionales, las concesiones seguían siendo una atribución del Presidente de la República que delegaba en la Dirección de Servicios Eléctricos, dependiente del Ministerio de Obras y Vías Públicas, las funciones de inspección de los servicios eléctricos entregados en concesión. Las decisiones, en todo caso, quedaban sujetas a un Consejo de Servicios Eléctricos, un órgano colegiado formado por el director de Servicios Eléctricos y el director de Obras Públicas, ambos ingenieros que representaban al gobierno, cuatro representantes de las empresas del sector (uno en representación de las empresas de alumbrado y tracción, otro de las de teléfonos y telégrafos, otro de las de radiodifusión comercial y un cuarto de la radiodifusión de aficionados) a los que se sumaban dos profesores de la Escuela de Ingeniería de la Universidad de Chile, dos miembros de las Fuerzas Armadas y uno del servicio de Telégrafos del Estado[35]. En términos tributarios, la ley creó un primer impuesto a las empresas que generan y distribuyen electricidad, equivalente a 0,1 centavo por kilowatt-hora producido, incluyendo este tributo a las empresas autoproductoras que usan bienes nacionales o propiedades fiscales[36]. Pero es en las tarifas donde la ley era más opaca: "se reglarán sobre la base de que la entrada neta no exceda de un 15% sobre el capital inmovilizado de la empresa". ¿Cómo conocer el capital inmovilizado de la empresa? Las empresas debían entregar un detalle de los trabajos y gastos de la primera instalación e inversiones posteriores, incluyendo 9 ítems: 1) gastos de estudios; 2) gastos de servidumbres e indemnizaciones; 3) movimientos de tierra; 4) *obras de arte*; 5) líneas de transmisión telefónicas y telegráficas; 6) centrales y maquinaria; 7) edificios; 8) mobiliario; y 9) *varios*. ¿Qué hacen ahí las "obras de arte"?

---

[35] Sobre el papel de los ingenieros en la formulación de políticas públicas durante las décadas de los años 1920 y 1930, se ha ido fraguando una leyenda "dorada" que convendría someter a revisión. Desde los elogios tangenciales de Muñoz y Arriagada 1975 y Pinto 1985, reclamando la atención sobre este grupo de tecnócratas, se ha pasado a las alabanzas de Ibáñez Santa María (1983 y 2003), que propone ver a los ingenieros como la barrera para los excesos ideológicos de los políticos. El último capítulo es el libro de Silva (2010), más moderado y ecuánime que Ibáñez Santa María, pero que no resuelve el fondo de la cuestión: ¿fueron acertadas las políticas económicas de Ibáñez en la gestión de la crisis de 1929, en la que tuvo como Ministro de Hacienda a Pablo Ramírez? Y ¿a qué principios económicos obedecían las propuestas de intervención del Estado en la economía de los "ingenieros"? No es este un artículo en que se deban aclarar estas dudas, pero al menos contribuye al debate.

[36] La misma ley establecía que la recaudación de este impuesto debía destinarse al financiamiento de las actividades del "Consejo", pero se siguió cobrando una vez desaparecido este órgano, lo que no se hizo sin la protesta de las empresas.

El momento político convulso que caracterizó la historia de Chile en la década de los años 1920 dejaba muchos orificios por donde podía aplicarse la máxima hispana de "hecha la ley hecha la trampa". La ley mejoraba la seguridad jurídica de las empresas y dejaba un margen de discrecionalidad para que ellas pudieran fijar las tarifas a su conveniencia. A cambio, "las tarifas de las empresas de servicios eléctricos se aplicarán con un descuento de 25% a los consumos o servicios de las oficinas fiscales. Este descuento se elevará al 50% cuando se trate de servicios de telefonía o telegrafía".

Durante el tiempo que rigió la ley de 1925, o sea hasta 1931, continuó la instalación de centrales eléctricas para el servicio público, agregando otros 70 Mw al sistema[37], por lo que no se puede pensar que la aparición de un Estado regulador fuera un elemento inhibidor de las inversiones. Los problemas para el sector eléctrico llegaron con la crisis económica de 1929. En primer lugar, la potencia instalada quedó virtualmente paralizada a pesar que la demanda eléctrica siguió creciendo. Si la potencia entre 1930 y 1935 se incrementó al 0,8% anual, la demanda lo hizo al 4,9%, cinco veces más rápido. La sobrecarga de las instalaciones tuvo el resultado inevitable de reiteradas crisis eléctricas que marcaron los términos del debate por más de una década.

La inversión privada se frenó en seco y el gobierno no tenía ni los recursos ni las capacidades para activarla. No se puede dejar de tener en cuenta la sucesión de cambios de gobierno que hay entre la caída de Ibáñez en julio de 1931 y el inicio del segundo gobierno de Arturo Alessandri a fines de 1932, que corresponde a los peores momentos de la crisis económica. Y por el lado de las empresas, la emergencia de una gran compañía controlada por capital estadounidense (la Compañía Chilena de Electricidad, Chilectra), que en 1930 ocupaba una posición dominante en el mercado eléctrico. Surgida de la fusión en 1921 de la Compañía Nacional de Fuerza Eléctrica (CONAFE) y la Chilean Electric Tramway and Light Co., Chilectra disponía en 1930 de 4 centrales eléctricas en el valle central (Florida de 1910, Mapocho de 1900 que se había ampliado en 1908 y 1913, Maitenes de 1923 y Queltehues de 1928), que abastecían las provincias de Santiago, Valparaíso y Aconcagua, teniendo contratos con los principales municipios de la región, además de cubrir toda la demanda del ferrocarril entre Santiago y Valparaíso, dando lugar a un contrato que no estuvo exento de polémicas y demandas ante la justicia.

[37] Yáñez 2017.

En la práctica, Chilectra ocupaba una posición monopólica en la región más dinámica, económicamente hablando, del país, y que era también la más poblada y donde se ejercía el poder político. A la altura de 1930, el Estado compraba en torno al 50% de la electricidad que generaba Chilectra, lo que obligaba al entendimiento entre la empresa y el gobierno. Podemos decir entonces que la regulación eléctrica de servicio público, tanto de 1925 como de 1931[38], estaba hecha principalmente para rayar la cancha a una sola empresa. La que, más allá de las leyes regulatorias, tenía la capacidad para llegar a acuerdos puntuales con el gobierno para resolver el suministro eléctrico a las oficinas y empresas del mismo. Es significativo que pocos meses antes de la promulgación de la ley de 1931 el gobierno llegara a un acuerdo tarifario específico con Chilectra (DFL 29, del 11 de mayo de 1931) y que, en 1936, el parlamento promulgara lo que se conoció como el Convenio Ross-Calder[39]. Lo que estaba en discusión entonces era la relación entre un monopolio privado de propiedad extranjera, con el gobierno chileno, que era a su vez su cliente principal. Las dudas acerca de la conveniencia que tenía para el país mantener los contratos con Chilectra fueron expresadas tanto en el parlamento como por la tecnocracia reunida en el Instituto de Ingenieros[40].

Solo después de este escándalo es que el Instituto de Ingenieros, con Reinaldo Harnecker a la cabeza, lanza su programa de electrificación de

[38] El DFL 244, del 15 de mayo de 1931, vino a reformar algunos aspectos mal resueltos del decreto ley de 1925: eliminó el Consejo que daba voz y voto a las empresas del sector, limpió los ripios de la anterior ley en lo que respecta a las tarifas, reformó y dio continuidad al régimen tributario creado con anterioridad y cuidó de definir mejor la relación de las empresas con el gobierno en lo relativo a la rebaja del 25% de las tarifas: "se consideran como reparticiones fiscales los recintos en donde funcionan servicios y establecimientos públicos que se costeen en todo, o en parte, con fondos del Erario Nacional, y además, los que pertenezcan a Ferrocarriles del Estado y la Beneficencia Pública, pero sin incluir los establecimientos particulares subvencionados por el Estado ni establecimientos industriales y comerciales de los que el Estado sea dueño o en los cuales sea socio, salvo los ferrocarriles". En general, es una ley más exigente para las empresas y que entrega más atribuciones al gobierno, pero de efectos prácticos escasos.

[39] El escándalo financiero, que se resolvió por medio del Convenio Ross-Calder, se refiere a la compra de dólares en el mercado negro por parte de la South American Power, controlada por la American Foreing Power, para remesar sus utilidades a Estados Unidos. El convenio aprobado en el congreso resolvió conceder "amnistía general para los infractores de la ley N° 5.107, sobre Control de Operaciones de Cambios Internacionales, que hayan sido juzgados o que pudieran serlo más adelante" (Ley 5.825, del 11 de marzo de 1936).

[40] Véase al respecto Anales del Instituto de Ingenieros de Chile (www.anales-ii.ing.uchile.cl/index.php./AICH/article/viewFile/35406/37091), Sesión 591ª Extraordinaria de Directorio, celebrada el martes 31 de diciembre de 1935; y "El Partido Radical ante el Acuerdo de caballeros Ross-Calder" (historiapolitica.bcn.cl/libros/visorPdf?id=10221.1/22140).

1936[41]. *Política Eléctrica Chilena* es un manifiesto en favor de la intervención pública en el sector eléctrico sostenido desde una posición tecnocrática. En este texto la doctrina económica no deja lugar a dudas:

> Es de toda evidencia que este control solo debe estar en manos del Estado. Este control es de tal forma efectivo debido a que en el servicio eléctrico no puede existir la concurrencia. Todas las ventajas económicas de un sistema de abastecimiento de energía eléctrica desaparecen si ese servicio no abarca a toda clase de consumos o si se instalan otros competidores. Un sistema eléctrico es un servicio de monopolio de hecho más estricto que el de otros servicios de utilidad pública, mucho más estricto, por ejemplo, que el de ferrocarriles, ya que esos últimos pueden soportar económicamente cierta concurrencia o tienen contra ella una defensa más adecuada. Por otra parte, es evidente que una red central ferroviaria en un país como Chile significa un control muy fuerte sobre las actividades del país. Mucho más lo significa hoy un sistema de abastecimiento general de energía eléctrica. Es preciso que se forme en Chile un fuerte convencimiento público con respecto al problema eléctrico. Así se ha comprendido para otros servicios, y todos los ferrocarriles de mayor importancia, como la red central sur y la longitudinal norte, con sus ramales de salida a los puertos, de penetración hacia la cordillera y los internacionales, están en poder del Estado, el que los ha construido y explota. No se toleraría hoy que no fuese así, como tampoco se tolería que la movilización de los puertos o los servicios de agua potable y alcantarillado, etc., estuvieran en manos de consorcios privados, ya sean chilenos o extranjeros, pues sería imponer un control extraño sobre la independencia efectiva del país, y admitir que servicios tan vitales fuesen manejados con fines de lucro[42].

Lo primero, y que condiciona el resto del argumento, es la condición de monopolio natural del sistema eléctrico y la adhesión a la doctrina en boga de que el Estado era el único ente capaz de corregir esta falla de mercado. Y hay que reparar también en que se habla de sistema eléctrico y no únicamente de centrales generadoras aisladas. Lo que se busca, en términos técnicos, apoyando la doctrina económica, es que se supere la situación existente en los años 1930 de múltiples tipos de voltaje que impedían la conexión universal de las centrales existentes en Chile, todas

---

41 Harnacker 1936.
42 Hernacker 1936: 108.

en manos de particulares. Se creía entonces que era indispensable una planificación central que solo podía ejercer el Estado. Los ferrocarriles del Estado aparecen entonces como la prueba empírica más favorable a la idea de la intervención del sector público. Solo después de eso aparecen los argumentos de corte nacionalista y es difícil afirmar con rotundidad si es una postura doctrinaria o una reacción a los recientes conflictos entre el Estado y Chilectra. Otra investigación debería aclararlo.

Pero, en *Política Eléctrica Chilena* hay bastante más. La defensa de un sistema de generación eléctrica exclusivamente del Estado no es un rechazo doctrinario a la empresa privada y la libre concurrencia[43]. El documento es claro en dejar un espacio en el "sistema" exclusivo para la concurrencia privada. En el punto sexto del plan propuesto se afirma: "Distribución de la energía eléctrica a los consumidores, que podría hacerse por medio de entidades privadas o municipales, controladas y con tarifas reguladas por el Estado"[44]. Donde sí aparece un argumento que se sale del marco comúnmente aceptado es cuando el documento defiende que las empresas del Estado no deben tener fines de lucro y que las tarifas deben estar subvencionadas. La idea que está detrás es que la energía eléctrica es un factor determinante de la promoción del desarrollo económico, y que hay que ofrecerla en la cantidad mayor y precio menor posible, de manera de estimular la diversificación productiva, especialmente en las manufacturas, y el bienestar de la población[45]. Tal vez esta posición podría ser sostenida como una medida transitoria frente a la crisis económica que se vivía, pero parece forzar mucho la argumentación si se sostuviera esto en el largo plazo. Además, los autores del texto no dan ninguna evidencia empírica de una situación semejante en ninguna experiencia internacional. Las tarifas bajas, leyendo en detalle el documento, solo eran compatibles con situaciones financieras sanas de las empresas, en condiciones de importantes economías de escala, tal como afirmaba la teoría de los monopolios naturales.

---

[43] En referencia a Estados Unidos, el documento dice: "Es el país clásico, en el cual la industria eléctrica de servicio público ha estado, primordialmente, en manos de la iniciativa privada, sujeta, sin embargo, a una estrecha supervigilancia de los organismos del Estado. Justo es reconocerlo, la iniciativa privada ha llevado la electrificación del país a un grado de adelanto muy apreciable". *Ibídem*, 171-172.

[44] *Ibídem*, 53. El control y las tarifas reguladas no eran una novedad en 1936. Tanto la regulación de 1925 como la de 1931 la consagraban, y los contratos entre Chilectra y el gobierno lo reafirmaban. Es decir, era una práctica ya aceptada.

[45] *Ibídem*, 93-122.

Las respuestas a la *Política Eléctrica Chilena* no se dejaron esperar. El mismo Instituto de Ingenieros convocó a una serie de conferencias para debatirlo. Las opiniones adversas vinieron, como era de esperar, de los representantes de las empresas privadas, que en general discutían la exclusividad del Estado en el terreno de la generación eléctrica, aunque reconocían la necesidad de la participación del gobierno ante la falta de capitales para invertir en nuevas plantas[46]. De todos ellos, Arturo Aldunate Phillips fue el que hizo una crítica más fundada, para desacreditar las posibilidades de las empresas eléctricas para alcanzar economías de escala, fundándose en la pobreza del país:

> No quiere decir esto que no haya nada que hacer, por el contrario, por lo mismo que nuestras condiciones son precarias, debemos poner toda nuestra capacidad y nuestro esfuerzo en la lucha y debemos cooperar con el Gobierno en el engrandecimiento del país, pero teniendo a la vista las realidades, sin ilusiones, y empezando por reconocer que Chile es un país pobre y áspero[47].

El realismo que reclamaba Aldunate Phillips tiene que ver con destacar lo magro de la demanda eléctrica que debía enfrentar Chilectra, compañía para la que trabajaba, lo que hacía poco rentable invertir en la ampliación del potencial eléctrico ante el riesgo de no contar con suficientes consumidores. Discutía así la idea defendida por *Política Eléctrica Chilena*, que la oferta debía anticiparse a la demanda, y promover el círculo virtuoso que con energía barata, incluso por debajo de los costes, permitiría alcanzar economías de escala.

El debate no hacía más que comenzar. El tema era sensible para el gobierno, las empresas y los políticos. Sin embargo, el gobierno de Arturo Alessandri, y de su súper ministro Agustín Ross, poca atención le prestó. Tuvo que ser el nuevo gobierno del Frente Popular el que retomara la iniciativa, encargando a una comisión de ingenieros un informe sobre la materia. Todo hace pensar que Roberto Wachholtz, Ministro de Hacienda de Aguirre Cerda, no compartía todos los preceptos expresados en *Política Eléctrica Chilena*, y decidió poner al frente de la comisión a Raúl Simón, a la vez que equilibraba la presencia de Reinaldo Harnecker y José Luis Claro (autores del mencionado texto), con la presencia de algu-

---

[46]   Huneus 1936; Cox 1937; Aldunate Phillips 1937.
[47]   Aldunate Phillips 1937: 62.

nos de sus detractores, Eduardo Reyes Cox, Julio Santa María, Manuel Ossa Undurraga, Agustín Huneus y Ricardo Simpson.

Raúl Simón había trabajado en los años 1920 en Ferrocarriles del Estado, y había hecho una brillante carrera profesional y política[48]. Conviene destacar aquí que, en las conferencias que dio en 1920 sobre "La situación económica de los Ferrocarriles del Estado", había defendido con fuerza la idea de aumentar las tarifas ferroviarias para mejorar la situación financiera de la empresa, rechazando la idea de mantener precios subvencionados. Probablemente eso lo sabía bien Wachholtz, y por eso lo puso al frente de la comisión para volver sobre el tema eléctrico. En efecto, el informe de 1939 tenía importantes coincidencias con el anterior, en especial en cuanto a la condición de monopolio natural del sector eléctrico y la conveniencia de una acción decidida del gobierno al respecto, pero difería del documento de 1936 en dos aspectos: 1) que las inversiones en plantas eléctricas debían ser asumidas por el Estado y los privados, y 2) que las tarifas debían permitir a las empresas rentabilidades razonables.

Cuando poco después, en agosto de 1939, la CORFO dio a conocer su Plan de Acción Inmediata[49], Simón estaba a la cabeza de la iniciativa. La propuesta consistió en aumentar un 53% la potencia eléctrica instalada, exclusivamente con centrales hidroeléctricas "a fin de no realizar proyectos que signifiquen un aumento en la internación de petróleo o en el consumo de carbón"[50]. Y una vez descartada la posibilidad real de que las empresas del sector se hicieron cargo de las inversiones, proponían que "la Corporación de Fomento pueda abordar este problema, formando sociedades regionales, unas tres o cuatro, desde el río Aconcagua hasta Puerto Montt, y con aportes de capital de las actuales empresas eléctricas y de industriales", en lo que definía como un plan para empresas semi-fiscales, municipales o mixtas[51].

Pero los "planes" iniciales se enfrentaron a dificultades insalvables. Los hechos fueron por caminos parecidos a los planeados, pero no idénticos. La CORFO no consiguió la descentralización que buscó con ahínco Simón, pero creó su filial ENDESA (1944) con capitales mayoritariamente

---

[48] En 1927 Simón había sido llamado al gobierno por Pablo Ramírez en el contexto del gabinete de febrero de la dictadura de Ibáñez, para ocupar la Dirección de la Oficina de Presupuestos y posteriormente ocupó una posición relevante en la CORFO.

[49] CORFO 1939.

[50] Ibídem, 14.

[51] Ibídem, 14.

públicos, y una participación de privados cercana al 20%. El plan que incluía construir tres centrales hidroeléctricas (Pilmaiquén, Sauzal y Abanico) tuvo retrasos y en 1944 solo Pilmaiquén, en el sur de Chile, entró en marcha con dos unidades de 4.500 Kw. Las urgencias de la crisis eléctrica en el norte se enfrentaron con dos centrales térmicas de pequeño tamaño (a carbón) en Copiapó (760 Kw) y Ovalle (450 Kw).

Entre tanto, los privados no se quedaron a brazos cruzados. Chilectra puso en servicio la hidroeléctrica El Volcán (13.000 Kw), en las proximidades de Santiago, en 1944; y amplió la térmica a carbón de La Laguna, puesta en marcha en 1939, hasta 32.500 Kw. Asimismo, pequeños distribuidores de provincia mejoraron sus instalaciones para recibir la electricidad que le entregaba la ENDESA.

En resumen, el Estado entró al negocio eléctrico a partir de la creación de ENDESA como filial de CORFO, en forma bastante más tímida de lo que los planes iniciales hacían pensar. Con grandes capacidades técnicas, la CORFO no disponía del financiamiento suficiente con el cual materializar sus planes hasta que terminó la Segunda Guerra Mundial. Sufría de los mismos problemas de financiamiento que tenía la empresa privada, en pocas palabras, la que, a diferencia del diagnóstico de los técnicos, pudo emprender inversiones en condiciones adversas de mercado. En el corto plazo los monopolios eléctricos se fragmentaron geográficamente, la zona central siguió en manos de Chilectra apoyándose en su experiencia iniciada en los años 1920, mientras que la ENDESA pública ganó espacios en el sur y en el norte, entrando tanto en la generación como la distribución y captando los excedentes de las empresas autoproductoras privadas.

Conclusiones

Tenemos aún un largo camino por recorrer para terminar de comprender las claves de la industrialización dirigida por el Estado en Chile. En muchas ocasiones las fracturas ideológicas han conspirado contra un mejor entendimiento del problema. En otras, el foco de la investigación se ha desviado de lo que la historia económica reclamaba. Y, sobre todo, le cabe la responsabilidad a la propia historia económica de hacer la investigación que las buenas preguntas necesitan. Aquí solo ofrecemos una primera aproximación al tema, centrándonos en cómo se transitó desde un sector eléctrico totalmente privado a otro con participación del Estado, de carácter mixto. No entramos aquí en cómo ENDESA en las décadas posteriores llega a ser un monopolio público.

Las conclusiones de esta investigación son que en Chile, antes de la creación de la CORFO, había una importante experiencia de empresas públicas monopolísticas que identificamos con los Ferrocarriles del Estado. Los expertos, los técnicos de la CORFO, conocían de primera mano la experiencia de los ferrocarriles o habían tenido una aproximación al tema desde la academia. No todos ellos tenían una visión semejante de la intervención pública en la economía, probablemente Harnecker era más proclive a la participación del Estado que Simón. Ni todos los agentes privados discutían como una cuestión de doctrina el papel del gobierno en el mercado eléctrico. Todos tenían a su alcance la teoría de los "monopolios naturales", que desde el siglo XIX se discutía en la academia y conocían las experiencias internacionales de distinto tipo. Había una materia básica para construir algunos acuerdos, quiero decir.

Lo otro, es que todo esto se comenzó a discutir a consecuencia de los efectos en Chile de la Gran Depresión de los años 1930. La historia económica de la empresa, al parecer, estuvo más condicionada por la historia política –la de los cambios de gobierno, quiero decir– que por la historia de las diferencias doctrinales. En ese punto es interesante la observación de Silva (2010), en el sentido de destacar la continuidad de los "tecnócratas" a través de las diferentes administraciones del gobierno. En lo que tengo dudas es en que esto se explique por la calidad de nuestra tecnocracia. En un país en que la élite es tan pequeña y aún más en la década de los años 1930, ¿había alguien más a quien echar mano? Es algo parecido a lo que pasaba con la regulación eléctrica de 1925 y 1931, que tenía a una sola empresa que regular y se terminaban resolviendo los conflictos 'cara a cara', cambiando las leyes para adaptarlas a los "acuerdos entre caballeros". Lo más probable es que se hizo lo que se pudo y los consensos fueron a *posteriori*.

Bibliografía

ALDUNATE PHILLIPS A. (1937). "Política Eléctrica Chilena", *Anales del Instituto de Ingenieros de Chile*, Año XXXVII, Febrero de 1937, N° 2, pp. 43-61.

BÉRTOLA L., y J. A. OCAMPO (2011). *Desarrollo, vaivenes y desigualdad. Una historia de América Latina desde la Independencia*, Secretaría General Iberoamericana, Madrid.

BÉRTOLA L. (2011). "Bolivia (Estado Plurinacional de), Chile y Bolivia desde la Independencia: una historia de conflictos, transformaciones, inercias y desigualdad", en Bértola L. y P. Gerchunoff. *Institu-*

cionalidad y desarrollo en América Latina, CEPAL y AECID, Santiago de Chile, pp. 227-285.

Bértola L., y J. A. Ocampo (2013). *El desarrollo económico de América Latina desde la Independencia*, Fondo de Cultura Económica, México D.F.

Cárdenas E., J. A. Ocampo y R. Thorp (2000). *An Economic History of Twentieth-Century Latin America. Vol. 3. Industrialization and the State in Latin America: The Postwar Years*, Palgrave-Macmillan UK, Londres.

Cárdenas E., J. A. Ocampo y R. Thorp (2003). *Industrialización y Estado en América Latina: la leyenda negra de la posguerra*, Fondo de Cultura Económica, México DF.

Castillo P. y C. Yáñez (2017). "El shock salitrero y la acentuación del rentismo en la élite chilena", *Contribuciones*. V. 42, pp. 79-92.

Collier S. y W. Sater (1998). *Historia de Chile 1808-1994*, Cambridge U.P., Cambridge.

CORFO (1939). *Fomento de la Producción de Energía Eléctrica. Plan de acción inmediata del Departamento de Energía y Combustibles*, Nacimento, Santiago.

CORFO (1966). *Geografía Económica de Chile*, Editorial Universitaria, Santiago.

Correa S., C. Figueroa, A. Joselyn-Holt, C. Rolle y M. Vicuña (2015). *Historia del siglo XX chileno*, Sudamericana, Santiago.

Cox Lira G. (1937). "Comentarios a los estudios de Política Eléctrica Chilena", *Anales del Instituto de Ingenieros de Chile*, Año XXXVII, Enero de 1937, N° 1, pp. 3-10.

Donoso Rojas C. (2014a). "Nacionalizar el salitre: debates iniciales sobre el control fiscal de la industria (Chile, 1880-1916)", *Chungara, Revista de Antropología Chilena* V. 46, N° 1, pp. 115-129.

Donoso Rojas C. (2014b). "El ocaso de la dependencia salitrera (1914-1926)", en *Diálogo Andino*, N° 45, pp. 97-118.

Ducoing C. y M. Badía- Miró (2013). "El PIB industrial de Chile durante el ciclo salitrero, 1880-1938", *Revista Uruguaya de Historia Económica*, Año 3, N° 3, pp. 11-32.

ENDESA (1993). *ENDESA 50 años*, Santiago de Chile.

Guajardo G. (2007). *Tecnología, Estado y Ferrocarriles en Chile, 1850-1950*, UNAM, México DF.

Ffrench-Davis R., O. Muñoz, G. Crespi y J. Benavente (2000). "The industrialization of Chile during the protectionism", en Cárdenas, E., J. A. Ocampo y R. Thorp (eds), *An Economic History of Twentieth-*

Century Latin America. Vol. 3. Industrialization and the State in Latin America: The Postwar Years, Pelgade-Macmillan UK, London, pp. 114-153.

GONZÁLEZ MIRANDA S. (2015). "'Normalización' de la crisis y posición estratégica empresarial durante la expansión de la economía del salitre", *Revista Latinoamericana*, V. 14, N° 40, pp. 397-419.

GONZÁLEZ MIRANDA S., R. CALDERÓN GAJARDO y P. ARTAZA BARRIOS (2016). "El fin del ciclo de expansión del salitre en Chile: la inflexión de 1919 como crisis estructural", *Revista de Historia Industrial*, N° 65, Año xxv, 3, pp. 83-110.

HARNECKER R. (1936). "Política Eléctrica Chilena", Instituto de Ingenieros de Chile (Cámara Chilena de la Construcción, Pontificia Universidad Católica de Chile y Dirección de Bibliotecas, Archivos y Museos, Santiago de Chile, 2012).

HUNEUS A. (1936). "Política Eléctrica Chilena", *Anales del Instituto de Ingenieros de Chile*, Año XXXVI, marzo de 1936, N° 3, pp. 139-141.

IBÁÑEZ SANTA MARÍA A. (1983). "Los ingenieros, El Estado y la política del Ministerio de Fomento a la Corporación de Fomento. 1927-1939", *Historia*, N° 18, pp. 45-102.

IBÁÑEZ SANTA MARÍA A. (2003). *Herido en el ala. Estado, oligarquías y subdesarrollo. Chile 1924-1960*, Editorial Biblioteca Americana, Universidad Andrés Bello, Santiago.

MOSCA M. (2008). "On the origins of the concept of natural monopoly: Economies of scale and competition", *European Journal of the History of Economics Thought*, V. 15, pp. 317-353.

PINTO A. (1985). "Estado y gran empresa: de la precrisis hasta el gobierno de Jorge Alessandri", *Colección Estudios de CIEPLAN*, N° 16, pp. 5-40.

RAMÍREZ NECOCHEA H. (1958). *Balmaceda y la contrarrevolución de 1891*, Editorial Universitaria, Santiago.

ROSS M. (1999). "The Political Economy of the Resources Curse", *World Politics*, Vol. 51, N° 2, pp. 297-322.

SILVA P., (2010). *En el nombre de la razón. Tecnócratas y política en Chile*, Universidad Diego Portales, Santiago.

TAFUNEL X. (2011). "La revolución eléctrica en América Latina: una reconstrucción cuantitativa del proceso de electrificación hasta 1930, *Revista de Historia Económica – Journal of Iberian and Latin American Economic History*, V. 29-3, pp. 327-359.

YÁÑEZ C. (2017). "El arranque del sector eléctrico chileno, 1897-1931. Un enfoque desde las empresas de generación", en Manuel Llorca-

Jaña y Diego Barría (editores), *Empresas y Empresarios en la Historia de Chile, 1810-1930*, Editorial Universitaria, Santiago.

Compañía Manufacturera de Papeles y Cartones: Fomento Estatal y Emprendimiento empresarial en el surgimiento de una industria monopólica, Chile, 1920-1973[1]

Enzo Andrés Videla Bravo[2]

Introducción

La industria forestal, de producción de papel y celulosa, así como sus derivados, es una de las actividades empresariales y económicas más significativas, aunque muchas veces polémica debido a los problemas medioambientales, económicos y sociales con que se relaciona en Chile desde inicios del siglo xx hasta la actualidad[3]. A nivel global, los estudios históricos sobre el desarrollo de esta industria han privilegiado distintos énfasis que se pueden categorizar en cuatro grandes áreas de interés: dinámicas de competencia global, entorno socioeconómico, evolución industrial y ambiente extrainstitucional[4].

En esta propuesta abordaremos transversalmente a lo menos tres de esas dimensiones en donde desarrollaremos su gestación y desenvolvimiento mediante el relato histórico del fenómeno social y económico. Los ámbitos relacionados con el área extrainstitucional, como lo son los impactos demográficos o del actuar de los grupos de presión, interés y movimientos sociales, se precisarán solo tangencialmente pues pensamos que requieren un análisis más detenido. Centrándonos en los aspectos de índole más económica, se abordan con especificidad: el potencial de mercado, número y orientaciones estratégicas de las empresas, la lógica dominante de diseño y gestión gerencial, el capital humano, los recursos naturales y orientación local e internacional hacia el mercado.

[1] Trabajo realizado en el marco del proyecto FONDECYT 1140185. Se agradecen los comentarios de Diego Morales, Hernán Venegas y las sugerencias de Eduardo López.
[2] Investigador independiente.
[3] El mostrador, 5 de enero de 2016 (http://www.elmostrador.cl/noticias/opinion/2016/01/05/la-industria-de-la-celulosa-en-chile-otra-anomalia-de-mercado/ [visitado en enero de 2016].
[4] Lambert, *et al.* 2012: 1-8.

133

Existe una serie de preguntas formuladas por un conjunto de historiadores finlandeses especializados en el estudio de empresas pioneras y líderes de grandes complejos industriales dedicados a la fabricación de papel en Escandinavia y Gran Bretaña, que nos parece pertinente aplicar en nuestro caso de estudio. Estas interrogantes son: ¿Cómo evolucionaron los números de firmas y la distribución del tamaño de la empresa? ¿Cómo ha fluctuado el volumen de producción en relación con el cambio socioeconómico e institucional? ¿Cuáles son las relaciones entre el momento de la aparición de la industria, el crecimiento y de convulsión en diferentes países? ¿Cuáles son los efectos de las intervenciones políticas sobre la vitalidad de la industria? ¿Cuáles han sido los objetivos y resultados de las agendas políticas nacionales?[5] Preguntas de esta naturaleza esperamos responder en nuestro análisis sobre la Compañía Manufacturera de Papeles y Cartones a lo largo del siglo xx, destacando el rol que en ella tuvo la familia Matte, un caso prototípico de familia empresarial como otros existentes en la historia económica[6] iberoamericana[7] y chilena[8].

El objetivo de esta propuesta es dar un panorama general mostrando las sutilezas que nos evidencia la historia, para así brindar nuevos elementos que pueden generar acercamientos novedosos y específicos a la historia económica de la industria del papel, de la celulosa y de la producción forestal en Chile. Los registros documentales que han sido utilizados para la reconstrucción son los gestados por los distintos actores empresariales, de revistas de especialidad en la materia industrial e ingenieriles, publicaciones gremiales y estatales, material que ha sido de utilidad para construir el relato.

Los estudios históricos presentan algunas investigaciones nacionales en los cuales se hacen referencias al contexto latinoamericano, donde se extraen conclusiones generales. Un ejemplo es el trabajo de Badoza y Bellini, que para el caso de Argentina identifican una concentración de monografías en el periodo de auge de la actividad a mediados de los

---

[5]   Lambert *et al.* 2012: 9.
[6]   Otro actor importante son los grupos económicos, sean familiares o por interés. Un buen ejemplo es la constitución de la Compañía de Petróleos de Chile (copec) que pasó de una situación de confrontación a una de colaboración con las multinacionales petroleras presentes en Chile, de capitales británicos y norteamericanos. El estudio de ese caso es desarrollado por Bucheli (2010: 350-399). Una versión adaptada en castellano fue publicada en Jones y Lluch 2011, y adicionalmente contamos con otro texto al respecto en esta misma colección.
[7]   Fernández y Lluch 2015: 15-37.
[8]   Martínez 2015: 409-435.

años 1960. Ellos realizaron un análisis que se enfoca en el periodo de surgimiento de la industria, que va desde 1880 a 1940. Una de sus conclusiones, que debatiremos mediante el desarrollo del fenómeno en Chile, es que el rasgo compartido por el sector en los países latinoamericanos fue la ausencia de integración vertical. A este marco general los autores hacen énfasis en que en la elaboración de papel existía una dependencia del mercado internacional existente en el rubro, debido a que el aprovisionamiento de pulpa de madera se obtenía de las importaciones[9]. Ambas conclusiones pueden ser relativizadas a partir del caso chileno pues la CMPC[10], como esperamos demostrar, alcanzó en algunas décadas de su historia una proyección de integración vertical y horizontal en la búsqueda de economías de escala, alcance y densidad, la misma que la impulsó desde mediados de 1950 a iniciar su internacionalización económica.

Históricamente el rol de la CMPC ha sido asociado al monopolio. Es una de las críticas históricas y sociales que se le han efectuado, pero al parecer la cualidad monopolística es consustancial al desarrollo de esta industria a nivel mundial pues en otras latitudes la elaboración de papel ha adquirido esta situación. Alfred Chandler ha demostrado esta disposición al destacar un comportamiento favorable a la integración como lo que ocurrió con las compañías en Gran Bretaña y Estados Unidos durante los años que van desde 1892 a 1930[11]. Por la lógica dominante y el diseño de la gestión, estas empresas a lo largo de la historia y en distintos lugares del mundo tienden a desarrollar una economía de escala, densidad y alcance que se manifiesta en la integración vertical y horizontal por la búsqueda de subaditividad[12]. Un caso típico que favorece su condición monopólica se vincula con los requerimientos energéticos exigidos por las grandes compañías de papel, lo que las predispone a invertir en centrales hidroeléctricas a pesar de los perjuicios medioambientales y sociales. Esta acción busca la reducción de los costos de producción de todos los insumos necesarios que necesita, lo

---

[9]   Badoza y Bellini 2013: 114.
[10] Hay diversos trabajos que ahondan sobre la historia de la compañía, algunos institucionales (Anónimo, 1991 y CMPC, 2000), y otros de análisis, los cuales destacan su rol como grupo económico en Chile (Lefort 2010). Hay que mencionar que desde la economía, la historia y las ciencias sociales existe una significativa cantidad de tesis de licenciatura y maestría sobre su desempeño reciente y el conflicto durante los años 1970 que resultaría extenso detallar.
[11] Chandler 1994: 314-316.
[12] Aubanell 2005: 491-492. La definición de subaditividad acuñada por Baumol sostiene que para una empresa, en ciertas condiciones, es más económico producir todos los insumos de un producto que adquirirlos por separado a otras empresas.

que provoca una externalidad, tanto positiva como negativa, que también sería un elemento característico de las posiciones monopólicas[13]. La comprobación empírica es "imposible" pues hay que tener datos más allá de los que proporcionan las empresas[14]; aunque en nuestro caso de estudio trataremos de desarrollar un cuadro orgánico del desarrollo de la industria por medio de la compulsión de un abanico amplio de fuentes[15].

Lo anterior sería una aptitud del espíritu del capitalismo, que encontramos en la CMPC de Luis Larraín y Jorge Alessandri, que en su afán por el gigantismo, que es la expresión que apunta no solo a crear un emprendimiento individual sino una organización, que se manifiesta en la gran empresa industrial centralizada y burocratizada. Acá la figura del director es clave. Su búsqueda y voluntad es lograr que el tamaño de su industria crezca sin límites, de manera que pueda lograrse una producción en masas "que encontraría su razón de ser en las economías de escala, en la estandarización de los productos, en la organización racional del trabajo y en las nuevas técnicas de extensión de los mercados (*marketing*)"[16]. Este modelo, como otra expresión del carácter del capitalismo practicado, crea un ambiente de seguridad social a los trabajadores y cuadros de la industria, basada en el bien común que se manifestará en una doble dimensión, la posibilidad de hacer carrera y en mejoras de la vida cotidiana del entorno del individuo que labora en la unidad productiva, como acceso a complejos residenciales de viviendas oficiales, y otros servicios[17].

Otro fenómeno significativo en la historia de la CMPC es su etapa de conflicto con el Estado durante los años 1960 y 70, en especial con el Gobierno de la Unidad Popular (1970-1973), pues dicha administración quería integrarla a su Área de Propiedad Social. Entre otros motivos, esta iniciativa fracasó porque insospechadamente los trabajadores de la empresa se opusieron al cambio de dirección y, posiblemente, de relaciones y estatus. Esto se puede deber a lo que han desarrollado Boltanski y

---

[13]   Aubanell 2005: 493-499. La CMPC desde sus inicios poseyó una hidroeléctrica, El Volcán, en Puente Alto que se alimentaba de las aguas del río Maipo, pronto sumó otra en la zona de Valparaíso contigua al río Aconcagua llamada Puntilla. Las dos en 1952 aportaban 25.000 KW a los 257.000 KW que producía el sistema eléctrico chileno, *Panorama Económico* (1952: 715-718). Ver también capítulo de César Yáñez en este volumen y el anterior.
[14]   Aubanell 2005: 492.
[15]   Boldizzoni 2013: 247.
[16]   Boltansky y Chiapello 2002: 59.
[17]   Boltansky y Chiapello 2002: 58.

Schiapello, como las prácticas del espíritu del capitalismo que se identifica con la figura y el ejercicio de la ingeniería técnica y que se manifestará en dos aptitudes. Una primera, que tiene que ver con la consecución de la implicación del personal en el desarrollo de la industria basado en la distribución de beneficios individuales y colectivos para los trabajadores[18], logrando así "instaurar el progreso material individual como un criterio de bienestar social"[19]. Algunos debates clásicos argumentan que la participación de los trabajadores produce mayores efectos de productividad[20].

A lo largo de esta propuesta desarrollaremos cómo se dieron estos fenómenos a través del paso del tiempo. Se analizarán las circunstancias pragmáticas en la cuales se crea la actividad económica, cuáles fueron los regímenes de relaciones que se daban entre personas, bienes e insumos y agentes institucionales, haciendo énfasis en las acciones de conveniencia y de conflicto que surgen en el desarrollo de los actores[21]. No aplicaremos marcos teóricos económicos explícitos, pues, como advierte Jürgen Kocka, estas definiciones deben ser entendidas como una idea, o un tipo-ideal, que puede ser utilizado, aunque se entienda que la realidad histórica nunca es totalmente identificable con ella[22], ya que todas las instituciones económicas son complejas, parciales y flexibles en su forma y función[23]. A lo largo del texto alternaremos el desarrollo de la CMPC con algunas explicaciones del comportamiento, es decir, intercalaremos el modo narrativo con el analítico cuando sea apropiado[24].

Mercado en disputa: Potencial global y consumo local

A pesar de lo comentando por los testigos de época, se podría afirmar que existían capacidades en el incipiente mercado del papel chileno, tanto de productor como de consumidor. Había un interés nacional e internacional en las condiciones de las potenciales demandas y de producción. Se podría decir que en esa época existió un mercado en disputa[25], pues en

18   Boltansky y Chiapello 2002: 41.
19   Boltansky y Chiapello 2002: 50-51.
20   Hodgson 1991: 123-132.
21   Thévenot 2016: 33.
22   Kocka y Linden 2016: 4-5.
23   Lipartito 2016: 121.
24   Darnton 2006: 5.
25   Baumal 1982: 1-15.

aquellos años las barreras de entradas eran bajas y el ingreso de un actor importante podría hacer suyo el mercado sin incurrir en grandes gastos, aprovechando, entre otros factores, que existían amplias fronteras comerciales por cubrir y abastecer.

El interés internacional se hizo patente en las primeras décadas del siglo xx. Según el boletín de la Unión Pan Americana, en 1911 una sociedad franco-norteamericana había realizado una solicitud de franquicia para la explotación de recursos forestales en el sur del país disponiendo para la faena de una inversión de capital inicial de 3.000.000 de pesos oro[26]. Esto era porque el país era un consumidor significativo de sacos de diversos materiales. Un año antes de que se hiciera conocida la propuesta, Chile había importado 37.000 toneladas de sacos de yute o papel equivalentes a 11 millones de pesos oro de 18 peniques[27].

La predilección global y nacional persistía pues se seguía publicando referencias a las oportunidades existentes en el mercado chileno. En 1916 nuevamente la Asociación Económica Pan Americana se hacía eco de la realidad nacional destacando que el consumo solo de la industria del salitre era de 30 millones de sacos, que se importaban de la India y eran confeccionados de yute[28]. Ante ello urgía a empresarios y al gobierno a tomar medidas pues se pensaba que la pulpa de madera que poseían los árboles nativos en el país podían ser un sustituto de calidad. Se destacó la labor de las empresas de la zona de Puente Alto en su intromisión en la cobertura de esa demanda y la creación de otras faenas industriales[29]. Sin embargo, su abastecimiento siguió siendo débil.

En esos tempranos años del siglo xx se había difundido la noticia del potencial productor de papel que presentaba el país dadas sus condiciones forestales, favorecidas por sus latitudes meridionales. La Sociedad Real Británica de Fomento estuvo atenta e hizo un llamado a los industriales ingleses a no dejar pasar la oportunidad de invertir. Ellos observaron que el mercado interno era algo pequeño, pero que la oportunidad no se debía desperdiciar por sus condiciones forestales ya que era "demasiado rico y demasiado urgente para escapar del uso industrial"[30]. Además, la publicación consignaba el interés de otras naciones, desta-

[26] Unión Pan Americana 1911: 301.
[27] Unión Pan Americana 1912: 574-575.
[28] Unión Pan Americana 1916: 807-808.
[29] Unión Pan Americana 1915: 624.
[30] Royal Society 1920: 770-771.

cando por ejemplo que una comisión sueca visitó el país en 1914[31], así como también las insistencias de algunos comisionados alemanes[32]. Por lo mismo, aseguraba, era urgente que los empresarios adscritos a la organización tomaran medidas antes que otros sujetos o naciones lo hicieran. La misma preocupación se encontraba en varios otros artículos publicados en la revista de la industria del papel de origen anglosajón, *Paper*. Según uno de ellos, el 26 de julio de 1919 el periódico londinense *The Times* también destacaba el valor comercial para uso de madera y fabricación de papel del árbol, llamado así por los británicos, como *monkey puzzle* (Araucarias), que tenían su hogar preferentemente en Chile, en el cono sur de Latinoamérica, advirtiendo que en la zona chilena de Valdivia existían grandes extensiones que nunca habían sido pasadas por el filo del hacha[33].

Entre 1917 y 1922 en el *Boletín de la Sociedad Pan Americana* y de la oficina de comercio de Estados Unidos demostraron su interés en Chile por su buena condición de productor maderero y de consumidor de papel. En los artículos y estudios publicados sobre las ventajas de la madera latinoamericana hicieron notar la calidad y condiciones del bosque chileno. Sostenían que "los bosques vírgenes de Chile ofrecen algo distinto de las maderas duras conocidas, y ese algo cuenta con una demanda segura"; además agregaba que gran parte de la madera que se extraía era "apropiada para la fabricación de pulpa de madera destinada a la fabricación de papel". Esto para Estados Unidos era una situación ideal pues se encontraba "explorando el mundo con el objeto de obtener pulpa de madera para papel de imprenta". La publicación afirmaba que Chile se encontraba en la encrucijada de comenzar a revertir su patrón de consumidor de papel que importaba desde Suecia, Canadá y Estados Unidos, pero para eso las autoridades locales debían mirar "con favor cualquiera empresa seria que tratase de fomentar la fabricación de pulpa de madera para la exportación y el consumo interno"[34].

Según Michael Barret, Chile era el mayor consumidor de papel de todos los países latinoamericanos de la costa del oeste meridional del océano Pacífico. En los periodos normales, antes de la Primera Guerra Mundial, la importación de papel provenía esencialmente de Europa.

---

[31] Royal Society 1920: 770.
[32] González y Soto 1926: 74.
[33] *The Times*, London, 26 de julio de 1919 citado en *Paper* 26: 3, Nueva York, 3 de septiembre de 1919, 22-23.
[34] Pepper 1922: 467-468.

En el año 1913 ese volumen proveía de soporte material a las 539 publicaciones periódicas de circulación nacional existentes, las cuales se clasificaban en distintas tipologías, siendo las más importantes los diarios con 80 títulos y 171 semanarios. Este número se redujo luego de estallar el conflicto bélico europeo ya que en 1917 las publicaciones periódicas se habían reducido a 450. El grupo más destacado, según el funcionario del departamento de comercio norteamericano, era el Edwards que poseía tres diarios importantes: *El Mercurio* de Valparaíso, *El Mercurio* de Santiago y *Las Últimas Noticias*. El primero tenía dos ediciones diarias (matutina y vespertina) con un tiraje de 42.000 ejemplares. La edición de la capital publicaba 40.000 copias cada mañana y en la tarde, *Las Últimas Noticias*, alcanzaba un tiraje de 20.000. Además este grupo periodístico tenía la editorial Zig Zag, que se dedicó a la producción de libros y a lo menos cuatro revistas temáticas[35]. Junto al grupo Edwards existían otros periódicos de importancia. El tiraje de *El Diario Ilustrado* era de 50.000 ejemplares cada día de la semana, mientras los fines de semana publicaba entre 60.000 a 65.000 copias. Con esas cifras Barret concluía que el primer grupo periodístico mencionado utilizaba 2.400 toneladas y el segundo consumió 1.600 toneladas anualmente.

Figura 1. *Ambiente productivo de una imprentan local, Chile, Circa 1917.*

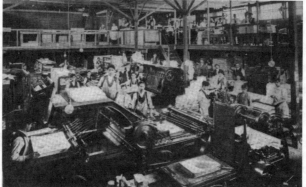

Fuente: Barrett 1917: 63.

Las industrias periodísticas en total consumían 9.000 toneladas de papel de diario (el ambiente productivo puede observarse en la Figura 1).

[35]   Barret 1917: 34-35.

Europa era el principal proveedor de ese insumo, de cuyo grupo de naciones Suecia era el principal proveedor, con más del 80% de participación antes del inicio de la guerra. Después de dicho conflicto las empresas norteamericanas ganaron una cuota significativa del mercado chileno y obtuvieron parte de las grandes sumas de dinero gastadas por las empresas chilenas que, según los cálculos de Barret, llegaban a 500.000 US$ de la época. En los años que van entre 1920 a 1922 ese panorama cambió, pues hubo una baja sustancial de papel importado. La caída fue desde las 22.200 toneladas importadas en 1921 a 10.600 en el año siguiente. La explicación a esta disminución no está muy clara. Solo se puede encontrar una respuesta en la baja de la demanda de la producción proveniente desde Estados Unidos, que en esos años bajó su representación con respecto a las importaciones escandinavas[36]; el principal motivo era el precio, pues era más de un 20% mayor al ofrecido por las industrias europeas.

Fusión, adquisiciones y concentración: La iniciativa de la familia Matte

A principios del siglo veinte en Chile la industria de la fabricación del papel y cartón tenía una incipiente existencia. La Sociedad de Fomento Fabril (SOFOFA) en 1904 afirmó "que la manufactura del papel y cartón se hallan en Chile en la Infancia"[37]. En el país solo existían cinco fábricas y solo a una de ellas se podía caracterizar como industrial, que se ubicaba al sur de la ciudad de Santiago, en el área de Puente Alto. A pesar de eso, la misma publicación sostenía que en el país "abundaban las materias primas para la fabricación (…) y bastaría que hubiera capitales para bien aprovecharla". En ese contexto, el ente gremial destacaba que el porvenir de la industria era importante, ya que era un rubro industrial considerable, aunque a su modo de ver los capitales privados de esta área deberían tener un apoyo decidido del gobierno.

A pesar de la catalogación de inmadura, la industria del papel y el cartón tenía una presencia de cuarenta años en la economía chilena. El censo industrial de 1876 contabilizó 11 industrias de dichos rubros, figurando en el cuarto lugar de concentración de mano de obra y en el tercer

---

[36]   Bureau of Foreign and Domestic Commerce 1924: 1-2.
[37]   SOFOFA 1904: LIV-LV.

lugar en la utilización de energía[38]. Hasta 1913 en total fueron creadas 21 firmas con distinta suerte en sus gestiones, muchas de capitales británicos, que combinaban el carácter fabril con el mercantil, tan típico de los empresarios de esas latitudes[39]. A la par de requerir una inversión potente, su rentabilidad era similar[40]. Pero, en general, la actividad fue lánguida hasta bien entrado el siglo XX[41], aun cuando por largo tiempo era conocido su potencial en el país, pues la misma SOFOFA había realizado en Estados Unidos estudios sobre su factibilidad y conveniencia para la producción de papel y celulosa, con sus misiones de 1903 y 1914[42].

El anterior panorama se situaba en una época de un debate contingente sobre el fomento industrial. La discusión se centraba en la protección arancelaria industrial y el carácter débil del emprendimiento empresarial nacional. Lo que se contextualizaba por las críticas locales y de residentes extranjeros al débil "gusto por el objetivo industrial" de los chilenos y que el capital y unidades manufactureras son propiedad de interés extranjeros[43], aunque ese panorama parecía cambiar por la dinámica significativa de emprendimientos industriales durante los primeros años del siglo XX.

La industria del papel nacional en sus años iniciales tuvo muchos obstáculos. No contaba con protección estatal y tenía que sortear muchas vicisitudes ya que "ha nacido i desarrollado sola, luchando siempre con grandes dificultades"[44]. En los primeros años del siglo XX se expandió el número de industrias que producían papel; no obstante, dependían de la celulosa y otros insumos extranjeros, como el de los trapos y residuos de trigo o madera. Sin embargo, hacia 1920 ya se habían multiplicado y estaban aportando con una cuota significativa de producción al mercado local (Cuadro 1).

---

[38] Ortega 1991-1992: 219.

[39] Salazar 2011: 641-649.

[40] Para Gabriel Salazar lo que faltó fue un ambiente político más propicio para el desarrollo de la industria papelera (2011: 647), a lo que se podría agregar una discusión social más amplia.

[41] SOFOFA 1918: 596.

[42] González y Soto 1926: 75. El atractivo productivo de los recursos forestales chilenos ya había sido destacado en Estados Unidos, en la Exposición Pan Americana de Búfalo de 1901. Allí se hicieron muestras de trozos de tronco de especies forestales provenientes de Chile que obtuvieron la medalla de Oro. (Lazo 1902: 179). En la comitiva de dicho encuentro estaba Enrique Lanz, quien desde 1879 estaba experimentando con el cultivo del Pino Insigne en su fundo en la zona de Buin, el mismo que en los años iniciales del siglo XX ya había demostrado el potencial económico de esa especie en el centro sur de Chile. Albert 1903: 61-62.

[43] Mansfield 1913: 221.

[44] González 1921: 33.

Cuadro 1. Industrias y aporte productivo (toneladas de papel y cartón), 1918 y 1920, Chile.

	1918			1920	
	Razón Social	Producción		Razón Social	Producción
1	Sociedad Fábricas Nacionales de Papel y Cartón, de Puente Alto	2.500	1	Sociedad Fábricas Nacionales de Papel y Cartón, de Puente Alto	2.000
2	La Esperanza de Ebbinghaus, Haensel y compañía, de Puente Alto	1.500	2	Compañía Manufacturera de Papeles y Cartones, de Puente Alto	1.500
3	Sociedad Fábrica de Papel y Cartón de Schorr y Concha, Talca	1.500	3	Compañía Manufacturera de Papeles y Cartones, La Calera	500
4	Luis Rivera, Talca	250	4	Sociedad Fábrica de Papel y Cartón de Schorr y Concha, Talca	500
5	Sucesión Papón, La Calera	550	5	Luis Rivera, Talca	150
6	N. Gautier, La Cruz	350	6	Sucesión Pastor Infante, Buin	400
7	Pastor Infante, Buin	450	7	José Guerris, Santiago	500
8	Adriano Fernández, de Santiago	200	8	Lüer i Paye, Santiago	400
9	N. Guerrin	200	9	Jouglas i Cia., Santiago	200
			10	C. Gautier, La Cruz	250
			11	N. Barzilato, Renca	—
			12	Fábrica de Cartón, Valdivia	—
Total		7.500	Total		6.400

Fuentes: SOFOFA 1918; González 1921.

Una de las empresas que se destacó fue la Fábrica Nacional de Papeles y Cartones, que fue formada como una sociedad anónima en 1900. Luego de esta empresa se inauguró la Compañía La Esperanza, más conocida por el nombre de su propietario principal, Ebbinghaus, a mediados de la década de los años 1910. Otra de las empresas pioneras fue la Compañía de Papeles y Cartones Schorr y Concha[45], de la localidad de Talca. En el último año que señala el Cuadro 1 las doce empresas que trabajaban el rubro, según Pedro Luis González, tenían un capital de 4.000.000 millo-

[45] SOFOFA 1957: 23.

nes de pesos con una mano de obra que representaba en total 400 operarios. Las cuatro primeras producían papeles y cartones, mientras que las restantes se dedicaban a la producción del último bien mencionado[46]. La industria más importante del papel era la Sociedad Manufacturera de Papeles y Cartones, un conjunto de varias unidades productivas que se dedicaban a la producción de toda clase de papeles para envolver y de sacos del mismo material. Esto es significativo, pues aminoró la dependencia al mercado internacional por los efectos de la Primera Guerra Mundial y la concitación del interés de emprendimientos industriales dentro del país por capitalistas extranjeros avecindados en Chile. Para los entendidos, si el panorama internacional no permitía que el país se surtiera de insumos y productos, se podrían obtener mediante la celulosa o pulpa que se elaboraría de "araucaria u otras maderas"[47].

La industria maderera y química que podrían generar los insumos eran débiles. En la primera, una de las razones era la intromisión de bienes del exterior. En esos años existía el debate, que se manifestó en la percepción del efecto negativo de la importación de productos extranjeros. Esta fue una de las conclusiones de la convención maderera realizada en Temuco el 25 de mayo de 1913. En dicha instancia sostuvieron que "la principal causa que ha mantenido tan abatida hasta hoy en día la industria maderera es la competencia tan injustificada como insostenible que le hacen las maderas extranjeras a la industria"[48]. Estas iniciativas no llegaron a cumplir sus objetivos a cabalidad, pero trazaron un camino pues en los años siguientes se discutieron proyectos de gran escala sobre la creación de una industria de la celulosa y el papel de gran tamaño ya que

Las condiciones generales de nuestros bosques i aquellas especiales, tales como la calidad de sus maderas (…) [entre otras] hacen prever que la implantación de la industria del papel en Chile, contribuirá a nuestra anhelada independencia económica, i no solo nos capacitará para atender a nuestras necesidades sino también las de algunos países vecinos[49].

En ese escenario hubo cambios al inicio de la década de los años 1920. Hay varios fenómenos que pueden explicarlo. Por una parte, para algunos ya existía un clima sociocultural más receptivo a la realización

[46] González 1921: 34.
[47] González 1921: 34.
[48] Anónimo 1913: 3.
[49] Schilling *et al.*1920: 4.

industrial, mientras que para otros solo se trató de una respuesta de la élite a su decadencia vital[50]. Estos últimos cuadros estaban viviendo un cambio de espíritu, pues los jóvenes estaban obteniendo estímulos excitantes que le prometían una autorrealización y espacios de libertad de acción que antes no tenían. Todo esto imbricado por la búsqueda de realizaciones del bien común y nuevas formas de hacer frente a las ideas que rivalizaban con los antiguos regímenes de dominación social y económica que en el contexto nacional, con la cuestión social, e internacional, con la Revolución Rusa, estaban llamando a los nuevos cuadros de la élite a asumir otro espíritu ante el mundo[51].

Uno de los receptores a este contexto fue Luis Matte Larraín[52], el segundo ingeniero civil de su familia graduado por la Universidad de Chile en 1916. Él tuvo la perspicacia y el afán de innovar sobre la práctica política, financiera, rentista agrícola, de beneficencia e intervención sanitaria de su linaje[53]. Además, leyó bien el momento internacional en

---

[50]   Nazer 2016: 370-372.

[51]   Bolstanski y Schiapello 2002: 52-55.

[52]   Este miembro de la familia Matte tuvo una corta pero destacada trayectoria. Fue convocado como ministro en la cartera de fomento económico en el primer gobierno de Ibáñez del Campo (1927-1931). Entre algunas de sus actividades destacadas está la proyección de la creación de la industria siderúrgica en Chile, con el reflotamiento de la Usina de Corral con un nuevo enfoque, que se constituyó en su nombre como la Compañía Electro Siderúrgica e Industrial de Valdivia (Navarrete 1930). Falleció de manera inesperada para su círculo cercano e industrial en 1936 (SOFOFA 1936: 451-452). Para otras reacciones al hecho, véase La Nación, Santiago, 22 de agosto de 1936, 15.

[53]   La familia Matte es una de las más tradicionales de la élite económica y social chilena. Tuvo su origen a finales del siglo XVIII cuando llegó Francisco Javier Matte desde Santander, España. En su alianza matrimonial tuvo 13 hijos e hijas, los cuales, desde mediados del siglo XIX, tuvieron protagonismo político, económico y filantrópico en Chile. Durante más de dos siglos esta familia ha sido reflejo de la tradición patrilineal y de la historia del país. En sus filas se han defendido las diversas tendencias políticas, en donde encontramos desde acérrimos liberales como Eduardo Matte Pérez, famoso por su frase, durante su regencia como ministro del interior en 1892: "Los dueños de Chile somos nosotros, los dueños del capital y del suelo; lo demás es masa influenciable y vendible; ella no pesa ni como opinión ni como prestigio" –Salazar (2015: 3)– hasta fundadores del partido Socialista y miembros de la Junta de Gobierno de la República Socialista, lo que sucedió con Eugenio Matte Hurtado. (Meneghello 2010). En el ámbito político, en el siglo XIX, su participación en el congreso fue significativa, de pasar a no tener ningún representante en el periodo de consolidación republicana que duró entre 1811 y 1833, pasaron a tener cinco en la siguiente etapa (1834-1891), luego cuatro (1891-1925), y dos para el último periodo (1925-1973). En el siglo XX la representación política sería cedida a los miembros de las alianzas matrimoniales, entre las que destacan los Alessandri, que pasaron de tener una representación de dos miembros en el periodo (1891-1925), a seis en el periodo (1925-1973), en donde un cuñado, Jorge Alessandri Rodríguez, del ramal que fundó la CMPC, relevó a su concuñado al mando de la industria, llegando a ser Presidente de la República en 1958, luego del fracaso en la elección presidencial de 1952 de su cuñado Arturo Matte Larraín. En el

el cual, después de los conflictos bélicos, se abría una ventana de oportunidades. Tras la obtención de su título profesional emprendió un viaje a Estados Unidos, Alemania y otros lugares de Europa para estudiar la realidad manufacturera y los procedimientos de la industria de la celulosa y de la producción de papel. Allí pudo ver el despliegue de grandes empresas papeleras como Crane and Company, que tenía el contrato de fabricación de papel moneda con el Gobierno Federal de Estados Unidos, y asistió al lanzamiento de la línea de papeles y derivados para uso doméstico e higiénico (la línea *tissue*: con su producto estrella que a partir de 1920 se llamó *kotex*) de la compañía Kimberly, Clark & Co. para el mercado estadunidense[54]. En Europa conoció los nuevos métodos de producción de celulosa de otros insumos aparte del forestal. A la vuelta al país inició una pequeña empresa de cartones (más conocida como MATTECO[55]), para luego iniciar el camino de la expansión. A pesar de que este grupo familiar en esos años se relacionaba preferentemente con el capital financiero y de los sectores políticos conservadores, el mismo tuvo una larga tradición en la promoción de la industria, con la figura

ámbito económico fueron activos emprendedores en el mundo bancario, agrícola e industrial. Para ver la trayectoria económica decimonónica, revisar el trabajo de Gabriel Salazar sobre el desarrollo empresarial y bancario en Chile durante el siglo xix (2011: 733-740). Este autor señala que el primer emprendimiento industrial en 1851 fue una sociedad con que Domingo Matte Mesías, entre otros, quería explotar las bases de una industria textil de lanas. Esta iniciativa fracasó pues los costos eran mayores a los presupuestados y el mercado interno no disponía de instituciones de crédito. Además el Estado no disponía de políticas de fomento e hizo caso omiso de las solicitudes interpuestas por la firma al gobierno. (Salazar 2011: 323 y 605). Los emprendimientos empresariales más conocidos fueron los financieros, tras la alianza con sus parientes Mac Clure, en el Banco Matte, Mac Clure y Cía. formado en 1871, que en 1875 pasó a llamarse Banco Domingo Matte & Cía. Así en la lista de las diez mayores fortunas en Chile en 1882, elaborada por Benjamín Vicuña Mackenna, ocupaban el octavo lugar (Martínez 2015: 417). En el ámbito social, sanitario y filantrópico, Domingo Matte Mesías también se destacó por haber creado el Hospital San Vicente de Paul; él y sus descendientes, Claudio y Domingo Matte Pérez, fueron financistas y miembros del directorio de la Beneficencia Pública desde sus inicios hasta el primer tercio del siglo xx. Un dato destacado fue que tuvieron un grado de parentesco por afinidad y político con el presidente Arturo Alessandri Palma (en el periodo de 1920-1925). Bajo su segunda administración, entre 1932 y 1938, la estirpe de los Matte participó activamente de la institucionalización del empresariado, en la formación de la Confederación para la Producción y el Comercio (cpc), en 1933. Los herederos de los fundadores de la cmpc se desafectaron de la gestión de la empresa por sus quehaceres artístico o editoriales y políticos pues varios miembros fueron activos militantes del partido socialista e, inclusive, un ministro en el gobierno de Salvador Allende.

54 Basbanes 2014: 103-119 y 121-132.
55 Diario *Estrategia* 1995: 30-35.

de su padre Domingo Matte Pérez que desempeñó varios cargos en la Sociedad de Fomento Fabril desde 1883 hasta 1935, cuando falleció[56].

El primer movimiento que hace Matte para la creación de la sociedad es adquirir la compañía de producción de papel La Esperanza, de Puente Alto, que pertenecía a Ebbinghaus, Hansel y Cía., por 10.000 acciones de la nueva empresa. La compañía que fusionó esos dos emprendimientos se llamó Compañía Manufacturera de Papeles y Cartones Sociedad Anónima. La estrategia de crecimiento (graficado en el Cuadro 2) fue la expansión de la faena con la sucesiva captación de capital por medio de emisión de acciones que les permitió la compra de maquinaria y la realización de obras para la producción. Los recursos financieros los obtuvo del patrimonio familiar y la contratación de créditos con diversas entidades financieras.

Cuadro 2. Capital de la CMCP, 1920-1929.

UNIDADES	Años									
	1920	1921	1922	1923	1924	1925	1926	1927	1928	1929
Capital US$D	109.090	109.090	145.455	145.455	145.455	727.273	727.273	969.967	969.967	1.212.121
Índice	100	100	133	133	133	667	667	889	889	1.111

Fuente: 11ª Memoria CMPC (1929). Conversión realizada con base en dólar de 1929 (100= 1929).

En los años siguientes a la fundación realiza una serie de emisiones de acciones para captar más recursos. Los objetivos de dichas emisiones son la adquisición de maquinaria y de otras industrias similares. En 1924 solicita permiso a la Superintendencia Compañía de Seguros, Sociedades Anónimas y de Bolsa de Comercio para generar un nuevo paquete de emisión de acciones para adquirir los activos y pasivos de la principal compañía del rubro que era la Sociedad Manufacturera de Papeles y Cartones. A la par de esa estrategia de eliminación de rivalidad y expansión productiva, en una charla que pronunció ante el consejo de la Sociedad de Fomento Fabril, el Director gerente Luis Matte Larraín estipuló los nuevos procedimientos implementados en las faenas y los planes para generar proveedores locales de insumos[57].

---

[56] SOFOFA 1935: 3. Fue el antepenúltimo hijo de Domingo Matte Mesías, y uno de los pocos que no tuvo participación en el Congreso, pero en 1900 llevaba 16 años como consejero en la SOFOFA, siendo el segundo consejero con mayor antigüedad. De Vos 1999: 99.

[57] SOFOFA 1924: 425.

Organización de la industria: consolidando una cadena de valor

Uno de los aspectos más destacados de la industria del papel fue el fortalecimiento de su cadena productiva interior. La primera etapa fue de la creación de un complejo industrial significativo que abarcó a lo menos dos grandes industrias del papel de la localidad de Puente Alto. Una zona estratégica, pues poseía acceso a recursos hidráulicos, con el principal curso de agua de la cuenca de la Provincia de Santiago –río Maipo–, y con acceso de insumos como lo era la paja de trigo y la madera. A la par de la acción anterior se generaron importantes inversiones en maquinaria, aunque lo más significativo fue cómo se desarrolló la organización de las actividades productivas primarias y de soporte de las actividades de producción de línea.

En el primer ámbito cabe destacar la inclusión de nuevos métodos de actividades en las operaciones con la introducción de la soda cáustica y el cloro en los procesos productivos de la fabricación del papel. Todo esto sumado al uso intensivo de la electricidad en los procesos de transformación de los insumos en hojas para envolver e imprimir. Además se diseñaron objetivos estratégicos a mediano plazo, como la expansión hacia otras zonas del país para lograr la producción de celulosa o la pasta mecánica.

Cuadro 3. Producción Industrial. Número de Establecimientos,
Producción de papeles y cartones (toneladas), 1927-1932.

Rubro	N° Establecimientos	Años					
		1927	1928	1929	1930	1931	1932
Papel escribir e imprenta	1	2.513	2.740	3.860	3.800	2.504	6.840
Papel de envolver	2	3.867	4.247	4.493	6.194	5.541	6.840
Cartón	11	686	3.148	325	953	1.535	2.507
Total	12	8.993	12.063	10.607	12.877	11.511	18.119

Nota: La compañía que producía papel para escribir también elaboraba cartón; lo mismo ocurre con una de las empresas que manufacturaba papel de envolver.
Fuentes: SOFOFA, Industria (1935: 45).

Las industrias de producción del papel correspondían a un total de 12 empresas (Cuadro 3), las cuales ocupaban alrededor de 1.150 obreros y 90 empleados. Según la SOFOFA, este era uno de los rubros industriales

148

con mayor auge en esos años[58], aunque la cobertura a la demanda local era todavía reducida.

Cuadro 4. Importaciones de papel y pasta (toneladas).

Años	Papel para periódicos y revistas	Otras clases de papel	Total	Pasta para fabricar papel
1927	21.241	3.973	25.214	3.149
1928	13.795	4.068	17.863	7.649
1929	17.382	11.945	29.328	7.907
1930	11.826	9.560	21.386	12.376
1931	15.837	3.655	19.492	13.532
1932	14.783	1.441	16.224	10.932

Fuente: SOFOFA 1935: 45.

La CMPC pronto incorporó una planta de producción de celulosa de maderas. Según la Sociedad Nacional de Agricultura (SNA), la misma fue una empresa pionera en la utilización de troncos locales para la producción de la pasta, en especial los de pino insigne, lo cual era una innovación pues en la discusión general que había sobre cuál era el árbol más óptimo siempre se hablaba de la araucaria y el olivillo. Esta determinación se estableció con diversos ensayos de laboratorio practicados de 1935 a 1937 a especies como las ya mencionas y otras como el álamo y el pino marítimo. En el rendimiento de kilos de papel por metro cúbico sólido, color de la pulpa, resistencia y rapidez de crecimiento, el pino insigne era el árbol más conveniente[59]. Así, la empresa instala su fábrica de celulosa de papel. Para completar esta actividad en esos años adquieren el primer fundo forestal y, además, un bosque con promesa de compra[60], con lo cual se asegura 12 años de madera. Esta política será consolidada con la compra del famoso fundo Los Pinares en la zona de Chiguayante en 1939[61].

A la par de estas innovaciones técnicas la industria genera un modelo de relaciones laborales modelo con sus trabajadores. Según lo ha reconstruido últimamente Francisca Díaz, el régimen laboral era inten-

[58]   SOFOFA 1935: 98.
[59]   SNA 1937: 589-590.
[60]   CMPC 1937: 4.
[61]   CMPC 1940: 3.

sivo en las operaciones productivas de la CMPC en Puente Alto. A través de algunos testimonios de ex operarios, Díaz rescató la experiencia de los trabajadores papeleros. En el caso del obrero José Muñoz Villagra, que ingresó en 1943 a la planta, y de otros testimonios de las trayectorias laborales, las operaciones de transformación y creación de papel estuvieron divididas en dos grandes sectores: el sector industrial, donde se generaba todo el proceso en bruto de los papeles, y el sector gráfico, en donde se confeccionaban los subproductos de papel y cartón. El primer sector se destacaba por la intensidad del trabajo maquinístico y humano, estaba dividido en secciones y contaba con la mayoría de los aparatos mecánicos, lo que daba cuenta de que en el Chile de los años 1930 y 40 ya existían instalaciones industriales con cadenas de montaje de alta complejidad y debidamente controladas, percibiéndose claros indicios de un avezado taylorismo.

El proceso inicial consistía en hacer la celulosa, que en un primer momento fue hecha de residuos de cañas de gramíneas, de preferencia trigo, con celulosa importada (Cuadro 4). Luego, para suplementar la celulosa externa, se instaló una unidad productiva de pasta mecánica (un tipo de celulosa), confeccionada con pinos insigne en Puente Alto. Esos productos se mezclaban con químicos como la soda cáustica y el cloro. Este proceso de amalgamación se hacía en "una laguna [ubicada] entre las máquinas 9 y 10, traían el pino, lo llenaban de agua y lo llevaban arriba, lo trituraban, lo pasaban al trompo y lo mezclaban con celulosa"[62], ese era el primer proceso de mezcla de los materiales.

De las distintas secciones de la parte industrial, la primera de ellas eran los trompos: en este lugar se fabricaba la pasta de papel: "era una licuadora inmensa y molía la pura pasta"[63], luego la pasta bajaba a las máquinas. El circuito de producción era de por lo menos 14 máquinas que creaban diversos productos, en cada una de ellas trabajaban de entre 3 a 10 personas en turno sucesivos de ocho horas cada uno acorde con lo dictado por la legislación laboral que regulaba las relaciones obrero-empresariales desde 1924 (véanse Figuras 2 y 3 para ejemplos de dichas maquinarias).

Los historiadores Gareth Austin y Karou Sugihara nos señalan que en el proceso de industrialización muchas veces no se ha puesto la debida atención a la labor de trabajo intensivo que los hombres y mujeres

---

[62] Entrevista Mario Vergara Cuevas, 14 de mayo de 2016, citado en Díaz 2016: 43.
[63] Entrevista Carlos Barra. 14 de mayo de 2016, citado en Díaz 2016: 44.

realizaron en la época de desarrollo industrial[64]. El rol de los sujetos fue clave como un capital de producción y un engranaje más de la actividad productiva. Esto es algo de lo cual no prescindió la CMPC en su franca expansión, puesto que las máquinas necesitaban de un numeroso contingente obrero para su buen funcionamiento. Así recordaba y explicaba el proceso el ex trabajador Héctor Rocha:

> El primer oficial es el segundo a bordo: es como un barco. La máquina tiene distintos puestos. El maquinista es el encargado del proceso en general. Parte con la preparación de la pasta, de la fibra, parte para abajo y la agarra el maquinista. Después la agarra el primer oficial que seca el papel con los cilindros secadores y así. El prensista está a cargo de la tela, de los paños, que no se vayan para el lado y así. El tercero es el que ayuda a pasar la hoja al primer oficial. Después está el bobinador, quien troza el rollo madre: sale un rollo grande de 3,40 m del ancho de la máquina, y en la bobinadora lo hacen como pide el cliente. Se hace de todo ahí, todos se ayudan… y tienen que aprender porque van escalando[65].

Fuente: Museo Histórico Nacional. Sección Fotografía Patrimonial, Archivo Zig Zag-Quimantú 1964.

---

[64]   Austin y Sugihara 2013: 1-18.
[65]   Entrevista Héctor Rocha. 3 de mayo de 2016, citado en Díaz 2016: 45.
[66]   Las maquinarias en la fábrica de Puente Alto tuvieron una vida útil extensa gracias a ciertas modificaciones. En la fotografía se aprecia la complejidad mecánica de ellas. Esta máquina, según Hermosilla (1974: 15), era la que producía papeles blancos, satinados, entre otros.

Figura 3. *Máquina N° 7, 1920-60.*

Fuente: Museo Histórico Nacional. Sección Fotografía Patrimonial, Archivo Zig Zag-Quimantú 1964.

Según su testimonio, los trabajadores (Cuadro 5) eran imprescindibles para la compañía. De su actividad ordenada y disciplinada dependían los buenos resultados obtenidos por los engranajes mecánicos incorporados crecientemente por la industria, que tuvo que realizar enormes esfuerzos para preparar en aptitudes técnicas a su personal, pues de otro modo hubiese sido inviable su modelo de negocio. Así, cobraron especial importancia sus tempranas políticas de capital humano.

Cuadro 5. Trabajadores Industriales, Forestales y Empleados, 1935-1971.

Tipo	Años			
	1935	1952-53	1962	1971
Operarios Industriales	1.296	1.500	2.655	2.515
Operarios Forestales	S/D	S/D	837	1.500
Empleados	S/D	371	S/D	1.648
Total	1.296	1.871	3.492	5.661

Fuentes: Memorias Anuales CMPC para los años respectivos, Doc. 3549 Archivo Alessandri, Acta de Junta General Ordinaria de Accionistas n° 90, 30 de septiembre de 1971.

Una de las prácticas más destacadas sobre sus trabajadores fue la generación de la idea de bienestar. Para eso en la CMPC se instaló un Departamento de Bienestar Social[67]. En palabras de Luis Matte Larraín, "el empleador tiene el deber imperioso de adelantarse a comprender las necesidades, las circunstancias, la psicología, la nueva modalidad social que abarca el mundo entero". Es por esto que "el hombre de trabajo –hay que entenderlo bien– no es ya el instrumento que mueve la máquina o es parte de ella: la nueva estructura del hombre de trabajo es ir complementando su vida con horizontes espirituales, morales o físicos que le ayuden a vivir contento", en donde "encuentre en el empleador una fuerza moral que le impulse a ser mejor y encontrar más llevadera la vida"[68]. Así, la corporación industrial involucró, de manera cabal o parcial, a los trabajadores en la mística que querían imprimir a la labor empresarial.

Una de las tareas más importantes para satisfacer las necesidades de los trabajadores fue la distribución de viviendas, con lo cual el departamento hizo frente al gran déficit de habitación. Su disponibilidad mejoraría el bienestar de los trabajadores, redundando en una mayor "eficiencia del personal y lo arraigará más a la industria"[69], aunque hay que destacar que existieron conflictos y huelgas, pero que según la memoria histórica del sindicato, no eran instancias antagónicas sino oportunidades para "negociaciones"[70].

---

[67] Videla *et al.* 2016, Venegas y Morales 2014 y Vergara 2006. Los autores antes citados han establecido la extensión del despliegue del bienestar industrial en la minería del cobre norteamericana y carbonífera chilena, demostrando que para estas políticas internas de las industrias, que aplicaban esos programas, no existía ninguna legislación compensatoria o de incentivos por parte del Estado. Por ello, fue aún más interesante la cobertura de bienestar social que promovió la CMPC al otorgar, además de vivienda, servicios de salud, deportes y alimentación, al igual que lo hizo un conjunto de grandes compañías industriales en Chile. Esto es, pocos años después de crear la unidad de bienestar, la empresa sumó otra práctica hacia los trabajadores, como fue la de dar participación en su propiedad a los trabajadores distribuyendo acciones. En 1943 el número de operarios accionistas era de 648 y de 123 empleados; para los primeros el mínimo era cuatro y el máximo fue 674 acciones, mientras que en el caso de los segundos era dos a 1.915 acciones respectivamente. En 1954 eran 230 trabajadores quienes tenían títulos, con un mínimo de dos y un máximo de 508. Los empleados de ese año que poseían documentos de propiedad de la CMPC eran 80, el menor rango de posesión era dos y el máximo 9.791 acciones. Para el año 1976, 304 trabajadores aún eran accionistas. Más que un bien económico, los documentos de dominio eran un capital simbólico que sellaba el principio de colaboración entre la gerencia y los trabajadores. Este fenómeno también se dio en Estados Unidos desde principios del siglo xx, lo mismo que el acceso a viviendas, razones por las cuales para Werner Sombart (1904), era explicable por qué no había manifestaciones de socialismo militante en ese país.

[68] *Cooperación*, Puente Alto, 1 enero de 1933, 3.

[69] CMPC 1933: 4.

[70] Sindicato N° 1, 2007: 67-69.

La primera etapa de la CMPC culmina con el fallecimiento de Luis Matte Larraín. En la memoria anual de 1937 el directorio se refería a los accionistas de la siguiente manera: "lo que la compañía representa hoy por hoy, desde su creación, cuando pequeña y modesta se fundó, a principios de 1920, lo debemos a su inteligencia y a su espíritu de trabajo y de empresa"[71]. En ese año, 1937, la empresa había logrado el segundo lugar en capital y reserva de las 14 sociedades anónimas industriales (más relevantes del país), obtuvo el tercer lugar en generación de utilidades y el cuarto en ocupación de personal[72]. Además, en esos años se convirtió en un modelo económico con agencia social para estimular prácticas y trabajar su marca[73].

Fomento estatal

En el ámbito global y nacional se comienza a dar discusiones que conformaron vectores de desarrollo de las industrias forestales. Por un lado, en el entorno local de Chile, como lo destaca Bucheli, existió un conjunto de empresarios jóvenes egresados de carreras de ingeniería que tenían estrechos lazos con los grupos económicos y veían el proceso de industrialización como una vía de desarrollo nacional, que se manifestó en creaciones específicas, como sucedió con la Compañía de Petróleos de Chile (COPEC). A pesar de lo que se pueda creer, existió una estrecha relación entre la élite económica y el gobierno de izquierda del Frente Popular en 1938. Ello se manifestaría en la creación de la Corporación de Fomento a la Producción (CORFO), y a partir de ahí las decisiones de la política económica se desarrollaron en reuniones a puerta cerrada, y no

---

[71] CMPC 1937: 3.
[72] Jaramillo 1937: 359.
[73] Lipartito y Sicilia 2007: 1-9 y Carroll *et al.* 2012 nos hablan sobre cómo las corporaciones sobrepasan los modelos económicos explicativos y que en la mayoría de las ocasiones se vuelven instituciones sociales, que, en interdependencia con agentes del Estado y otras formas de organización social, influyen en el orden social y buscan legitimidad. La CMPC calza en alguna medida con estas aproximaciones y podemos entender cómo busca generar un tipo de relaciones sociales a través de su Departamento de Bienestar que le entregue legitimidad social. En igual sentido se pueden entender otras materias de interés para la empresa: la CMPC en 1940 ayuda a la organización y publicación de la primera asamblea forestal organizada por la sociedad de amigos del árbol y con sus donaciones –SOAMAR: 1940– en los años 1950 contribuyó a los inicios de la *Revista Historia Natural de Chile* editada por el Museo de Historia Natural y la Sociedad Biológica de Chile. Bahamonde 1984: 18.

en el Congreso, de las cuales participó la élite industrial y empresarial con un rol protagónico[74].

También, como destacó Elchibegoff, en el *Journal of Forestry*, a pesar de tener un gobierno semisocialista, aunque de carácter colaborativo, Chile ofrecía un sector forestal y una industria de la madera significativa, la cual jugaría un rol clave en el proceso de industrialización que se estaba iniciando[75]. A juicio del miembro de la sociedad silvícola norteamericana, en Estados Unidos una serie de personas estaba viendo la posibilidad de instalar en Chile y en Brasil una industria de producción de pulpa de madera. Chile ofrecía condiciones institucionales, económicas y naturales excepcionales, pues el desarrollo de la producción nunca rivalizaría con el norteamericano, lo que permitía el objetivo político de eliminar la dependencia de la pulpa escandinava y la proveniente de los países totalitarios europeos. Además, con las inversiones se generaría un poder de compra y una dependencia comercial mutua[76], siendo base la infantil industria del papel y la pulpa con "posibilidades ilimitadas" en el caso chileno[77].

Así se entiende que tanto el gobierno norteamericano como la CORFO generaran una relación de cooperación para el desarrollo de la industria del papel y forestal en Chile. Uno de los hallazgos es la existencia de una industria similar a la que querían desarrollar. Esta era la CMPC, que para el periodo de 1939 a 1944, según la comisión norteamericana, había logrado una capacidad productiva de 37.500 toneladas de papel, cifra compuesta por 15.000 toneladas de papel de diario, papel para escribir e imprimir en 10.800 toneladas, de envolver y cartón en 11.300. La compañía ya tenía una cobertura del 95% de la demanda del mercado local[78]. Este panorama podía crecer aún más debido a los costos menores que iba a implicar la producción de bosques de pino insigne que iban a dar frutos en los próximos años, sobre todo en los casos en donde la misma empresa operara como la propietaria y administradora de los predios, obteniendo la materia esencial para su pulpa de madera (celulosa)[79].

---

[74]   Bucheli 2010: 368-372.
[75]   Elchibegoff 1941: 357.
[76]   Elchibegoff 1941: 361.
[77]   Elchibegoff 1941: 361.
[78]   U.S Forest Service & CORFO 1946: 125.
[79]   U.S Forest Service & CORFO 1946: 126. Otro ejemplo de expansión del sector forestal por medio de políticas estatales, eso sí con un gobierno autoritario militar y con base en eucalipto, fue el Portugal del *Estado Novo* entre los años 1930 y 1974. Blanco 2010: 69-99.

La regulación y estímulo del Estado en las actividades económicas van orientados a generar reglas del juego, instituciones y fomentos en actividades para que se conviertan en productivas. El mundo forestal en Chile durante esos años, que van desde finales del siglo xix a principios del xx, era desconocido. Había noticias del potencial y explotación de maderas en la parte inicial del extremo sur, en las zonas de Valdivia, Chiloé insular y continental, así como en la zona centro-sur, donde ya existían explotaciones productivas de árboles nativos, endémicos y exóticos. Sin embargo no existían estudios o agencias estatales que resguardaran la perdurabilidad del patrimonio o la gestión de la producción.

Esto cambió a inicios del siglo xx con la figura del científico alemán Federico Albert y sus discípulos chilenos. Albert se dedicó a hacer un balance de las especies chilenas y exóticas. Él recorrió de norte a sur el país haciendo estudios de las maderas más apropiadas para la producción de madera y papel y para mantener a coto la erosión y desertificación. Para el caso del fomento de la explotación industrial se interesó en los árboles locales como el olivillo y las araucarias.

Entre sus estudios dio cuenta de la actividad forestal introducida, relacionada con experiencias previas de viveros, dentro de los que destacaban las iniciativas de Vicente Izquierdo y Benjamín Matte, en la última década del siglo xix, las cuales habían introducido especies foráneas de pinos, eucaliptos y otros árboles. En torno a Matte, Albert destaca su emprendimiento en el fundo Estación Los Guindos[80], porque había constituido un verdadero bosque artificial, siendo "una demostración práctica de lo que podemos esperar del futuro de las plantaciones de bosques"[81]. En efecto, tenía 500.000 árboles en dicho predio y se daba con especial productividad el pino insigne, que en veinte años de crecimiento tenía más de 39 metros de altura con un diámetro cercano a un metro[82]. Este árbol, ya en ese año, era destacado por su productividad en la elaboración de celulosa, por poseer un mayor potencial que los árboles locales[83]. Acá sucedió lo que Lipartito propone, que el medio ambiente y sus condiciones presentan una "danza de agencia" entre los elementos natura-

[80] La propiedad rural figuraba en las posesiones de la familia Matte desde 1854 a nombre de Domingo Matte Mesías (Anónimo 1855: 6), que sería en una porción explotada por su hijo Benjamín Matte Pérez.

[81] Albert 1903: 29.

[82] Albert 1903: 62.

[83] Albert 1909: 29.

les y humanos que tiene resultados inesperados en el mundo material[84]. En nuestro caso, el hecho fue que al final las especies nativas no tuvieron el perfil más apto económicamente hablando para la producción de la pulpa y papel.

A pesar de eso, no había un mercado forestal. Lo que sí existió era un desconocimiento nacional del valor de la actividad. Un ejemplo es el que mencionó Ernesto Maldonado, sucesor de Albert en la Dirección General de Tierras y Bosques:

> En Chile, en general, no se hacen transacciones tomando como base el valor de la madera que contiene la montaña. Los suelos ocupados por bosques se venden tomando en cuenta el valor del terreno y las transacciones no reflejan, por lo tanto, el precio de la madera[85].

Esto se debía a que el interés agrícola de las zonas al sur de Chile, y en específico de la provincia de Concepción, no era apto para la agricultura por los costos de limpieza. Los organismos del Estado difundieron las bondades de la producción forestal artificial y la importancia de salvaguardar las especies silvestres y endémicas. Por eso, a partir de 1925 y 1931 se dictaron las primeras normativas que regulaban la explotación de los bosques e incentivaban la plantación con la exención de impuestos a las tierras que fueran cultivadas con boscaje sobre todo en tierras poco productivas en el aspecto agrícola.

En los años que la industria local del papel se mantenía en un estado incipiente los impuestos a la introducción fueron medios, altos y estables. La primera regalía proteccionista que recibió la CMPC fue en el año 1927, cuando por medio de una visita del Vicepresidente de la República y el ministro de fomento se estipuló un pago que afectaba a los papeles de escribir y para impresiones finas por 45 centavos por kilo importado. Con esto el directorio quería lograr "cimentar que de forma definitiva esta industria pueda llegar a abastecer totalmente de materias primas nacionales y producir todo lo que el mercado consume en el ramo de papeles"[86].

Recién en la década de los años 1940 hubo otra modificación hacia la baja de los aranceles. Además se realizaron una serie de cambios específicos a la internación de papel. La CMPC procuró generar una ley res-

---

[84]   Lipartito 2016: 121.
[85]   Maldonado 1925: 74.
[86]   CMPC 1927: 3.

trictiva en el ámbito de las condiciones del formato de entrada del papel más que en una carga arancelaria. Eso se manifestó en la ley 7.321 del 4 de noviembre de 1942, que normó las condiciones del papel para impresiones de libro y publicaciones. Esta ley surgió por el reclamo de las editoriales locales que criticaban que los libros del extranjero no pagaban ningún derecho, en cambio el papel para la producción de los libros dentro de Chile estaba afecto a tasas de impuesto especiales[87]. El Estado convocó a todos los actores: a la CMPC, a miembros de instituciones estatales y representantes de las editoriales. La solicitud de las editoriales era que el impuesto bajara hasta homologarlo a los precios del papel para periódicos y revistas. Las industrias papeleras, representadas por la compañía manufacturera, solicitaron las mismas franquicias para la celulosa importada que aún se necesitaba para la producción de papel. La única salvaguarda que tomaron las industrias es que se colocaron requerimientos técnicos, como por ejemplo pesos y sellos de aguas. Así quedó manifestado en la lectura del informe por la comisión de hacienda del Congreso Nacional.

En la sesión principal se invitó al presidente de la CMPC Jorge Alessandri, quien opinó que: "el proyecto enviado al Congreso es el resultado de un acuerdo a que han llegado las empresas editoras, la industria del papel y la Superintendencia de Aduanas"[88]. Los requisitos técnicos, entre otros, eran que por metro cuadrado el folio de papel debía pesar 165 gramos, que estuviera libre de encolado animal, elaborado con un 30% de pasta mecánica, que la tinta lo calara al imprimirlo y por último una marca de agua compuesta por dos líneas paralelas con una distancia, entre ellas, de cuatro centímetros que consignara la palabra *LIBRE*[89]. Adicionalmente, la ley disponía que todo el remanente de los papeles utilizados debía ser derivado a las industrias papeleras para su reutilización en la fabricación de productos derivados del cartón. Esto produjo, en 1946, la protesta de la embajada de Estados Unidos y Canadá pues no tenían la capacidad técnica, o mejor dicho, a pesar de interesarles el mercado nacional, veían difícil la implementación de la tecnología para colocar el sello de agua solicitado en la ley e ideado por la CMPC[90]. En el aspecto de arancel el fomento estatal no fue tan restrictivo como se pue-

---

[87] Cámara de Diputados, Legislatura Extraordinaria, Sesión n° 25, 18 de noviembre de 1941, 1033-1038.

[88] Cámara de Diputados, Legislatura Extraordinaria, Sesión n° 33, 22 de diciembre de 1941, 1611.

[89] *Diario Oficial*, Santiago, 4 de noviembre de 1942. N° 19.400, 1-2.

[90] SOFOFA 1946: 395-396.

de pensar. Las estipulaciones de marcos arancelarios tienen datos claves desde principios del siglo xx.

Cuadro 6. Arancel Sectorial, Porcentaje de derecho sobre importación, 1917-1959.

Ítem	1917	1925	1937	1947	1952	1959
Papeles y cartones	20,99	19,52	27,05	9,75	8,60	21,83

Fuente: Díaz y Wagner 2004: 154.

Aunque sea paradojal, el Estado, mediante la CORFO, se apoyó en la experiencia norteamericana para evaluar y potenciar la industria forestal y sus derivados. Para eso logró un acuerdo para concretar el estudio por medio de la ya mencionada comisión de US Forest Service y el organismo público-privado chileno. La conclusión fue que los costos de producción no eran tan bajos como lo que se creía ya que estaban cercanos a los de Estados Unidos. Solo en el ítem de la mano de obra los costos estaban muy por debajo de los que obtenían como jornales de los trabajadores estadoudinenses. La recomendación de la misión forestal norteamericana a la solución del problema de los costos de producción fue implementar "una agresiva y competente administración". En el plano material, esto consistía en que las empresas operadoras cultivaran sus propios bosques y produjeran sus insumos químicos y energéticos, pues el fomento silvícola a la larga bajaría los costos[91]. El historiador Pablo Camus señala que para el mismo periodo la CORFO propuso créditos a medianos y pequeños propietarios para la reforestación de algunos predios agrícolas con potencial forestal[92].

Luego de esto habrá otras regalías impositivas, como por ejemplo a mediados de la década de los años 1960, con la ley 16.528 que estimulaba las exportaciones de manufacturas: "los productos que se exporten podrán quedar exentos de los impuestos, contribuciones, gravámenes o derechos que inciden en sus costos y precios igualmente"[93]. El instrumento de la política pública también aplicaba exención de costos para la energía eléctrica, los combustibles y aceites lubricantes empleados en su producción, inclusive para el transporte hasta el puerto de embarque. También se podía optar a la reducción de costos de los pagos de impues-

[91] U.S Forest Service & CORFO 1944: 126.
[92] Camus 2014: 263-264 y Camus 2006: 231-236.
[93] Artículo 1, Ley 15.528 del 8 de agosto de 1966.

159

tos para obtener las materias primas del proceso. Para la misma fecha en la Cámara de Diputados también se discutía la creación de una ley forestal que nuevamente, al igual que el decreto supremo de 1935, daba garantías impositivas y fiscales a los productores y generaría una nueva institucionalidad de fomento forestal[94].

Expansión vertical y nuevos actores

La producción de papel se mantuvo de forma constante, pero con ciertas fluctuaciones, como puede verse en los Cuadros 7-9. Al observar los niveles de consumo aparente de papel en Chile en los cuadros siguientes se pueden percibir los niveles de aporte y el peso de la CMPC dentro del total nacional[95].

Cuadro 7. Chile: Producción, Importaciones y Consumo Aparente de Papeles y Cartones (en miles de toneladas).

ACTIVIDAD	Años							
	1948	1949	1950	1951	1952	1953	1954	1955
Producción	37.000	36.100	33.900	36.000	45.000	41.949	39.633	41.319
Importación	631	762	1014	602	460	438	538	1.000
Consumo	37.631	36.862	34.914	36.602	45.460	42.387	40.171	42.319

Fuente: Elaboración propia con base en CEPAL 1957: 90.

Cuadro 8. Chile: Producción, Importaciones y Consumo Aparente de Papel de Diario (toneladas métricas).

ACTIVIDAD	Años							
	1948	1949	1950	1951	1952	1953	1954	1955
Producción	6.000	8.000	11.000	11.000	12.000	9.000	12.000	11.000
Importación	15.000	14.000	19.000	13.000	10.000	11.000	10.000	14.000
Consumo	21.000	22.000	30.000	24.000	22.000	20.000	22.000	25.000

Fuente: Elaboración propia con base en CEPAL 1957: 90.

[94] Cámara de Diputados, Legislatura Ordinaria, Sesión n° 4, 8 de junio de 1966, 444-482.
[95] Se define como la disposición de un bien en un lugar determinado en donde se suma la producción interna, las importaciones y se descuenta la exportación para así determinar la capacidad consuntiva de un país.

Cuadro 9. Índice de aumento de producción y Producción de Papel de Diario CMPC.

ACTIVIDAD	Años							
	1948	1949	1950	1951	1952	1953	1954	1955
Indicador	100	137	167	169	143	165	174	179
Toneladas	6.662	9.157	11.096	11.244	9.523	11.003	11.573	11.285

Fuente: Elaboración con base en las memorias anuales de la CMPC de los años 1949 a 1956.

La revista *Panorama Económico* en 1951 anunciaba que "afortunadamente el problema de la escasez de papel de diario y de la celulosa está en vías de ser solucionado al corto plazo"[96], pues la CMPC había firmado un convenio con la CORFO para instalar una fábrica de papel de periódico y de celulosa en el sur del país. La actividad de la fabricación del papel y la celulosa (pulpa mecánica) provocó un estímulo en la industria forestal que se cristalizó con el acuerdo entre la empresa y la agencia de promoción estatal. Una de las zonas fue San Pedro, en los alrededores de la ciudad de Concepción[97]. La elección de su localización respondió a la estrategia de beneficios económicos pues ofrecía una baja de costos de transportes ya que los fundos forestales que la empresa incorporó a partir de 1937 estaban cerca de la planta. Además, la fábrica estaba cercana a una gran ciudad con infraestructura adecuada y acceso a uno de los principales ríos del país. El interés de las personas y otros agentes de la zona fue alto debido a los futuros frutos económicos, como a las declaraciones de la empresa de comprar madera en la zona.

En efecto, surgieron diversas sociedades que empezaron a generar plantaciones forestales. La Sociedad Amigos del Árbol (SOAMAR) no se pudo sustraer del interés, pues uno de sus anhelos era que la "forestación no es solo conveniente para los intereses generales del país, sino que constituye un negocio de primera magnitud"[98]. Según esta asociación, la forestación comercial no era una inversión riesgosa ni tampoco una experimentación, solo se necesitaba de paciencia y de aplicar un plan científico de desarrollo.

En efecto, surgieron, también, otras empresas similares. Un caso fue la Sociedad Anónima de Explotaciones Forestales y Agrícolas (SAEFA). En su memoria de 1953, expresa la especulación, basada en la opinión

---

[96] *Panorama Económico* 1951: 355.
[97] *El Sur,* Concepción, 12 de diciembre de 1942, 7, y 18 de diciembre de 1942.
[98] SOAMA 1943: 3.

de los expertos técnicos provenientes de Escandinavia, Norteamérica y de otras latitudes en ese año: "las industrias de celulosa y papel están destinados a proporcionar al país, en un futuro no lejano, mayores entradas que las provenientes del salitre y el cobre"[99]. La sociedad se había creado en 1944 y tenía su faena productiva cercana a la localidad de Carampangue. A lo largo de ocho años habían plantado 7.015.242 millones de árboles, cuyas edades oscilaban entre ocho y un año de antigüedad.

Pese al interés en actores empresariales situados en las regiones del centro-sur del país, la CMPC no fue el consumidor de materias primas que se esperaba, debido a su capacidad de autoabastecimiento, pues a partir de finales de los años 1930 adquirió predios forestales y bosques en distintas localidades de la zona. La razón principal era que, cuando estaba construyendo la fábrica de Laja:

> la compañía prácticamente, no posee plantaciones propias, lo cual es desventajoso para el más fácil abastecimiento de la planta, y para evitar posibles colusiones de los productores en materia de suministro y de precios es conveniente que la planta de celulosa posea cierta extensión de bosques de su propiedad[100].

Lo anterior era desconocido por los productores y el Estado, que siguieron fomentando la producción forestal mediante la expansión de bosques artificiales. En el ámbito local se observaba a la actividad forestal y a la industria manufacturera y química derivada como una potencial forma de desarrollo. Esta percepción también se producía en el ámbito internacional, sobre todo entre los organismos globales como la Organización de la Agricultura y Alimentación (FAO), que veía a la silvicultura como una forma para alcanzar el progreso. Otro tanto sostuvo la Comisión Económica para América Latina y el Caribe (CEPAL). Esta última, en 1949 firmó un acuerdo que creaba la oficina de asuntos forestales cuando estaba en plena formación institucional.

La situación que se reflejaba de los informes que emanaron de dichas instituciones es que en Chile existía un número de productores forestales significativo. En el afán de búsqueda de representación y constitución de grupo de presión, en 1952 se crea la *Corporación Chilena de la Madera* (CORMA), tratando de constituirse en un agente de influencia que velase por

---

[99] SAEFA 1953: 4.
[100] Carta Anónima, CMPC al Superintendente de Compañías de Seguros, Sociedades Anónimas y Bolsa de Comercio, 30 de noviembre de 1956, 1.

los intereses de los productores medianos. Así, logró agrupar a un conjunto considerable de productores que comenzaron a solicitar políticas de infraestructura, de exenciones impositivas y otras políticas públicas que tuvieran un efecto de bajar los costos de producción.

En ese contexto se recomendó que Chile debía aumentar su base de rendimiento productivo de papel y celulosa. La CMPC sería la encargada de generar esa expansión por medio de la creación de nuevas plantas productoras. Para esto CORFO ofició como intermediario de un préstamo internacional con el Banco Interamericano del Desarrollo. Las negociaciones partieron en 1951, en donde la empresa requería de 7.000.000 de dólares, que se finiquitaron en 1955 con un préstamo por 20.000.0000 de la divisa norteamericana. La CEPAL realizó estudios sobre las condiciones de los países latinoamericanos destacando a Chile como un caso positivo, ya que en "contraste con la mayoría de los países latinos americanos", el país había podido determinar con precisión el potencial de sus recursos forestales sobre todo en las áreas geográficas de interés como Concepción y Valdivia gracias a los esfuerzos de CORFO entre 1944 y 1952[101].

La CMPC acentuó su política de compra de fundos forestales, pues había trazado su expansión productiva con la creación de nuevas plantas de producción de papel de diario y celulosa en la región del Biobío. Así, adquirió en abril de 1956 la Sociedad Forestal Mininco S.A., que explotaba un fundo del mismo nombre de una extensión de 2.974 hectáreas, de las cuales un 73% estaba cultivado de árboles de 9 años, de preferencia ejemplares de Pino Insigne[102]. Dentro de los 44 accionistas, mayoritariamente personas naturales de la colonia alemana chilena, se destacaba la compañía industrial Fábrica de Paños Bellavista-Tomé, que poseía un 44,3% de la propiedad de 660.000 acciones que componían a la empresa forestal[103]. En un estudio de 1954 el promedio de árboles de pino insigne

[101] CEPAL 1954: 62.
[102] CMPC 1957: 5. Al momento de la compra, según el informe, ese fundo disponía de tierras agrícolas y un conjunto de doce casas de inquilinos que realizaban la función de guardabosques, además de realizar tareas de cuidar el ganado para la explotación de la actividad maderera y contar con una extensión agrícola para la producción de sustento y excedente para la venta. Según Figueroa, la actividad forestal duraba 150 días y era realizada especialmente por inquilinos o medieros en la zona centro-sur de Chile. Recibían 50 pesos diarios. Conforme la fecha del año, realizaban el volteo (tala para derribar árboles), trozadura (división del árbol cortado), maderero (arrastre de los trozos al aserradero) y, finalmente, la aserradura, en este último paso existía la forma industrial o manual (1948: 25-33).
[103] Carta de Jorge Alessandri a Superintendencia de Compañías de Seguros, Sociedades Anónimas y Bolsa de Comercio, 3 de mayo de 1957. Anexo.

por hectárea fue estimado en 2.500 unidades, con un costo promedio de producción de $14.000 CLP, que equivalía a 54 USD, por hectárea[104]. Dos años más tarde, el 84,3% de las tierras forestadas con pino insigne, que correspondía a 146.254 hectáreas, se encontraba en manos privadas[105].

A la par, la CMPC generó una emisión de acciones para conseguir aún más capital para la realización de sus operaciones. Era un momento clave, pues ingresan nuevos integrantes de la familia del fundador Luis Matte Larraín, con el ingreso de su primo Eliodoro Matte Ossa[106], vinculado directamente con la Bolsa de Comercio de Santiago, donde comenzó a invertir mediante la compra de acciones en empresas industriales como la Sociedad Fábrica de Cemento el Melón asumiendo como director en 1957, y en los años venideros en otras compañías, como Industria El Volcán. Otra inserción significativa fue la de Ernesto Ayala Oliva, proveniente de la industrial metalúrgica y de línea blanca. Ambos fueron el relevo generacional de la plana directiva de la papelera pues el directivo principal, Jorge Alessandri, comienza su actividad gremial y política que lo convertirá en Presidente de la República de Chile en el periodo de 1958 a 1964. Lo anterior le permitió consolidar sus intereses en el nuevo proyecto del puerto de Lirquén y en las dos centrales hidroeléctricas que disponía desde hace décadas.

En esos años la CEPAL publicó un estudio pormenorizado de las ventajas de la industria chilena del papel y la celulosa, que tuvo una versión en inglés en 1956 y en castellano al siguiente año. El reporte tuvo una recepción favorable pues las empresas estadounidenses estaban abiertas a invertir en otras repúblicas del continente[107]. En el ámbito local se veía

---

[104] CEPAL 1955: 251. Los costos abarcaban valor de la tierra, mano de obra, preparación de terrenos, generación de almácigos, plantación, replantación, cierres, mantenimiento y raleo.

[105] CEPAL 1957: 109.

[106] En las listas de accionistas de la CMPC consultadas desde 1943 hasta 1966, recién entra esa rama de la familia cuyo patriarca era Eliodoro Matte Gormaz, hijo de Eduardo Matte Pérez, quien obtuvo propiedad e injerencia en la empresa a mediados de esa década de 1950. Esto es importante ya que permitió la llegada de Eliodoro Matte Larraín, que entró a la empresa cuando su padre se retiró momentáneamente del directorio y, también, asumió un cargo en el área de gestión de recursos humanos a partir de 1968. Hay que mencionar que esta familia Matte Ossa tenía un rol importante de inversor en acciones, tanto como familia, pero también como parte de la Compañía Industrial y Comercial Pacífico Sur S.A (CICPASA), que actuaba en lo que se entendía en el país como Holding companies –IIC (1928: 291-292)–, de la cual fue parte del directorio y presidente Eliodoro Matte Ossa, y que en los años 1960 tenía importantes carteras de acciones en empresas como la Compañía de Aceros del Pacifico, Cervecerías Unidas, Empresas Cemento Melón, Cía. Refinería de Azúcar de Viña del Mar, COPEC, CMPC, Banco de Chile, entre otros emprendimientos del ámbito de la construcción, seguros y agricultura (1963: 5).

[107] Bryer 1956: 22-23.

el mismo entusiamo, así grupos de presión y el Estado chileno crearon la empresa Industrias Forestales S.A. (INFORSA). En su primera memoria sostenía que eran "la Empresa que ha alcanzado la mayor colocación de capital en Chile por el sistema directo de venta de acciones"[108]. El diagnóstico de la empresa era que, por el estado de desarrollo de las plantaciones, la industria de producción del papel podía fácilmente funcionar con raleos[109].

Esta situación abrió el camino para potenciar otras de las industrias derivadas de la producción forestal. La CMPC y la INFORSA incursionaron en la generación de una nueva empresa productora, relacionada con el rubro aserradero. La nueva sociedad se denominó Aserraderos San Pedro S.A. (véase Cuadro 10, para datos de producción), teniendo por objetivo "la explotación de maderas en todas las formas y procedimientos que la técnica maderera haga económicamente posible"[110] (véase Figura 4 para varios de estos procesos).

Cuadro 10. Aserradero San Pedro S.A., producción y venta, 1962-1970 (metros cúbicos)[111].

Año	1962	1963	1964	1965	1966	1967	1968	1969	1970	TOTAL
Producción	20.155	37.814	47.283	46.675	49.211	34.303	47.995	47.306	51.361	382.104
Venta	9.771	43.835	34.618	49.198	36.589	40.113	55.063	52.617	47.042	368.847

Fuente: Instituto Forestal 1971: 141[112].

Al realizar el mapeo de la industria papelera se observa una gran estabilidad en el número de actores y un desarrollo de las capacidades de la CMPC a gran escala, puesto que en los años cincuenta y sesenta la empresa comenzó a integrar de modo definitivo distintos rubros asociados a la elaboración de papel, un encadenamiento que la llevó a emplearse

---

[108] INFORSA 1957: 2.
[109] Práctica de la silvicultura que se encarga de cortar el exceso de follaje y ramas de los árboles, también de remover los árboles enfermos o de mala calidad para la actividad aserradera.
[110] *Diario Oficial*, Santiago, 7 de julio de 1962, n° 25.286, 1383-1384.
[111] En la industria forestal la productividad se mide por unidades relacionadas con las medidas tridimensionales más que con el peso. Esto se debe a que la madera, según su entorno, capta o desprende humedad por lo cual su peso varía. Es por esto que las medidas de producción son por volumen, ya sea metro cúbico (1 m. x 1 m. x. 1m), metros rumas (1 m. x 1 m. x 2.44 m.), pulgada maderera (1 pulg. x 10 pulg. x 10.5 pies.) y pinera (1 pulg x 10 pulg x 12 pies.).
[112] Las cifras fueron obtenidas por las memorias de la empresa expresadas en pulgadas pineras. Para convertir las pulgadas madereras en metros cúbicos se multiplica por 0,0236 según la fórmula hallada en *Panorama Económico* 8, 1947: 14.

en distintas localidades del país (véase Figura 5 sobre área geográfica de operaciones de la CMPC y Figura 6 sobre encadenamientos productivos de esta firma).

Figura 4. *Aprovechamiento de la madera de pino insigne.*

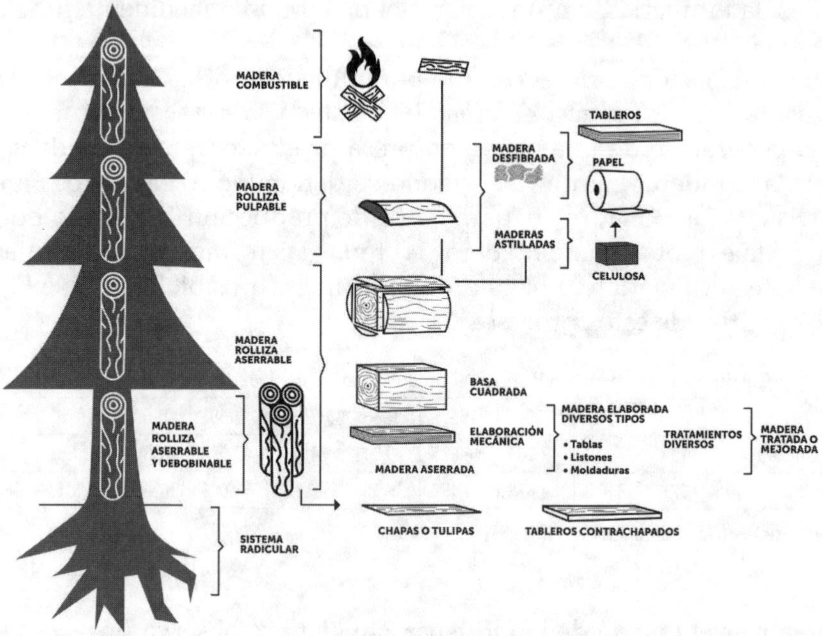

Fuente: INFOR 2005, con base en usos históricos del árbol.

Figura 5. *Geografía industrial papelera* CMPC 1920-1971.

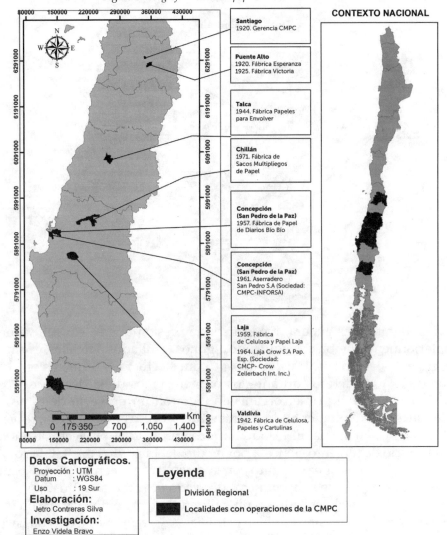

Figura 6. *Diagrama de encadenamiento productivo,* CMPC, 1959.

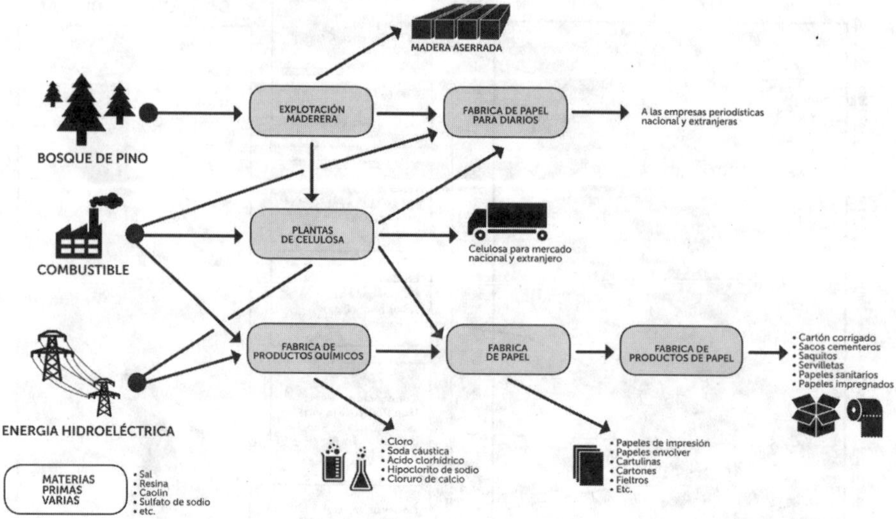

MADERA ASERRADA

BOSQUE DE PINO

EXPLOTACIÓN MADERERA

FABRICA DE PAPEL PARA DIARIOS

A las empresas periodísticas nacional y extranjeras

COMBUSTIBLE

PLANTAS DE CELULOSA

Celulosa para mercado nacional y extranjero

ENERGIA HIDROELÉCTRICA

FABRICA DE PRODUCTOS QUÍMICOS

FABRICA DE PAPEL

FABRICA DE PRODUCTOS DE PAPEL

• Cartón corrigado
• Sacos cementeros
• Saquitos
• Servilletas
• Papeles sanitarios
• Papeles impregnados

MATERIAS PRIMAS VARIAS
• Sal
• Resina
• Caolin
• Sulfato de sodio
• etc.

• Cloro
• Soda cáustica
• Acido clorhidrico
• Hipoclorito de sodio
• Cloruro de calcio

• Papeles de impresión
• Papeles envolver
• Cartulinas
• Cartones
• Fieltros
• Etc.

Fuente: CMPC 1959: 6.

En el ámbito más general los grupos de presión que se constituyeron anteriormente fueron consiguiendo algunos resultados parciales. CORMA logró el apoyo de la FAO y de la CEPAL para efectuar los primeros censos forestales y madereros durante los primeros años de la década de los años 1960. Con el primer organismo lograron un proyecto de estudio científico del rendimiento de especies, de procesos químicos y propiedades de las maderas. El Estado dará continuidad al proyecto creando un servicio de fomento silvícola por medio del Instituto Forestal (INFOR), que tuvo que relacionarse tanto con la CMPC[113] como con la CORMA para buscar la creación de subproductos derivado del proceso industrial.

La CMPC no solo constituyó un emprendimiento empresarial con industrias nacionales, sino también extranjeras, ya que en esta década hace el primer acuerdo industrial con agentes foráneos. El 15 de junio de 1964 en partes iguales comienza una iniciativa con la empresa estadunidense Crow Zellerbach International Inc.[114]. Este fue el caso de Laja Crow S.A.

---

[113] Un ejemplo fue ver los rendimientos del pino insigne en la producción de tall oil y trementina que tienen usos en la industria de alimentos sintéticos, cosmética y de combustibles. Estudios como estos tuvieron que recurrir a diversos actores como la CMPC (Pistono *et al.* 1973: 2-4).

[114] *Diario Oficial*, N° 25.879. Santiago, 2 de julio de 1964.

Papeles Especiales (mejor conocida como LACROSA), una industria dedicada a la producción de papeles tipo cartulinas, marcando un hito para la producción industrial forestal y del papel, pues la misma marca es la primera inversión directa de una empresa extranjera en ese rubro en Chile. Seguido a su instauración, la CMPC logró el contrato para fabricar un tipo de papel especial para la empresa estadounidense International Business Machines Corp. (IBM), diseñado para computadores y máquinas de contabilidad automática. Con ello creó valor agregado a su producción, asumiendo un rol principal en la distribución de este insumo computacional para América Latina y el Caribe[115] (Cuadro 11).

Cuadro 11. Exportación de la CMPC para Cartulina IBM.

PERIODO	TONELADAS	US$
1965/1966	4.532	719.936
1966/1967	9.320	3.190.026
1967/1968	9.396	3.174.309
1968/1969	11.213	3.711.561
1969/1970	15.239	5.133.347
1970/1971	18.732	6.369.614
Totales	68.432	6.569.614

Fuente: INFOR 1971:137. Basado en información proporcionada por la CMPC.

Conflictos internos y externos

La CMPC a partir de 1958, comenzó a producir los primeros remanentes de productos de papel y celulosa para la exportación. La CEPAL seguía de cerca la producción de la industria latinoamericana, y en especial la chilena. Al entrar la década de los años 1960 la industria ya se encontraba fortalecida, como bien muestra el Cuadro 12.

Cuadro 12. Evolución de la Producción de Papeles y Cartones, 1949-1950 y 1962-1963 (miles de toneladas).

PRODUCTOS	PERIODOS ANUALES	
	1949-1950	1962-1963
Papel Periódico	10	57
Papeles y Cartones	45	131
Consumo	55	188

Fuente: CEPAL, 1965.

[115] CMPC 1965: 13-14.

La producción de papel periódico había crecido cinco veces con respecto al año de 1949-1950. Esto se debía a que en 1958 y 1959 se habían inaugurado las plantas de producción de celulosa de Laja y la de papel periódico en San Pedro de la Paz, en Concepción. Ambas entidades productivas estaban instaladas en la ribera del río Biobío. Para los años 1960 el potencial de la CMPC y de Chile, con otras empresas como INFORSA, había superado la capacidad del mercado interno orientándose a plazas exteriores. Con esta finalidad, buscaron apoyo tanto las organizaciones empresariales como de fomento productivo estatal, en especial CORFO.

Al despuntar la década de los años 1960 el país ya había logrado disminuir su dependencia de los insumos del extranjero y se había convertido en un exportador neto. Así, la industria del papel y la celulosa consagraron su anhelo económico tan esperado, el de convertirse en una industria con vocación del mercado internacional de productos intermedios, teniendo el efecto de traer divisas internacionales y equiparar la balanza de intercambio respecto a su dependencia internacional. Así, Chile, gracias a productores como la CMPC, exportó 30.000 toneladas en 1963, y se volvió "un caso excepcional para América Latina"[116]. El Cuadro 13 da buena cuenta de este fenómeno.

Cuadro 13. Actores y capacidad de producción anual, 1958-1965 (toneladas).

	Razón Social	Capacidad Productiva anual				
		Papel de Diario	Imprenta y Escribir	Otros y Cartones	Celulosa Mecánica	Celulosa Química
1	CMPC, Puente Alto.		40.000	3.000		
2	CMPC-Papel de Diario y Celulosa Biobío.	40.000			15.000	
3	CMPC- Celulosa Laja.		20.000			220.000
4	INFORSA, Nacimiento.	70.000			60.000	
5	Sociedad Fábrica de Papel y Cartón de Schorr y Concha, Talca.			3.000		
6	Soc. Leandro Pons, Viña del Mar.			3.000		
7	FANAPEL, Santiago[117].			2.000		
8	Elizondo y Cia., Puente Alto.			800		
9	Barnat y Taush Ltda., Santiago.			1.000		
10	Industria Cartonera Cóndor. Santiago.			500		
11	Fábrica de Cartón Bellavista, Santiago.			600		
Total		110.000	60.000	13.900	75.000	220.000

Fuente: Elaborado con base en memorias de CMPC, INFORSA y CEPAL 1962 y 1965.

[116] CEPAL 1965: 93.
[117] FANAPEL quebró entre los años 1962 y 1965, liquidando sus activos. Se atribuye a la CMPC el resultado de la empresa toda vez que los bienes fueron absorbidos por esta.

En efecto, este panorama óptimo se manifestó en que la gestión de los recursos humanos seguía siendo buena. En un estudio del Instituto de Organización y Administración (INSORA), realizado por Peter Gregory, se hizo una categorización de los sueldos y salarios. La industria del papel tenía el segundo lugar de jerarquía según el salario básico y el ingreso promedio por hora. El primer lugar lo tenía la actividad minera[118]. La CMPC era la que marcaba la tendencia en las condiciones de los trabajadores. Aún continuaba con la política de construcción y fomento de viviendas para sus trabajadores. Así, en marzo de 1963, se consolidó la población Isabel Riquelme en la comuna de San Miguel (Santiago), lugar donde se entregaron 259 casas en total[119]. En complemento, la política de asistencia y de bienestar también continuó, ya que diez años después en total la CMPC fomentó, por medio de convenios, la construcción de 4.180 casas, con lo que el 85% de los trabajadores disponía de una vivienda hacia inicios de los años 1970. Un factor, seguramente decisivo, para que la empresa lograra afianzar la idea de bienestar mutuo con sus operarios, un aspecto importante para el espíritu y la marca que quería generar[120].

Ahora bien, los beneficios directos conseguidos por una proporción importante de los operarios industriales dependientes de la CMPC no fueron la norma para los que contrataban en el área forestal. Allí los trabajadores quedaron sujetos a formas tradicionales de gestión de mano de obra semiagrícola en el país, muy similar al inquilinaje[121], y de trabajadores estacionales que se combinaban con cuadros técnicos e ingenieriles especializados[122]. Esta condición se puede deber al empleo del consejo de la comisión norteamericana de 1944, donde bajo una administración agresiva y competente se buscaba bajar los costos. La aplicación

---

[118] Gregory 1966: 80.
[119] SOFOFA 1963: 33-34.
[120] CMPC 1973: 17.
[121] La revista *Panorama Económico*, en el año 1950 (172-176), publica un debate entre Clodomiro Almeyda y Eduardo Moore Montero sobre el problema agrario de la época. En este debate el último participante, futuro ministro de la presidencia de Alessandri Rodríguez, hace una defensa del inquilino sosteniendo que a pesar de sus condiciones espirituales, que dejaban que desear, mostraba fuerza e inteligencia incluso siendo en la zona de Aconcagua al Biobío "un socio modesto del patrón, copartícipe de las ganancias y las pérdidas".
[122] Esto se puede evidenciar en las tesis tanto de ingenieros agrónomos como de asistentes sociales que realizaron estudios sobre los fundos forestales. En ellas se incluyeron descripciones sobre las condiciones laborales y de vida de los trabajadores rurales forestales entre los años 1948 y 1975. Entre otros se ha consultado a Rosenblut 1948, Hermosilla 1975, y Díaz 1975. Para reconocer las condiciones de trabajadores industriales en Puente Alto revisar De Luca y Hurtado 1974.

de este planteamiento era mantener la forma de explotación común en el mundo agrario chileno. La calidad de trabajo libre puede ser cuestionada entre otras cosas porque su salario no solo es monetario sino con regalías[123]. De este modo, sus operarios forestales tuvieron un trato diferente al de las faenas industriales de la propia empresa en las distintas localidades en que se inserta en el país. Lo anterior era extensivo, además, a las etapas de la explotación forestal, como la del madereo, en el que el transporte de los troncos no era con tracción con motor sino con fuerza animal, preferentemente, hecha por los tradicionales bueyes[124]. Esa situación cambió lentamente pues solo de manera parcial se fueron aplicando los mecanismos de bienestar que tenían los operarios en las unidades de procesos industriales y usos de tecnología como de maquinarias en la explotación silvícola.

En 1968 se realizó la primera huelga obrera luego de 25 años. Uno de los motivos correspondió a los cambios en la gestión laboral, en especial la subcontratación de la mano de obra por primera vez en la empresa. Se logró superar el conflicto con algunos puntos que se tuvo que tranzar, como lo fueron la contratación de una parte de esos trabajadores, aumentos de las regalías, sueldos y beneficios de acceso a vivienda[125].

Aunque existieron problemas con sus trabajadores en los años venideros, el foco del conflicto estaba en relación con otro actor. Este era el Estado, que en los sucesivos gobiernos comandados por la Democracia Cristiana y la Unidad Popular tuvieron conflictos con la industria. El ministro de Agricultura Jacques Chonchol, en la inauguración de las VII Jornadas Forestales de la asociación de ingenieros forestales realizadas entre los días 16 y 17 de diciembre de 1971, sostuvo que:

---

[123] Linden 2008: 17-81, nos propone que hay que reconceptualizar las categorías de trabajadores pues formas laborales que se creían desaparecidas, como la esclavitud y sus derivados, existen bajo distintas formas y grados. Para ver las condiciones laborales de los predios forestales, se puede revisar el trabajo realizado por la asistente social Raquel Hermosilla (1975), que nos muestra este panorama de tensión entre formas libres de trabajo con prácticas pretéritas.

[124] Hasta 1971 -aunque se podría decir hasta hoy en día en zonas como Chiloé-, la yunta de bueyes eran la fuerza motriz del madereo, que es la actividad de transporte de los árboles volteados, los cuales se faenan en madera para el aserradero y en rollizos para la producción de celulosa. INFOR, en su estudio técnico 39 de 1971, ante la práctica tradicional del uso de los bueyes, tan típico en la actividad agrícola y silvícola en la tala del bosque nativo, proponía el uso de caballos porque en distintas situaciones presentaban menores costos. En ese informe evidenciaba que la mecanización era algo muy incipiente en las faenas forestales en general (1971: 10-23).

[125] Cámara de Diputados, Legislatura Extraordinaria, Sesión n° 35, 7 de mayo de 1969, 3664-3665.

El Gobierno Popular dentro de su planificación económica, definió al sector forestal como uno de los que tienen perspectivas más claras, como un nuevo pilar que junto a la gran minería del cobre sustente su desarrollo económico y social futuro[126].

El Estado, luego de esta conclusión, expandió los cultivos forestales en el marco de la Reforma Agraria en tierras nuevas. Incluso en las políticas de fomento a la creación del cooperativismo en la zona mapuche se incentivó en esos años el cultivo del pino insigne, como fue el caso de la Cooperativa Lautaro de Lumaco[127]. Como lo ha demostrado el historiador norteamericano Thomas Miller Klubock, uno de los agentes más importante en la expansión desmesurada de la producción forestal han sido los entes públicos[128], que luego del fin de los gobiernos democráticos fue traspasado con facilidad a los agentes privados, sobre todo gracias al decreto 701 de 1974[129]. A la par de los inicios de esta expansión, CORFO, junto con la alianza de la empresa francesa ENSA, comenzó a desarrollar la sociedad que constituyó la industria Celulosa Constitución (CELCO) que poseía una capacidad anual de 175.000 toneladas de celulosa[130]; la distribución de acciones fue de un 82% para la entidad de fomento publico privado y la sociedad francesa con un 18%. En esos mismos años también se desarrollaba el proyecto de Celulosa Arauco S.A., de total propiedad de CORFO. En total en el mercado papelero, de la celulosa y forestal, existían 44 empresas en 1971[131]. La más importante era la CMPC que se conformaba en esa fecha por 52.139.329 millones de acciones, en donde un 4,26% de los accionistas tenían el 54,75% de los títulos[132].

---

[126] Asociación Chilena de Ingeniería Forestal, 1971: 19.
[127] Correa, *et al.* 2005: 223.
[128] Klubock 2014: 176-276. A partir de esa fecha los privados, motivados no solo por el Estado, sino incluso por la FAO, aumentaron la forestación con especies exóticas. La especie que fue recomendada, con presencia por años en el país, fue el eucalipto. Décadas después, al hacer el balance se puede dar cuenta de los efectos nocivos de ese proceso para el medio ambiente y la sociedad.
[129] Dam 2006: 225-243.
[130] *En Viaje,* N° 466, noviembre-diciembre 1972, 13-14.
[131] INFOR 1971: 22-31.
[132] INFOR 1971: 136.

Conclusiones

La CMPC, tal como lo representó la CEPAL en 1965, era un caso excepcional en el rubro de la celulosa y la elaboración de papel en toda la región pues desde fines de los años 1950 pudo ampliar sus negocios más allá de las fronteras del país, estableciendo contactos comerciales con otras regiones del continente, incluso del globo. En alguna medida, la empresa comenzó su propia internacionalización. Para ello contaba con más de treinta años de continua innovación, intensificación de sus operaciones y un amplísimo encadenamiento productivo, que le permitió abastecer en forma monopólica al mercado nacional en áreas tan sensibles para la actividad política y cultural como la elaboración de papel periódico, base de toda la industria editorial y periodística de Chile en la década de los años 1960[133].

Comenzando en el distrito de Puente Alto, la CMPC se extendió a otras localidades del país, tomando bajo su control la actividad forestal que requería para asegurar su producción a costos razonables. Con esto, la empresa de la familia Matte, y con una participación significativa del linaje Alessandri en su gestión[134], integró verticalmente sus actividades, transformándose en un caso exitoso entre los distintos proyectos manufactureros que se consolidaron en el país durante el denominado Modelo Sustitutivo de Importaciones (ISI). De paso, difería con lo planteado por Badoza y Bellini para el caso argentino al señalar que no era habitual que las industrias de aquel país lograran integrar complejos fabriles, en encadenamientos productivos verticalmente integrados a mediados del siglo XX. El caso de la CMPC sugiere que en ese rubro específicos ello era viable en regiones como Chile, coincidiendo con modelos de negocio comunes en el ambiente empresarial norteamericano y europeo. De acuerdo con los autores, en dichas latitudes la producción de papel fue fuente de

---

[133] Según Bohan y Pomeranz (1960: 138-140), la CMPC en esa época producía el 95% de todos los productos de papel que necesitaba el mercado nacional y estaba conformada solo por capital íntegramente nacional.

[134] La experiencia de la familia empresarial Matte difiere, en alguna medida, con la senda de las distintas familias oligarcas en Latinoamérica. Se puede deber a que ellos eran los representantes de la tercera generación; la que cosechaba los frutos de las demás promociones; a sus alianzas con otros grupos familiares de origen extranjero reciente, como de segunda generación, por ejemplo, en su relación con los Alessandri; y a que poseían acceso, más que otros grupos, a capitales como el económico, social, cultural, a lo que se puede agregar el ámbito político. Lo contrario a lo que sucedió con los Edwards Mc Clure o los Errázuriz Urmeneta (Nazer 2016: 9-14). Así los Matte pudieron tener un comportamiento de mayor autonomía relativa y de resistencia al capital financiero internacional en sus emprendimientos empresariales y comerciales.

complejos monopólicos, asegurados por un encadenamiento completo de sus productos. Si esto es así, cabe preguntarse hasta qué punto el caso de la CMPC podría haber sido diferente a lo largo del siglo XX, en el sentido que desde sus primeros años, en el inicio de la década de los años 1930 ya existía un camino bien trazado que se inició con experimentos de laboratorio sobre la conveniencia de las especies arbóreas más aptas para la producción de papel, y terminó en la pronta adquisición de grandes extensiones de predios forestales en el centro-sur del país, en los alrededores de la ciudad de Concepción preferentemente.

Ahora bien, el trazado económico de la CMPC, en sus inversiones más abultadas y los negocios que impulsó para su expansión, no debería abstraernos de un tópico esencial que abordó la industria de modo permanente. En paralelo a las tratativas con entidades estatales como CORFO, préstamos financieros con organismos internacionales y alianzas benéficas con asociaciones madereras, la empresa mantuvo una política igualmente agresiva respecto a sus operarios. Gracias a dicha política, la compañía pudo intensificar el trabajo y volver más productivas sus instalaciones. Si bien existió conflicto dentro de las instalaciones de la CMPC, su plana directiva tuvo que enfrentar paralizaciones que mayoritariamente fueron esporádicas y de corta duración. En parte, porque la industria desde la década de los años 1930 impulsó un modelo de relaciones laborales basado en la cooperación para un ambiente de entendimiento sobre la base de bienestar social: en él muchos de los cuadros obreros más especializados en sus principales instalaciones encontraron garantías para mantener su sustento y el de sus familias, además de hacer carrera, todo lo cual fue proporcionado desde el Departamento de Bienestar Social creado en 1933. Si la empresa era un modelo adelantado de internacionalización económica, en el país también se la destacó por sostener un modelo de bienestar entre sus operarios, desconocido para la mayoría de los sectores obreros del país. Según la INSORA, en 1964 los salarios y jornales obtenidos por los ocupados en el rubro del papel eran el segundo más alto, ubicándose solo tras los ingresos obtenidos por los mineros.

De ahí en más, la industria vivió una serie de transformaciones que se manifestaron en nuevas formas de relaciones laborales y de organización industrial. Esas prácticas se dieron, en parte, pues los representantes de los antiguos cuadros tuvieron que ser convencidos por los integrantes del recambio generacional que tenían un nuevo espíritu para encarar los negocios. Ben Ross Schneider ha analizado que luego del cambio de régimen democrático al autoritario cívico militar, y a pesar de las políticas económicas neoliberales, las grandes empresas crearon un capitalismo jerárquico[135] no exento de dificultades, pues ahí no subsistieron todas las grandes sociedades anónimas industriales[136]. En ese marco la CMPC tomando las medidas correctas "podía sobrevivir"[137], crecer y fortalecerse en el libre mercado; así, tomando las decisiones, para algunos, acertadas al contexto, llegó a convertirse en una empresa multilatina de cara al siglo XXI con una conducta y tamaño de gran incidencia, y generación de anomalías, en la economía chilena y latinoamericana.

Bibliografía

Archivos

Archivo Jorge Alessandri, Biblioteca Nacional de Chile.

Periódicas

Anales IIC, 1880-1950.
Boletín de la Sociedad de Fomento Fabril, 1900-1935.
Boletín de la Unión Pan Americana, 1900-1920.
Boletín de las sesiones ordinarias y extraordinarias de Cámara de Diputados del Congreso Nacional, Chile. 1920-197.
En Viaje 1933-1973.
El Sur, 1900-1950.
La Nación, 1930-1936.
Industria: Boletín de la SOFOFA, 1935-1960.
Informes Estadísticos INFOR, 1962-1972.
Informes Técnicos INFOR, 1962-1973.
Revista Chilena de Historia Natural, 1900-1973.
Revista Industria de la Sociedad de Fomento Fabril, 1935-1960.
Revista Panorama Económico, 1947-1973.

---

[135] Schneider 2014: 22-39.
[136] Bucheli 2010: 379-381.
[137] Entrevista con Eliodoro Matte Larraín, entrevistado por Andrea Lluch, 28 mayo, 2008, Creating Emerging Markets Project, Baker Library Historical Collections, Harvard Business School, http://www.hbs.edu/businesshistory/emerging-markets/. Para ahondar en la figura de la nueva generación de Matte Larraín revisar Ximena Pérez, Perfil de Eliodoro Matte: empresa, familia y religión, *El mostrador*, 6 de noviembre de 2015 (http://www.elmostrador.cl/noticias/pais/2015/11/06/perfil-de-eliodoro-matte-empresa-familia-y-religion/) [visitado noviembre 2015].

Impresas

ANÓNIMO (1855). *Estado que manifiesta la Renta agrícola de los fundos rústicos que se comprenden en el expresado Departamento para deducir impuesto anual establecido en la sustitución del diezmo por la lei de 25 de octubre de 1853.* Volumen I. Departamento de Copiapó a Talca, Valparaíso, Imprenta del Diario.

ALBERT F. (1902). *Los bosques del País*, Santiago de Chile: Imprenta moderna.

ALBERT F. (1909). *Los 7 árboles forestales más recomendables para el país.* Santiago: Imprenta Cervantes.

ANÓNIMO (1913). *El Proyecto sobre impuesto a las maderas extranjeras*, Santiago de Chile: Establecimiento Gráfico Kosmo.

ASOCIACIÓN CHILENA DE INGENIERÍA FORESTAL (1971). Actas de VII Jornadas Forestales, Santiago.

BAHAMONDE N. (1984). "Origen de una Vocación", *Revista Chilena de Historia Natural* 57:1, 11-21.

BARRETT R.S. (1917). "Chilean market for paper, paper products, and printing machinery", Special agents series - no.153, Washington: Department of Commerce. Bureau of Foreign and Domestic Commerce Gov. Print., 1917.

BOHAN MERWIN L., POMERANZ M. (1960). *Investment in Chile. Basic information for United State businessmen*, Washington: U. S. Department of Commerce.

BRYER FRED (1956). "Market Potentials in the Other American Republics for Pulp, Paper and Board". *Pulp, Paper and Board* Vol. 4:12, 22-23.

BUREAU OF FOREIGN and DOMESTIC COMMERCE (1924). "Markets for paper and paper products in Chile and Peru", *Trade Information Bulletin.* N° 167-200.

CEPAL (1954). *Posibilidades de desarrollo de la Industria del Papel y la Celulosa en la América Latina*, Nueva York: Naciones Unidas.

CEPAL (1955). *Perspectivas de la industria del papel y la celulosa en la América Latina*, Nueva York: Naciones Unidas-Organización para la Agricultura y la Alimentación.

CEPAL (1957). *Chile: Futuro Exportador de papel y Celulosa*, Santiago de Chile: Naciones Unidas-Consejo Económico y Social.

CEPAL (1965). *El papel y la Celulosa en América Latina: Situación actual y tendencias futuras de su demanda, producción e intercambio*, Ciudad de México: Naciones Unidas-Consejo Económico Social.

CICPASA, *Memoria Anual*, 1960-1970.

CMPC, *Memoria Anual,* 1924-1973.

CMPC, *Lista de Accionistas,* 1943-1966.

ELCHIBEGOFF I. M. (1941). "The Forests, Lumber Industry, and Timber Trade of Chile", *Journal of Forestry* 39:4, 357-361.

EDITORIAL UNIVERSITARIA (2011). *Arturo Matte Alessandri: Crónicas de un viaje,* Santiago de Chile: Editorial Universitaria.

GONZÁLEZ P. L. (1921). *Chile Industrial,* Santiago de Chile: Soc. Imprenta i Litografía Barcelona.

GONZÁLEZ P. L. y Soto M. (1926). *Álbum gráfico e histórico de la Sociedad de Fomento Fabril y de la Industria Nacional,* Santiago de Chile: Imprenta Cervantes.

JARAMILLO R. (1937). "Concepto erróneo sobre la industria nacional", *Anales del Instituto de Ingenieros* 37:10, 359-362.

LASO J. T. (1902). *La exhibición Chilena en la Exposición Pan-americana de Buffalo,* Santiago de Chile: Imprenta y Litografía Barcelona.

MALDONADO E. (1925). "Contribución al estudio de la industria madera y bosques chilenos", *Revista Chilena de Historia Natural* 29:1 1925, 70-131

MANSFIELD R. E. (1913). *Progressive Chile,* New York, The Neale Publishing Company.

PEPPER C. (1922). "Maderas Útiles de la América del Sur". *Boletín de la Unión Pan Americana,* 456-468.

SAEFA, *Memorias Anuales,*1944-1973.

SCHILLING J. et al., (1920). *La industria del papel. Anteproyecto de instalación de una fábrica de papel i celulosa en Chile,* Santiago de Chile: Sociedad Imprenta y Litografía Universo.

SOAMAR (1943). Sociedad anónima de plantaciones forestales en formación: organizado por el directorio de la Sociedad Amigos del Árbol.

SOFOFA (1904). *Catálogo de la Exposición permanente y Museo Industrial de la Sociedad de Fomento,* Santiago de Chile: Imprenta, Litografía y Encuadernación Barcelona.

SNA (1937). "La Madera de Pino Insigne para la fabricación de la Pulpa", *El Campesino* 65:11, 588-590.

SINDICATO N° 1 PAPELES CORDILLERA PUENTE ALTO (2007). *Memoria histórica Sindicato papelero: Uno para todos y todos para todos,* Santiago de Chile: Gráfico Puerto Madero.

UNIVERSIDAD DE CHILE (1932). *Índice de profesionales de la Facultad de Ciencias Físicas y Matemáticas. Titulados por la Universidad de Chile desde su fundación hasta 1930 inclusive,* Santiago: Prensas de la Universidad de Chile.

U.S Forest Service and CORFO (1946): Forest Resource of Chile. As a Basic for Industrial Expansion, United State: Forest Service.

Secundarias

ANÓNIMO (1991). "70 años de historia de la papelera, Ingenieros", *Revista del Colegio de Ingenieros de Chile*, Vol. 191, 9-16.

AUBANELL J. A. M. (2005). "¿Era la industria eléctrica de entreguerras un monopolio natural? Evidencia a partir de la sociedad Hidroeléctrica Española", *Revista de Historia Económica - Journal of Iberian and Latin American Economic History* 23: 3, 489-514.

AUSTIN G., SUGIHARA K. (2013). *Labour-Intensive Industrialization in Global History*, New York and London: Routleged.

BADOSA S. y BELLINI C. (2013). "Origen, desarrollo y límites estructurales de la industria del papel en la Argentina, 1880-1940", *Revista de Historia Industrial* 21:53, 109-141.

BASBANES N. (2014). *De Papel. En torno a sus dos mil años de historia*. Ciudad de México: FCE.

BAUMOL W. J. (1982). "Contestable markets: An Uprissing in the theory of Industry Struture", *The American Economic Journal* 72:1, 1-15.

BLANCO A. (2010). "Was the Portuguese Forest Policy a contribution towards economic modernization? The case of the Paper Pulp Industry during the Estado Novo (1930-1974)", *Revista de Historia Industrial* 44, 69-99.

BOLDIZZONI F. (2013). *La pobreza de Clío*, Madrid: Grupo Planeta.

BOLTANSKI L., CHIAPELLO É. (2002): *El Nuevo Espíritu del Capitalismo*, Madrid: Ediciones Akal.

BUCHELI M. (2010). "Multinational Corporations, Business Groups, and Economic Nationalism: Standard Oil (New Jersey), Royal Dutch-Shell, and Energy Politics in Chile 1913-2005", *Enterprise and Society* 11: 02, 350-399.

CARROL ARCHIE B., LIPARTITO K., POST JAMES E., WERHANE PATRICIA (2015). *Corporate Responsibility: The American Experience*, New York: Cambridge University Press.

CAMUS P. (2006). *Ambiente, Bosques y Gestión Forestal en Chile. 1541-2005*, Santiago: Centro de Investigaciones Barros Arana de la Dirección de Bibliotecas, Archivos y Museos -LOM Ediciones.

CAMUS P., CASTRO S. A., JAKSIC F. (2014). "Historia y política de la gestión forestal en Chile a la luz del Pino Insigne (Pinus radiata)", en Jaksić Iván y Castro Sergio (eds.): *Invasiones biológicas en Chile: Cau-*

179

sas globales e impactos locales, Santiago de Chile: Editorial Pontificia Universidad Católica, 357-392.

CMPC (2000). CMPC *tradición y futuro: 1920-2000* [80 años de una gran empresa], Santiago: CMPC.

CONCHA M., MOLINA R., YÁÑEZ N. (2005). *Reforma Agraria y las Tierras Mapuches 1965-1975,* Santiago: LOM Ediciones.

CHANDLER A. (1994). *Scale and Scope. The dynamics of Industrial Capitalism,* United State of American: Harvard University Press.

DARNTON R. (2006). *El negocio de la Ilustración. Historia editorial de la Encyclopédie,* 1775-1800, México D. F.: FCE.

DAM C. VAN (2006). "Empresas forestales y comunidades rurales en el centro-sur de Chile: Externalidades sociales de un modelo 'exitoso'", *Debate Agrario* 40-41, 225-243.

DIARIO *ESTRATEGIA* (1995). "Empresarios en la historia: un reconocimiento de estrategia al espíritu emprendedor", Santiago de Chile: Publicaciones Editorial Gestión.

HODGSON G. M. (1991). *After Marx and Sraffa. Essay in Political Economy,* New York: St. Martin Press.

FERNÁNDEZ P., LLUCH A. (2015). *Familias empresarias y grandes empresas familiares en América Latina y España,* Bilbao: Fundación BBVA.

JONES G. y LLUCH A. (Eds.) (2011). *El impacto histórico de la globalización en Argentina y Chile: empresas y empresarios.* Buenos Aires: Temas Grupo Editorial.

KOCKA J. y LINDEN M. VAN DER (eds.) (2016). *Capitalism. The remergence of a Historical Concept,* London-New York: Bloomsbury Academic.

KUBLOCK T. (2014). *La Frontera: Forests and Ecological Conflict in Chile's Frontier Territory,* Duke: Duke Press University.

LAMBERG JUHA-ANTTI OJALA J., PELTONIEMI M., SÄRKKÄ T. (2012). *The Evolution of Global Paper Industry 1800-2050. A Comparative Analysis,* New York and London: Springer.

LEFORT F. (2010). "Business Groups in Chile", En *The Oxford Handbook of Business Groups,* London: Oxford University Press.

LINDEN M. VAN DER (2008). *Workers of the World. Essay toward a Global Labor History,* Leiden & Boston: Brill.

LIPARTITO K. (2016). "Reassembling the Economic: New Departures in Historical Materialism", *American Historical Review* 121:1, 121-139.

LIPARTITO K. & SICILIA D. ([2005] 2007). *Constructing Corporate America: History, Politics, Culture.* Oxford and New York: Oxford University Press.

Martínez J. (2015). "Grandes familias empresarias en Chile. Sus características y aportes al país (1830-2012)", en Fernández, Paloma, Lluch, Andrea (eds): *Familias empresarias y grandes empresas familiares en América Latina y España*, Bilbao: Fundación bbva.

Meneghello R. (2011). *Eugenio Matte Hurtado. Textos políticos y discursos parlamentarios*, Santiago: Centro de Investigaciones Barros Arana de la Dirección de Bibliotecas, Archivos y Museos -lom Ediciones.

Ortega L. (1991-1992). "El Proceso de Industrialización en Chile 1850-1930". *Historia* (26), 213-246.

Salazar G. (2011). *Mercaderes, empresarios y capitalistas: Chile, siglo xix*, Santiago de Chile: Editorial Sudamericana.

Schneider B.R. (2014). *Hierarchical Capitalism in Latin America: Business, Labor, and the Challenge of Equitable Development*, edgs working paper, N° 12 mit.

Sombart W. (1905). "¿Por qué no hay socialismo en los Estados Unidos?", reis, 18:71 (1995): 277-370.

Thévenot L. (2016). *La acción en plural: una introducción a la sociología pragmática*, Buenos Aires: Siglo Veintiuno Editores.

Venegas H. y Morales D. (2015). "El despliegue del paternalismo industrial en la Compañía minera e industrial de Chile (1920-1940). *Historia Crítica* 58: 117-136.

Vergara Á. (2007). "Compañía Ciudades privadas: La vida de los mineros del cobre". En *Historia de la vida privada en Chile*, eds. Cristián Gazmuri y Rafael Sagredo, Santiago de Chile: Editorial Taurus.

Venegas H.; Videla E.; Godoy M. (2016). *El orden Fabril. Paternalismo Industrial en la Minería Chilena (1900-1950)*, Valparaíso: América en Movimiento.

Vos Bárbara de (1999). *El surgimiento del paradigma industrializador en Chile (1875-1900)*. Santiago: Dirección de Bibliotecas, Archivos y Museos, Centro de Investigaciones Diego Barros Arana.

Tesis

De Luca X., Hurtado G. (1974). Sistematización de la práctica realizada en la cmpc S.A., Subgerencia Forestal, Concepción-Fundo Lomas Coloradas, Tesis para optar al grado de asistente social Universidad Católica de Chile.

Díaz F. (2016). Identidad papelera y relaciones de sociabilidad. La experiencia de los trabajadores de la Compañía Manufacturera de Papeles y Cartones. Puente Alto, 1968-1973, Tesis para optar al grado de Magister en Historia Universidad de Santiago de Chile.

Díaz B. (1975). Sistematización de la práctica realizada en la CMPC., Subgerencia Forestal, Concepción, Escuela N° 37 Fundo Pinares, Tesis para optar al grado de Asistente Social Universidad Católica de Chile.

Figueroa E. (1948). La industria Maderera en Chile, Tesis para optar al grado de licenciado en la Facultad de Ciencias Jurídicas y Sociales, Universidad de Chile.

Hermosilla R. (1975). Sistematización de la práctica realizada en la CMPC S.A., Subgerencia Forestal, Concepción-Fundo Lomas Coloradas, Tesis para optar al grado de Asistente Social Universidad Católica de Chile.

Nazer R. (2016). Auge y decadencia económica de dos familias de la élite chilena: Los Errázuriz Urmeneta y los Edwards Mac Clure. 1815-1941, Tesis Doctorado en Historia Pontificia Universidad Católica de Chile.

Rosenblut B. (1948). Crecimiento y rendimiento del Pino Insignie en la Zona de Penco, Tesis para optar al título de Ingeniero Agrónomo, Universidad de Chile.

Vergara C. (1974). Sistematización de la práctica realizada en la CMPC S.A., Tesis para optar al grado de Asistente Social Universidad Católica de Chile.

Electrónicas

Donoso S., Reyes R. La Industria de la celulosa en Chile, otra "anomalía de mercado", *El Mostrador*, 05 de enero de 2016, http://www.elmostrador.cl/noticias/opinion/2016/01/05/la-industria-de-la-celulosa-en-chile-otra-anomalia-de-mercado/ [Visitado en enero de 2016].

Pérez X. Perfil de Eliodoro Matte: empresa, familia y religión, *El Mostrador*, 6 de noviembre de 2015, http://www.elmostrador.cl/noticias/pais/2015/11/06/perfil-de-eliodoro-matte-empresa-familia-y-religion/ [Visitado noviembre 2015].

Interview with Eliodoro Matte Larraín interviewed by Andrea Lluch. May 28, 2008, Creating Emerging Markets Project, Baker Library Historical Collections, Harvard Business School, http://www.hbs.edu/businesshistory/emerging-markets/

El desarrollo de la minería moderna en Chile. El caso de la Braden Copper Company

Cristián A. Ducoing[1], Sergio Garrido[2]

Introducción

El cobre ha sido una constante en la historia de Chile, cruzando su historia económica desde tiempos precolombinos. No obstante, hasta finales del siglo XIX, su explotación había sido a pequeña y mediana escala, y la irrupción abrupta del salitre después de la Guerra del Pacífico había coincidido con una caída de la participación del cobre en la economía nacional en términos absolutos y relativos[3].

La irrupción de la electricidad y las tecnologías asociadas a las comunicaciones entre finales del siglo XIX y principios del XX cambió significativamente la demanda de cobre, exigiendo por parte de los empresarios mineros una rápida adecuación a las nuevas condiciones del mercado. Durante esta coyuntura aparecieron las grandes inversiones asociadas al mineral El Teniente.

No obstante, la explotación del mineral El Teniente es de larga data, remontándose incluso hasta los tiempos precolombinos, cuando el cobre era utilizado para la fabricación de ornamentos y joyas. Durante la Colonia este yacimiento fue conocido bajo el nombre La Fortuna, el que más tarde será cambiado por el de El Teniente, según se cuenta, debido a que un teniente del ejército español localizó nuevas e importantes vetas en su interior[4].

El Teniente también fue propiedad de ilustres personajes de la historia de Chile, entre los que encontramos a capitanes de la conquista como Andrés de Torquemada, la Orden de los Jesuitas o al presidente de la

[1] Posdoctorando, Departamento de Geografía e Historia Económica. Universidad de Umeå, Suecia, cristian.ducoing@umu.se. Ambos autores agradecen el soporte financiero de CONICYT, por medio del Proyecto 80.

[2] Magister en Historia, Universidad de Chile, garrido.sergio@gmail.com.

[3] Badía-Miró y Ducoing 2015.

[4] Vicuña Mackenna 1883.

Primera Junta de Gobierno de 1810, Mateo de Toro y Zambrano. En la etapa republicana aparecen nuevos propietarios, como Francisco de Asís Lastarria (padre de José Victorino Lastarria), el que fue ayudado por Ignacio Domeyko, como también por Guillermo Blest (padre del escritor Blest Gana), y Francisco Sotomayor.

La producción de cobre en el mineral El Teniente experimentó un fuerte incremento a mediados del siglo XIX, como respuesta a la alta demanda internacional por el metal rojo[5]. El ingeniero Federico Gana y Juan Correa Saa, quienes se asociaron hacia 1870 para explotar los yacimientos de El Teniente, aprovecharon el *boom* minero, exportando miles de toneladas de cobre, lo que convirtió a Chile en el principal productor mundial[6].

El auge del cobre chileno solo duró hasta la década de 1880, por lo que la mayoría de los yacimientos de cobre fueron abandonados o disminuyeron drásticamente su producción. En primer lugar, esto se explica por el uso de métodos de explotación muy artesanales, lo que se reflejó en el trabajo exclusivo de yacimientos de reducido espesor y que aseguraran una alta ley, cuestión que no necesitaba de una alta inversión en capital, pero que provocaba un rápido agotamiento del mineral.

En esta línea, también podemos destacar la escasa mecanización en las operaciones y el transporte del mineral. No obstante los avances en las técnicas de la fundición de metales, la minería del cobre siguió usando durante el siglo XIX métodos muy primitivos. Por ejemplo, Sutulov señala que a finales del siglo XIX de 748 minas de cobre existentes en el país, solo el 2% contaba con algún grado de mecanización, mientras que en términos energéticos toda la fuerza mecánica alcanzaba solo a 1.500 HP, cifra equivalente a la de "un gran motor eléctrico actual"[7].

Sin equipos modernos, el trabajo físico y animal dominaron gran parte de la producción de cobre en Chile, lo que también se reflejaba en los procesos precapitalistas de reclutamiento, organización y remuneración

---

[5] El telégrafo (1840), el teléfono (1875) y la ampolleta eléctrica (1879), fueron los nuevos inventos que estimularon la demanda de cobre, como parte de la llamada Segunda Revolución Industrial (Sutulov 1975: 24).

[6] La producción de cobre en Chile tuvo un fuerte crecimiento desde mediados del siglo XIX. Así, si en la década de 1841-1850 la producción de cobre fluctuó entre las 9.000 y 10.000 toneladas anuales, hacia 1860-1870 la producción aumentó a una cifra de 45.000 a 50.000 toneladas por año, alcanzando récord de producción en 1876, cuando nuestro país produjo una cifra de 52.308 toneladas de cobre (Sutulov 1975: 23).

[7] Sutulov 1975: 27.

de la fuerza laboral[8]. Como ejemplo de lo señalado encontramos que las funciones centrales del trabajo minero dependían del rendimiento físico que tuviesen en sus labores los apires y los barreteros: los primeros realizaban, manualmente y con instrumentos rudimentarios, los trabajos de excavación y perforación de la piedra, mientras que los segundos cargaban en sus propias espaldas los sacos de cueros (capachos) con el mineral desprendido, el cual después era llevado en mulas hasta las fundiciones.

El segundo elemento determinante en el fin del *boom* cuprífero chileno del siglo XIX fue la reorganización mundial de las empresas productoras de cobre y sus nuevos métodos de trabajo. Esto significó la aparición de gigantescas corporaciones, principalmente estadounidenses y británicas, sociedades anónimas que realizaron grandes inversiones de capital, mecanizando toda la cadena productiva, lo que les permitía explotar yacimientos que antes no eran considerados rentables dada la baja ley de cobre existente.

Este capítulo se compone de dos partes. En la primera analizamos los principales obstáculos técnicos y geográficos que enfrentó la empresa Braden Copper Company para iniciar la explotación del mineral a inicios del siglo XX. En la segunda parte nos concentramos en los nuevos desafíos asumidos por la minera –con el cambio de propiedad– tras pasar a manos de la empresa Kennecott Copper Corporation. En la elaboración del artículo se utilizaron diferentes fuentes primarias y secundarias, principalmente trabajos elaborados por ingenieros e instituciones técnicas del periodo, que dieron cuenta del carácter innovador de la explotación realizada en el mineral de la VI región.

La llegada de la Braden Copper Company

Precisamente, la recuperación de la actividad cuprífera en Chile, durante las primeras décadas del siglo XX, se explica por la instalación de estas nuevas empresas que permitieron dar inicio a uno de los ciclos mineros más importantes para nuestro país. De este modo, tras años de abandono, en 1904 el ingeniero italiano Marco Chiapponi, junto a los empresarios norteamericanos William Braden y Barton Sewell, crearon la empresa Braden Copper Company, la que retomó las actividades productivas en el mineral El Teniente.

---

[8]   Ortega 2006.

El 29 de abril de 1905 un decreto del Ministerio de Hacienda autorizó a la empresa norteamericana para iniciar las operaciones industriales de El Teniente, siendo también este el nacimiento de la gran minería del cobre en Chile. La nueva empresa contó con un capital de US$625 mil para financiar una serie de tareas necesarias para comenzar la explotación, tales como el equipamiento de la mina, la construcción de andariveles y caminos, un molino de concentración, una planta hidroeléctrica y habitaciones para el personal[9].

Iniciar las actividades en El Teniente era un enorme desafío, pues este mineral se encuentra en plena cordillera de los Andes, a unos 2.200 metros sobre el nivel del mar y a unos 53 kilómetros de la ciudad de Rancagua. Su clima también era otro tema a considerar, pues las temperaturas podían superar los 30 grados Celsius en los meses de enero y febrero, mientras que en los meses de julio y agosto caían bajo cero, inclusive se producían fuertes nevazones que provocaban la suspensión de cualquier actividad productiva ante el riesgo de avalanchas, por lo que todo el trabajo minero se concentraba en las estaciones de primavera y verano.

Una de las primeras obras de la Braden Co. fue la construcción de un camino (véase Figura 1) para unir el mineral con el pueblo más cercano que era Graneros. La construcción del camino carretero se inició entre 1904 y 1905 y movilizó más de 1.000 trabajadores en una tarea que no fue nada de fácil debido a la altura y las fuertes pendientes de la cordillera. Su extensión fue de alrededor de 40 kilómetros y a fines de 1905 ya estaba habilitado para su uso normal. Su construcción representó la segunda gran inversión de la Braden Co., tras la adquisición del mineral, y por él arribaron más de 4.000 toneladas de equipo y material importado desde Estados Unidos, siendo transportados en más de 250 carretas tiradas por alrededor de 2.000 a 2.500 bueyes[10]. La duración del recorrido de ida y vuelta podía demorar alrededor de 2 a 4 días, todo esto dependiendo de la carga y el peso de lo transportado y sin considerar los accidentes propios del duro invierno que bloqueaban el camino y podían retrasar aún más el trayecto.

Una vez finalizada la construcción del camino de carretas comenzaron las obras de edificación e instalación de las oficinas administrativas y comerciales, así como de las primeras bodegas. Todas estas instalaciones

9   Fuenzalida 1919.
10   Véase Baros 2001: 156-157; Millán 2006: 19.

se ubicaron en los pueblos de Graneros y La Compañía[11], pues ambas localidades se encontraban cercanas o eran cruzadas por el camino de carretas, adquiriendo importancia para la red industrial y de infraestructuras planificadas por la Braden.

Paralelo a estas inversiones, también comenzó la explotación de cobre desde vetas antiguamente trabajadas[12]. Lo llamativo de esto fue que se utilizaron algunos métodos de extracción artesanales o "carente de procesos técnicos" –como el pallaqueo–[13], el cual se podía practicar a cielo o rajo abierto y en donde los mineros solo debían "picar el terreno con coligües"[14] para poder encontrar y separar las rocas que contenían altas leyes de cobre[15].

Figura 1. *Camino de carretas hacia el mineral El Teniente, 1919.*

Fuente: www.memoriachilena.cl.

---

[11]   La Compañía también acogió las oficinas de reclutamiento y pago de los trabajadores de la Braden Co. (Baros 2001: 149).

[12]   El ingeniero norteamericano Thomas Hamilton realizó exploraciones y trabajos en estos lugares, como Fortuna, los cuales aseguraban una alta ley y eran comercialmente más valorados.

[13]   Este método de extracción a cielo abierto se caracteriza porque los mineros realizan una selección manual de minerales de alta ley, lo que no requiere de herramientas modernas.

[14]   Baros 2001: 214.

[15]   Posteriormente, el mineral comenzó a extraerse de una forma contraria a la tradicional de tajo abierto. Lo innovador del sistema (hundimiento) usado en "El Teniente" consistió en que se realizaron socavones montaña adentro, por debajo de donde se encontraba el mineral, al que se lo hacía caer de manera gravitacional.

El siguiente paso era llevar el material separado, cuestión que los mineros realizaban con sus propios brazos o apoyados por palas manuales, hacia carros que trasladaban el mineral hasta las llamadas canchas, donde el personal debía triturar y separar los minerales. El mineral triturado era almacenado en cajones de madera y subido a carretas que lo trasladaban hasta Graneros; en este lugar la carga debía ser transportada en los ferrocarriles estatales, los que no gozaban de itinerarios regulares que favorecieran el rápido traslado del mineral hacia los puertos, para terminar siendo embarcado por mar hacia Estados Unidos.

Como podemos ver, en estos primeros años los métodos de trabajo no eran los más óptimos y modernos. La baja mecanización, la alta dependencia de la fuerza física y los problemas de transporte fueron los grandes obstáculos que la empresa debía superar. Aun así, entre 1906 y 1907 la Braden Co. logró exportar alrededor de 3.200 toneladas de cobre concentrado hacia Estados Unidos[16].

La conformación de la minería moderna. La llegada de la Kennecott Copper Corporation

La conformación de una industria moderna trajo consigo cambios importantes en el ámbito de la administración y del proceso productivo. En el primer caso hablamos de la adquisición de la Braden por parte de la transnacional Kennecott Copper Corporation en 1918. Esta empresa norteamericana era una de las más importantes del mercado, llegando a controlar el 23% de la producción de cobre del mundo occidental y el 22% en 1948[17].

En el segundo caso observamos una profunda mecanización de las faenas, las que se aprecian desde la extracción, molienda, fundición y transporte del cobre. En el caso de la extracción, el combo, la pala y picota fueron herramientas que pasaron a un segundo orden, siendo reemplazadas por las modernas perforadoras hidráulicas, las que se caracterizaban por ser livianas, estar montadas y ser manejadas por un solo hombre (Instituto de Ingenieros de Minas de Chile, 1936, véase Figura 2). Cabe señalar que el sistema de perforación manual será utilizado hasta el año 1943, cuando se comenzó a usar un nuevo método de barrenado en seco con aire comprimido.

[16]   Instituto de Ingenieros de Minas de Chile 1936.
[17]   Moussa 1999.

Figura 2. *Minero trabajando con perforadoras jackleg, 1915.*

Fuente: www.memoriachilena.cl

El mineral arrancado en una de las galerías era vaciado en los piques de almacenamiento, los que también recibían la producción de los niveles superiores de explotación, para ser vaciados en las buitras, desde donde son trasladados a través de carros impulsados por energía eléctrica. Así, faenas que antiguamente utilizaban la fuerza física o animal ahora estaban mecanizadas, existiendo –al interior de la mina– alrededor de tres kilómetros de línea de ferrocarril eléctrico[18]. El ferrocarril también fue el medio de transporte para llevar el material sacado desde el interior de la mina, aunque esta tarea también se podía realizar a través de grandes andariveles.

La pronunciada inclinación de los cerros donde se realizaba la extracción ofreció muchas dificultades para la llegada del ferrocarril. La solución sugerida por el ingeniero Thomas Graham fue la construcción de andariveles que conectaran diferentes zonas del mineral como El Teniente y La Fortuna, con los depósitos y el centro de molienda. El andarivel se convertirá así en otra de las grandes obras de ingeniería realizada por la empresa: "Este mecanismo de carga era una tecnología totalmente avanzada para la industria nacional de minería, y constituyó un éxito como forma de traslado del mineral"[19]. Su construcción demandó de mucha precisión, pues se edificó una red de tranvía aéreo con 27 torres

18 Fuenzalida 1919.
19 García y Espinoza 2005: 121.

o estaciones. Estas torres sostenían los cables de acero donde circulaban los carros transportadores (Figura 3). Cada carro o capacho se distanciaba unos 99 metros del otro, transportando un peso de 1.160 kilos y corriendo a una velocidad de 152 metros por hora. El desnivel total desde la estación de carga era de 454 metros y tenía una capacidad de carga de 104 toneladas por hora[20].

Figura 3. *Andariveles de El Teniente.*

Fuente: www.imagenesdesewell.cl

En el plano industrial también se notaron avances considerables que contribuyeron a modernizar la empresa. Producir cobre es una tarea que requiere de diferentes etapas que apuntan más allá de la extracción del mineral, pues el objetivo final es la obtención de cobre puro, el cual se obtiene una vez que se pasa por los procesos de chancado, molienda, flotación y fundición[21].

---

[20]   Instituto de Ingenieros de Minas de Chile 1936.
[21]   El proceso de concentración tiene tres pasos: chancado, molienda y flotación. El chancado es un proceso de trituración de la roca extraída, pues esta llega a las máquinas con una granulometría variada, pudiendo encontrarse rocas de un par de milímetros y otras de casi un metro de diámetro. Por lo mismo, el objetivo del chancado es uniformar el tamaño de los fragmentos extraídos. Posteriormente viene la molienda, que también implica un proceso mecánico, donde se busca una granulometría máxima, permitiendo separar el cobre de otros minerales y gangas. El penúltimo paso es la flotación, que es un proceso físico-químico que, a través del uso de convertidores y hornos, permite la separación del mineral sulfurado de cobre de otros minerales como el molibdeno. Una vez cumplidos los tres pasos obtenemos cobre concentrado, el cual pasa a la fundición.

En 1906 la Braden construyó uno de los primeros edificios industriales de la mina, el cual estaba dedicado a la trituración del mineral, por lo que fue conocida como El Molino. Su construcción fue encargada al ingeniero William Bradley, el que importó toda la maquinaria desde Estados Unidos y supervisó su instalación en Chile. Como señalamos, el trabajo del molino era moler el mineral con el objeto de separar el cobre de otros materiales que se encontraban en la roca extraída desde las minas. En estas labores trabajaron alrededor de 90 obreros, en tres turnos de 8 horas diarias, y su producción –denominada concentrado– era transportada hasta Graneros en carretas tiradas por tracción animal[22]. El trabajo de esta planta fue limitado, pues su capacidad de producción no superaba las 250 toneladas, por lo que en 1911 fue aumentada.

Justamente, desde ese año se materializaron diferentes inversiones que fueron vitales para entrar en una verdadera producción de tipo industrial. Por ejemplo, la capacidad del molino fue ampliada, produciendo diariamente un volumen de 4.500 toneladas de cobre concentrado en 1911[23], todo esto gracias al reemplazo de los antiguos molinos de piedras de río por los de bolas de acero. Los cambios prosiguieron y la capacidad del molino se duplicó hacia 1920 (9.050 toneladas diarias), pero en adelante la empresa debió realizar nuevas inversiones para hacer frente a desafíos más complejos, por lo que la nueva hoja de ruta buscaba la ampliación y mejoramiento de los molinos y de la sección de flotación, además de una nueva fundición[24].

Las trituradoras y los molinos fueron renovándose y mejorando continuamente, influyendo en el aumento gradual de la producción. Inclusive, en el año 1932, se realizaron diferentes experimentos industriales para tratar mayor tonelaje y disminuir la pérdida de cobre en los relaves[25]. Conjuntamente, la empresa también creó talleres dedicados a la confección y reparación de las piezas de acero y fundidas de la moderna maquinaria importada[26].

---

[22] García y Espinoza 2005.

[23] Fuenzalida 1919: 49. En el año 1963 se molían diariamente 35.000 toneladas. Véase Braden Copper Company 1963.

[24] Instituto de Ingenieros de Minas de Chile 1936.

[25] Instituto de Ingenieros de Minas de Chile 1936.

[26] Por ejemplo, se produjeron piezas como anillos de cilindros trituradores, corazas de molinos y bolas, capachos de elevadores y poleas, engranajes, entre otros. Instituto de Ingenieros de Minas de Chile 1936.

El caso del sistema de flotación es otro ejemplo del carácter innovador de la empresa, esto porque "El Teniente" fue la primera minera de gran escala que lo incorporó en sus procesos productivos en el año 1913[27]. La iniciativa surgió del propio William Braden, quien había enviado alrededor de 25 toneladas de cobre al laboratorio de la Compañía Minerals Separation, en donde se realizaron diferentes pruebas con el objetivo de implementar el sistema de flotación, el que ya era utilizado por mineras australianas para la concentración del zinc[28]. Las pruebas efectuadas fueron exitosas para el cobre. Por un lado, el nuevo sistema era ideal para minerales sulfurados de baja ley, permitiendo obtener mayores cantidades de cobre en el proceso. Al mismo tiempo, el sistema de flotación permitía recuperar mineral de cobre que se desperdiciaba en los tradicionales procesos de concentración, siendo claramente un método mucho más eficiente y rentable. El sistema de flotación también permitió obtener molibdeno en calidad de subproducto. De esta forma, El Teniente se convirtió en la primera empresa minera que produjo este metal en América Latina, alcanzando a 3.219 toneladas en 1952. El molino destinó una sección para la producción de este metal, pues el molibdeno se usa para obtener aleaciones, mezclándola con el acero para obtener mayor resistencia al calor.

Por el año 1963 las instalaciones en donde se realizaban los procesos de concentración (El Molino) tenían una superficie de 55.000 metros cuadrados, construidos sobre veinte niveles. A todo esto, la necesidad de contar con un suministro energético permanente, para el buen funcionamiento de las instalaciones industriales, llevó a la empresa a hacerse cargo de la construcción de centrales eléctricas. La primera de ellas fue la de Coya, ubicada entre Rancagua y Sewell, la que aprovechó las aguas del río Cachapoal y fue inaugurada en el año 1911. Su importancia no solo se encuentra en la generación de energía eléctrica, pues sus aguas también fueron utilizadas para los procesos de concentración y fundición (por ejemplo, depósitos de relaves y estanques de enfriamiento)[29]. En 1919 se fundó una nueva planta eléctrica en El Pangal, a 13 kilómetros de Coya, la que aprovechaba las aguas del río Pangal.

[27] Se atribuye el descubrimiento del sistema de flotación a la esposa de un minero australiano que al lavar sus ropas de trabajo observó que las partículas de plomo quedaban flotando, adheridas a las burbujas de jabón.
[28] Sociedad Nacional de la Minería 1939.
[29] Instituto de Ingenieros de Minas de Chile 1936.

Gráfico 1. *Porcentaje de energía eléctrica consumida en "El Teniente", 1919.*

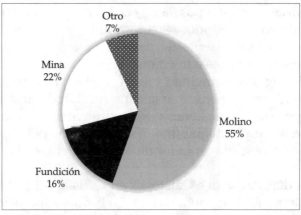

Fuente: Concha 1920.

Como observamos en el Gráfico 1, el consumo eléctrico era vital para cada etapa de la producción de cobre. Por lo demás, el sistema también debía velar por el suministro de electricidad para las oficinas administrativas, comerciales, el ferrocarril, inclusive para los campamentos del personal, el hospital, etc. Justamente, no extraña que el 56% del consumo eléctrico se produjera en el Molino (Sewell), pues su crecimiento implicó la transformación del establecimiento industrial en una gran ciudad con alrededor de 20.000 habitantes.

La fundición era una cuestión central para el trabajo minero, pues hasta 1907 solo se entregaba un material concentrado llamado mate, que era una roca bien molida pero sin fundir. Braden en persona se encargó de los preparativos de la construcción de la primera fundición, cuyo diseño y confección fueron encargados a empresas norteamericanas. La construcción de la fundición comenzó en 1909, ubicándose en dependencias cercanas al molino, y fue inaugurada en el año 1911. Ese mismo año se produjo un total de 6.784 toneladas cortas de cobre blíster[30], alcanzando en 1918 un peak de 38.576 toneladas.

---

[30] El cobre blíster es el cobre concentrado, el que es sometido a procesos pirometalúrgicos a temperaturas superiores a 1.000 grados en hornos convertidores obteniendo una pureza que varía entre 97% y 99%. Baros 2001.

Esta fundición contaba con dos hornos de una capacidad de 400 toneladas diarias, también poseía dos convertidores de 40 toneladas y uno de 20 toneladas, dejándose siempre uno sin utilizar. Pero su funcionamiento no estuvo exento de problemas, esto debido a la necesidad de fuentes energéticas e insumos necesarios para el proceso como el carbón coke, agua, electricidad y aserrín[31]. La baja capacidad instalada llevó a la empresa a pensar en la construcción de una nueva fundición, la que por sus dimensiones y requerimientos debía estar ubicada en otro lugar, separada del molino. Así fue que en 1922 se inauguró la nueva fundición ubicada en la localidad de Caletones (a 6 kilómetros de Sewell).

Todos los días llegaban a Caletones entre 1.400 y 1.500 toneladas de concentrado a través de los andariveles. En la nueva fundición no solo se producía cobre blíster sino que también sus hornos estaban capacitados para la producción de cobre refinado a fuego, de mayor pureza que el blíster. Así, la producción de cobre refinado experimentó un incremento notorio que llevaría a El Teniente a ser la mina subterránea más grande del mundo. En síntesis, las fuentes nos permiten apreciar que hubo una constante inversión para renovar y mejorar equipos, además de una importante innovación tecnológica que contribuyeron a la ejecución de un trabajo mucho más eficiente.

Finalmente, la labor de traslado del mineral que ya estaba fundido y procesado estuvo a cargo de una extensa línea férrea, que permitió a la empresa contar con un medio de transporte que redujo notoriamente los tiempos de traslado, además de ser una alternativa al transporte de carretas, que no solo era lento, sino que también poco eficiente en el traslado de grandes cantidades de mineral. El proyecto fue asignado a ingenieros norteamericanos[32], quienes diseñaron un circuito que cruzó desde el valle (con una altura aproximada de 500 metros) a la cordillera (con una altura superior a los 2.000 metros). La ruta trazada tuvo una extensión de 72 kilómetros, contaba inicialmente con 9 estaciones (Cuadro 1) y el trayecto completo demoraba alrededor de cuatro horas, demostrando la complejidad de su construcción ya que la distancia en línea recta entre la primera y la última estación era de 35 kilómetros.

[31] Baros 2001.
[32] Los ingenieros Walton Titus, George Montandon y William G. Newell iniciaron las obras en 1907, terminándose de construir en 1911.

Cuadro N° 1 . Estaciones del ferrocarril minero de la Braden Co. en 1919[2]

	ESTACIONES	KMS	ALTURA
1	Rancagua	0	513
2	Fuenzalida	17	643
3	Baños	27	900
4	Coya	31	995
5	La Isla	32	1.008
6	Sapos	58	1.765
7	Copado	61	1.842
8	La Junta	71	2.134
9	Sewell	72	2.139

Fuente: Fuenzalida 1919.

El ferrocarril fue inaugurado el 17 de septiembre de 1911 y rápidamente se convirtió en una pieza determinante para el correcto funcionamiento de la Braden Co., ya que todo lo necesario para la explotación y producción de cobre era transportado a través de este medio, que en la ciudad de Graneros se empalmaba con las líneas férreas del Estado para llegar así a los puertos de embarque. Hacia 1963 el ferrocarril transportaba alrededor de 55.000 toneladas netas de carga y más de 48.000 pasajeros al mes.

El conjunto de inversiones realizadas por la Braden no olvidó un tema relevante para sus funciones, como es la fuerza laboral, pues fueron miles los trabajadores que se necesitaron para sus faenas cotidianas. Trasladarlos hacia un lugar con las particularidades geográficas y climáticas ya descritas no era una tarea simple; de hecho, en los primeros años no eran más de 200 los trabajadores con los que contaba la empresa en faenas netamente mineras.

Una de las formas para atraer personal, por la cual El Teniente será reconocido como pionero internacionalmente, fue pagando altos salarios a sus empleados y obreros. Sin embargo la llegada permanente de cientos de trabajadores planteaba problemas de mayores consideraciones, pues el objetivo de esta empresa era conformar una mano de obra que fuera estable a sus necesidades productivas.

Figura 4. *Sewell, 1923.*

Fuente: www.memoriachilena.cl

El desafío de la Braden fue transformar un campamento minero en una ciudad en plena cordillera de los Andes y que esta contara con todas las comodidades posibles para que los trabajadores y sus familias pudieran asentarse de forma definitiva. La construcción de Sewell (Figura 4) representó una de las obras más importantes y complejas que ejecutó la Braden, pues la ciudad fue construida sobre las laderas de los mismos cerros, utilizando una técnica de construcción en plataforma de altura (*Plataform Frame*)[33].

El modelo empleado por la Braden fue el de *Company town*, el cual permitía concentrar al máximo capital y trabajo en un solo lugar. Esta *Company town* también se caracteriza por su relativo aislamiento geográfico, lo que reduce la acción estatal pero aumenta el paternalismo y control empresarial. Más allá de esto, la Braden invirtió fuertemente en la infraestructura de la ciudad construyendo edificios donde se encontraban las habitaciones de obreros, empleados y jefes, edificios deportivos,

---

[33] Gómez *et al.* 2003.

sindicales, hospitales, teatros, correos, juzgados, y plazas, acumulando un total de 175.000 metros cuadrados construidos.

Aunque la construcción de la ciudad de Sewell fue funcional a las necesidades laborales de la empresa, lo cierto es que constituyó una obra de inmenso esfuerzo humano y técnico, sin precedentes en nuestro país, el que además será imitado por las empresas cupríferas que después se instalaron en Chuquicamata y Potrerillos. Hasta el día de hoy Sewell constituye un referente arquitectónico y cultural de nuestro país, siendo reconocida por la UNESCO como patrimonio de la humanidad en el año 2006.

Conclusiones

A modo de conclusión, podemos afirmar que la Braden, subsidiaria de la transnacional Kennecott, se instaló en nuestro país asumiendo el desafío de iniciar la Gran Minería del Cobre en Chile. La singularidad del entorno geográfico obligó a realizar gigantescas inversiones en infraestructura, llegando al punto de crear una nueva ciudad en plena cordillera. Pero su carácter de empresa moderna no proviene exclusivamente de esto, pues mucho más decisivo fue su perfil innovador, el que se aprecia en los mismos inicios de siglo, cuando la empresa decidió utilizar métodos de extracción bajo tierra (hundimiento), los que eran poco conocidos en aquel entonces. Braden también fue pionera en la permanente incorporación de métodos y maquinarias que elevaron la eficiencia de los procesos de concentración y fundición del cobre. Gracias a todo esto, y a pesar de las dificultades operacionales de la minería –como la caída constante de las leyes–, "El Teniente" respondió al desafío de producir miles de toneladas de cobre, convirtiéndose en la mina subterránea más grande del mundo.

Bibliografía

BADÍA-MIRÓ M., & DUCOING C. (2015). "The long run development of Chile and the Natural Resources curse. Linkages, policy and growth, 1850-1950". En M. Badía-Miró, V. Pinilla, y H. Willebald (Eds.), *Natural Resources and Economic Growth. Lessons from History*. New York, Routledge.

BAROS M. C. (1996). *El Teniente. Los hombres del mineral. 1905-1945*, CODELCO, Santiago.

Braden Copper Company (1963). *Este es el Teniente*, Imprenta Mueller, Santiago.

Concha A. (1920). *Informe sobre la planta beneficiadora de minerales de cobre de "El Teniente" de propiedad de la Braden Copper Company*. Soc. Imprenta y Litografía Universo, Santiago.

Fuenzalida A. (1919). *El trabajo i la vida en el Mineral "El Teniente"*, Sociedad Imprenta-Litografía Barcelona, Santiago.

García M. y Espinoza B. (2005). *Sewell, patrimonio de la minería chilena*. Tesis para optar al grado de Licenciado en Artes con mención en Teoría e Historia del Arte, Facultad de Artes, Universidad de Chile.

Gómez L., Leser H. y Salomone V. (2003). "El sistema constructivo plataforma en Sewell". *Revista de Urbanismo, N° 8*, Facultad de Arquitectura y Urbanismo, Universidad de Chile.

Instituto de Ingenieros de Minas de Chile (1936). *Monografía sobre la Braden Copper Company, Sewell*, Editorial Universo, Chile.

Millán A. (2006). *La minería metálica en Chile en el siglo XX*, Editorial Universitaria, Santiago.

Moussa N. (1999). *El desarrollo de la minería del cobre en la segunda mitad del siglo XX*, CEPAL, División de Recursos Naturales e Infraestructura, Santiago.

Ortega L. (2008). "Las transformaciones en el mercado internacional del cobre y la decadencia de la región minera tradicional de Chile, 1875-1920". *Revista Tiempo y Espacio*, Universidad del Biobío, Año 17, Vol 20, pp. 6-26.

Sociedad Nacional de Minería (1939). "La Braden Copper Company". *Boletín de la Sociedad Nacional de la Minería, N° 475*, Año LV, Volumen LI.

Sutulov A. (1975). *El cobre chileno*, Codelco, Santiago de Chile.

Vicuña Mackenna B. (1883). *El libro del cobre i del carbón de piedra en Chile*, Imprenta Cervantes, Santiago de Chile.

Linkografía

www.memoriachilena.cl
www.imagenesdesewell.cl

"LA NUEVA SOFOFA", LOS ORÍGENES DEL "GREMIALISMO EMPRESARIAL" Y DEL "NUEVO LIBERALISMO" EN CHILE, 1951 Y 1958

LUIS ORTEGA MARTÍNEZ[1]

El empresario es el héroe de la sociedad actual.

ORLANDO SÁENZ ROJAS[2]

Introducción

Si Orlando Saénz pudo hacer la afirmación que encabeza este capítulo, ello fue posible pues desde la década de 1950 en Chile se construyó una visión del empresario y del empresariado en cuanto a actor decisivo en la consecución del desarrollo del país. Este capítulo ofrece un recuento de aquél proceso y de sus proyecciones en el tiempo.

Los procesos de cambios profundos son prolongados, aunque con momentos de vértigo que suelen ser confundidos en cuanto a procesos autónomos, sin ser necesariamente parte de procesos mayores. Las lecturas acerca de ellos cambian con el paso de los años y suelen quedar supeditadas a lo más dramático. De tal manera, quedan fuera del relato histórico aceptado acontecimientos y actores que pasan a ser parte del acumulado de numerosas situaciones olvidadas por la historiografía. Y en sus inicios, que pueden comprender un número importante de años,

[1] Profesor Titular, Departamento de Historia, Universidad de Santiago de Chile. Este capítulo es un producto del Proyecto FONDECYT N° 1150819, "La trayectoria del proyecto monetarista chileno 1952-1975". Agradezco los aportes, comentarios y sugerencias de mis colegas co-investigadores Joaquín Fernández Abara, Eduardo López Bravo y Pablo Rubio Apiolaza, así como la labor de los asistentes de investigación Francisca Cifuentes Miranda, Fernanda Núñez Olivares, Fernanda Poblete Castro y Maximiliano Ortega Valenzuela. También agradezco los valiosos aportes, una vez más, de Enzo Videla Bravo. La revisión y edición del texto estuvo a cargo de Valeria Castillo Ramírez. Email: luis.ortega.m@usach.cl.

[2] En USACH al Día, publicación interna de la Universidad de Santiago de Chile, 6 de octubre de 1993. Sáenz Rojas, de profesión ingeniero civil, fue Presidente de la Sociedad de Fomento Fabril entre 1971 y 1974; a partir de septiembre de 1973 fue asesor económico del Ministerio de Relaciones Exteriores. Al momento de pronunciar la frase del epígrafe era el Presidente de la Junta Directiva de la Universidad de Santiago.

los procesos son inciertos; plenos de contradicciones y, por ello mismo, dramáticos. La determinación de sus cotas temporales es resorte de los historiadores y fuente de controversias. Determinar quiénes son los actores principales es también tarea compleja, pues los roles suelen ser, como en una comedia, difíciles de precisar. Por último, en la dimensión del tiempo, es complejo discernir propósitos, objetivos, aislar pugnas en elencos sociales que si bien legaron testimonios, pueden ser leídos de maneras y con ópticas diferentes, no necesariamente convergentes. Es el desafío de emprender la construcción del relato a partir de la historia, pero también de la memoria, en particular cuando el narrador de una u otra manera "vivió" los acontecimientos[3].

En la década de los años 1950 Chile vivió una coyuntura particularmente difícil. No solo se trató del deterioro de la economía –expresada mayormente en una aceleración del proceso inflacionario, la desaceleración de la tasa de crecimiento del producto–, sino también en un agudo incremento de la conflictividad social y en una crisis política que, para observadores situados en distintos lugares del espectro político, puso en juego la vigencia del régimen democrático. Son los años en que Jorge Ahumada dictaminó que el país vivía una "crisis integral" y en que Aníbal Pinto formuló su tesis de que el país era "un caso de desarrollo frustrado"[4].

Quien esto escribe nació en el primer mes de 1950. Mis primeros recuerdos son de los años 1954 y 1955, y entre ellos, los más acendrados son aquellos de la mesa familiar. Eran tiempos en que los trabajadores –el caso de mi padre– laboraban doble jornada y, por lo tanto, la mesa familiar, tanto en la hora del almuerzo como al anochecer, era un lugar importante de reunión y de conversación. Un complemento importante era la radio. Para mí la mesa familiar estuvo marcada por los ácidos comentarios de mi padre acerca de la "situación" y la conducción económica del país por parte del gobierno del General (r) Carlos Ibáñez del Campo, en tanto que mi madre, "dueña de casa" por excelencia, le daba sustancia a esos comentarios con acotaciones acerca de la inflación de los precios de las subsistencias. Fueron tiempos difíciles para la familia. Acompañante de los encuentros familiares fue la ya mencionada radio, en donde tal vez comenzó mi educación política. A las 13:40, de lunes a

---

[3]   Jelin 2002, *passim*.
[4]   "La crisis integral de Chile", es el título de la parte I del libro de Ahumada 1958. *Chile. Un caso de desarrollo frustrado* es el título del libro de Aníbal Pinto (1959). Según Ibáñez (2011: 45), el diario *El Mercurio* planteó que "la inflación había llegado a tal extremo, que había introducido al país en una situación tal de caos, que amenazaba la estabilidad institucional misma".

viernes, todos guardábamos silencio para escuchar 20 minutos de noticias y comentarios en el programa "Tribuna política" del periodista Luis Hernández Parker (conocido como HP); sus noticias y comentarios, ya lejanos, corroboraban un ambiente de tensión que era objeto de las conversaciones en las reuniones familiares de los fines de semana[5].

Hoy pienso que la radio me inició en mi interés por los asuntos sociales y políticos. Los recuerdos más potentes son los relatos de los sucesos del 2 de abril de 1957, y la cobertura de la campaña presidencial que culminó en la elección del 4 de septiembre de 1958. Eventos, sin duda dramáticos, pero cuyo dramatismo era tan solo una expresión del complejo momento que vivía el país y de los cuales HP daba cuenta de lunes a viernes.

Los años entre 1950 y 1957 constituyeron una coyuntura que conmovió y movilizó a la mayoría, cuando no a todos los sectores sociales del país, en la medida en que el deterioro de la convivencia y de las condiciones de vida los golpeó de diferentes maneras, aunque, naturalmente, con intensidades dispares[6]. Los intentos de respuesta fueron vastos en los ámbitos de lo social y lo político. En esta última dimensión se verificaron cambios trascendentales que implicaron, hacia el final de la década, y con motivo de la elección presidencial de 1958, un nuevo ordenamiento de fuerzas que ahora buscaron movilizar a sectores sociales que, hasta entonces, habían tenido escasa o nula participación. Y en la medida en que los desafíos y problemas que enfrentaba el país se tornaban más agudos, las respuestas, en la forma de propuestas programáticas, se hicieron cada vez más radicales.

La década de los años 1950, una coyuntura decisiva en la segunda mitad del siglo xx

Existe un creciente consenso historiográfico acerca de que en la década de los años 1950 se verificaron procesos que definieron el curso del país hasta la crisis de 1973. Por una parte, era cada vez más evidente que la estrategia de crecimiento económico implementada desde fines de los años 1930 se había agotado, mientras que por otra los procesos sociales, en particular, aunque no exclusivamente la concentración de población, devinieron en

---

[5] En 2010 Pamela y Silvia Hernández publicaron una selección de comentarios radiales del mencionado periodista en el libro *Luis Hernández Parker. Señores auditores: muy buenas tardes*. Respecto de ese periodo, véase páginas 55-130.

[6] Torres 2014: capítulo I.

la creciente obsolescencia de los arreglos institucionales forjados también desde aquella década. En ese contexto se verificó un reordenamiento político que, *grosso modo*, determinó el decurso social y político del país en una trayectoria que culminó con la destrucción del régimen democrático.

Un cambio trascendente, tal vez el más importante, se verificó en el centro, donde el antiguo pragmatismo del radicalismo fue desplazado por una nueva organización con características programáticas e ideológicas de fuerte vocación movilizadora: la Democracia Cristiana[7]. Pero también por el lado de la izquierda hubo cambios trascendentes. Después de dos décadas de éxitos relativos, pero en general de fracasos que redundaron en conflictos agudos entre los dos principales partidos del sector –el comunista y el socialista–, y en el caso de los primeros de una aguda represión, desde mediados de la década se forjó una alianza que perduró por prácticamente dos décadas[8]. Y en ese contexto, la derecha vivió el comienzo de una etapa decisiva que puede ser considerada como aquella del comienzo de la agonía de la derecha oligárquica que culminó a mediados de la década siguiente, y de la emergencia de un movimiento que en el lapso de algo más de una década redundaría en la emergencia de una fuerza política radicalmente nueva: el gremialismo[9].

Si bien desde el punto de vista programático los nuevos alineamientos eran incompatibles, como trágicamente el país lo comprobó entre 1958 y 1973, los tres tenían algunos rasgos en común. En primer lugar, su diagnóstico acerca de la obsolescencia de los diseños políticos, sociales y económicos que se habían gestado desde la restauración de la democracia en 1931 y, más específicamente, desde 1939. En segundo lugar, los tres agrupamientos representaban fuerzas sociales que, hasta entonces habían tenido escaso protagonismo político y, en tercer lugar, sus propuestas de superación de la "crisis integral" estaban caracterizadas por su radicalismo, lo cual implicaba el desmantelamiento de las estructuras vigentes, es decir, incursionar por el escabroso camino de las reformas estructurales.

Fue en ese contexto, más tempranamente, en ámbitos diferentes y por actores diferentes a los que hasta ahora se han propuesto, que se comenzó a sentar las bases de lo que se ha denominado el "proyecto monetarista chileno" o, como hoy se estila decir, se empezó a sentar las bases del "modelo neoliberal chileno".

---

[7]   Scully 1992: especialmente capítulo IV.
[8]   Casals 2010: 17-42.
[9]   Valdivia 2008: Introducción y capítulo I.

Ha habido dos maneras de enfrentar el tema. La primera, y tal vez la más común, ha centrado el análisis en las reformas implementadas por los economistas graduados principalmente en el Departamento de Economía de la Universidad de Chicago, una vez que se hicieron cargo totalmente de la conducción económica del país, es decir, a partir de abril de 1975. De acuerdo con ese enfoque, la revolución –hubiese sido ella "capitalista", "empresarial" o "silenciosa"– monetarista sería, desde un punto de vista cronológico, un fenómeno propio de la dictadura militar y, desde el punto de vista de sus contenidos, sería un fenómeno que al empresariado "le vino desde fuera", pues nunca tuvo la capacidad de generar un "proyecto modernizador". Esa es la visión de los cientistas sociales y de los economistas[10]. La segunda es una tarea más ardua, pues demanda considerar las condiciones –sociales, políticas, económicas y culturales –que en el corto, el mediano y largo plazo hicieron posible que esa "revolución" ocurriera. Ese es el camino de los historiadores, que han demostrado que los fundamentos intelectuales, ideológicos y técnicos de los procesos que el país vivió a partir de mediados de los años 1970 son de larga data; se remontan a los complejos años de la primera mitad de la década de los años 1950[11].

Los estudios de Correa, Valdivia y Gárate han contribuido de manera importante al debate tanto de los actores sociales como acerca de la temporalidad del "proyecto monetarista/neoliberal" chileno. Las dos primeras autoras han señalado como importante la participación de segmentos del empresariado en al menos dos eventos de crucial importancia en la trayectoria del monetarismo criollo: en primer lugar, el convenio entre la Facultad de Ciencias Económicas de la Universidad Católica de Chile y el Departamento de Economía de la Universidad de Chicago (en adelante el Convenio), que comenzó a ser negociado en 1955 y, en segundo lugar, la contratación, a instancias del grupo empresarial *El Mercurio*, de la Misión Klein-Saks (en adelante la Misión) por parte del gobierno, y gestionada en el mismo año. Para ambas los dos hitos marcan el arranque político e intelectual del monetarismo; sin embargo, ninguna de las dos incursionó –no era tampoco su objetivo–, en la dimensión social del

---

[10]   Moulián 2009 y Vergara 1985, son buenos ejemplos. Es la visión que, al parecer, se ha convertido en "sabiduría convencional"; por ejemplo, en el notable sitio web www.memoria chilena. cl, se lee: "La introducción del neoliberalismo en Chile surge en los años setenta". www.memoriachilena.cl/602/w3-article- 31415.html visitada el 21 de febrero de 2017.

[11]   Correa 1985 y 2005; Valdivia, *óp. cit.*; y Gárate 2012.

proyecto, en otras palabras, en el estudio de los actores individuales y colectivos que le dieron forma, contenido e impulso.

Los antecedentes que aportan Correa y Valdivia evidencian que en la gestación de ambas iniciativas estuvieron presentes destacados empresarios, sobre todo en el caso de "la misión". Y ello apunta a una cuestión fundamental: en la primera mitad de la década de 1950 significativos segmentos del empresariado se movilizaron para generar un proyecto social, político y económico que significaba imprimir un giro trascendente en la conducción del país, tal cual se había verificado entre 1926 y 1932 y, sobre todo, a partir de 1939.

Por lo tanto, en este capítulo se sostiene que el factor social decisivo en el arranque y desarrollo del proyecto monetarista fue "el mundo empresarial" o más bien una parte importante de él. Los actores sociales decisivos en la gestación del proyecto económico y social monetarista fueron un segmento del empresariado radicado principalmente, aunque no exclusivamente, en la Sociedad de Fomento Fabril (SOFOFA). Fue en esos ámbitos que se crearon las condiciones sociales, culturales y políticas adecuadas para la construcción de la propuesta que comenzó a ser implementada gradualmente a partir del golpe militar de septiembre de 1973 y que a partir de 1975 adquirió un *momentum* de aceleración en apariencias incontenible.

¿Qué motivó a un grupo de empresarios a emprender iniciativas que iban más allá de lo estrictamente gremial y a comenzar a incursionar por los ámbitos de los debates acerca de la política económica y social, pero también acerca de cuestiones centrales en aquellos años como el lugar del Estado en la producción de bienes y servicios? La respuesta radica en la compleja coyuntura que el país vivió a partir de los últimos años de la década de los años 1940, y que llegó a su punto más dramático a mediados de los años 1950. En ese contexto, empresarios de diversos ámbitos de la producción crearon su propio "tiempo social", en un proceso que les llevó un cuarto de siglo más tarde a convertirse en los actores sociales, si no centrales sí decisivos, en el destino social y político del país.

El capítulo se ha elaborado sobre dos tipos de fuentes: las documentales y los periódicos. En cuanto a las primeras, están constituidas fundamentalmente por las Actas del Consejo Directivo de la SOFOFA, las que eran publicadas en la revista *Industria*; no es este un camino sin recorrer[12]. Tampoco lo es la revisión de los documentos del Fondo Jorge

---

[12] Cavarozzi 1964.

Alessandri, depositados en la Biblioteca Nacional. Los periódicos consultados fueron las revistas *Industria* y *Panorama Económico* y los diarios *El Diario Ilustrado, El Mercurio* en sus ediciones de Santiago y Valparaíso, y *La Unión*, de esta última ciudad.

El país en crisis y la irrupción del populismo

Desde los primeros meses de 1953 hasta el segundo semestre de 1955 se verificaron en el país cuatro acontecimientos importantes en los ámbitos empresarial y académico. El primero fue la reorganización de la Sociedad de Fomento Fabril (SOFOFA) a partir de su tercera Convención que la entidad realizó en el mes de junio de 1953 en Viña del Mar. En segundo lugar, la creación del Instituto Chileno de Administración Racional de Empresas (ICARE) y de la Fundación Adolfo Ibáñez en agosto y octubre de aquel año respectivamente, también en 1953. En tercer lugar, en 1955 las negociaciones y la firma del convenio de cooperación académica entre la Facultad de Ciencias Económicas de la Universidad Católica de Chile y el Departamento de Economía de la Universidad de Chicago. El cuarto evento fue la contratación de "la Misión" en 1955.

¿Cómo se explican esos acontecimientos? ¿Qué circunstancias derivaron en que en la SOFOFA se verificaran trascendentes cambios en su dirigencia, en su estructura orgánica, así como en su posicionamiento ideológico y en su accionar político? ¿Cuáles fueron los incentivos para la creación de ICARE y la Fundación Adolfo Ibáñez?

Esas iniciativas fueron las respuestas empresariales, o más bien de un segmento del empresariado, frente a la incertidumbre e inestabilidad que se experimentó desde los dos últimos años de la década de 1940, y que se agudizaron en el primer trienio de la década de los años 1950, con la llegada al gobierno del ibañismo. El entramado político, económico y social que se había desarrollado desde mediados de la década de los años 1920, con intensidades variables, evidenciaba claros signos de agotamiento que, con la llegada del ibañismo al gobierno para esos sectores pronto devino en amenaza.

Las aprehensiones de algunos empresarios acerca de los acontecimientos políticos que comenzaron a plasmarse en una cada vez más alarmante realidad desde 1949, por ejemplo, en la elección de Senadores por Santiago efectuada en el mes de marzo, donde, encabezando una heterogénea coalición con claros ribetes populistas y autoritarios, el general (R) Carlos Ibáñez obtuvo una alta votación y la primera mayoría. Desde entonces su figuración política se acrecentó y dio lugar a un movimiento que promovió su candidatura presidencial, la que adquirió características de masividad, en particular en las áreas urbanas. Y resultó ser avasallador, pues en la elección presidencial de septiembre de 1952 el General obtuvo la primera mayoría con el 47,6% de la votación entre cuatro candidatos.

El resultado no solo confirmó los peores temores de buena parte del empresariado en cuanto a la irrupción de un movimiento que, entre muchas otras promesas, ofrecía más Estado y servicios públicos –con el consiguiente aumento del gasto–, el incremento de la presencia pública en los procesos productivos, la ampliación del sufragio y una profunda reforma de los procedimientos electorales, la derogación de las leyes represivas y la promoción del sindicalismo. También era inquietante la composición de la coalición que respaldó la candidatura triunfante –que comprendía un amplio arco que abarcaba desde marxistas hasta nacionalistas–, y también sus vínculos con los movimientos nacionalistas en países vecinos, en particular con el peronismo. Un motivo particular de preocupación para algunos empresarios fue la desilusionante votación del candidato de los sectores políticos tradicionalmente afines con el empresariado (liberales y conservadores tradicionalistas), y miembro del Consejo Directivo de la SOFOFA, Arturo Matte Larraín, quien obtuvo el 27,8% de la votación, 29,4 puntos porcentuales menos que los candidatos de su sector en la elección presidencial de 1946[13].

Diversos acontecimientos durante los primeros meses del nuevo gobierno acentuaron los temores empresariales y se convirtieron en amenazantes. En la primera quincena de febrero de 1953 diversas organizaciones de trabajadores concurrieron a la fundación de la Central Única de Trabajadores de Chile, una multisindical cuyo objetivo era asumir la representación del movimiento laboral, para lo cual tuvieron el apoyo gubernamental a través del Ministro del Trabajo y Previsión Social, el militante del Partido Socialista Popular, Clodomiro Almeyda Medina. Pocos días más tarde, el 20 de febrero, se verificó la visita del Presidente de la República Argentina, Teniente General Juan Domingo Perón, lo que dio lugar a tumultuosas manifestaciones públicas masivas y fervo-

---

[13] Arturo Matte Larraín fue Senador (1951-1957), Ministro de Hacienda (1943-1944), miembro del Directorio de la SOFOFA y Presidente de su Comisión de Industrias en la década de 1950. Fue además fundador de la Compañía Manufacturera de Papeles y Cartones, Presidente del Banco Sud Americano, Presidente de la Compañía de Acero del Pacífico, y miembro del Partido Liberal. Ver http://historiapolitica.bcn.cl/resenas_parlamentarias/wiki/Arturo_Matte_Larra%C3%ADn, consultado el 27 febrero de 2017.

rosas, en cuyo contexto ambos presidentes manifestaron su propósito de avanzar hacia la integración de ambos países, lo cual generó reacciones adversas en la oposición política y en sectores del empresariado chileno, que vieron en ellas amenazas tanto a la soberanía política como la autonomía económica del país. Entre tanto, el nuevo gobierno anunciaba un nutrido programa legislativo que generó "justificada alarma entre los gremios de productores y comerciantes" pues consultaba proyectos que creaban un Comité de Regulación Económica, "cuya función sería determinar el monto de los reajustes de precios y remuneraciones derivados del alza del costo de la vida o de las fluctuaciones en el poder adquisitivo de la moneda", un segundo proyecto que ampliaba "extraordinariamente" el fuero sindical, mientras que una tercera iniciativa establecía la "inamovilidad de empleados y obreros". Un cuarto proyecto proponía aumentar "indiscriminadamente", en un 45%, "todos los salarios que se estuviesen pagando a la fecha de la promulgación de la ley". Simultáneamente, el Ejecutivo anunció la creación del Instituto Nacional de Comercio, cuya función sería la de regular el comercio exterior[14].

Gráfico 1. *Votación partidos derecha 1931-1973.*

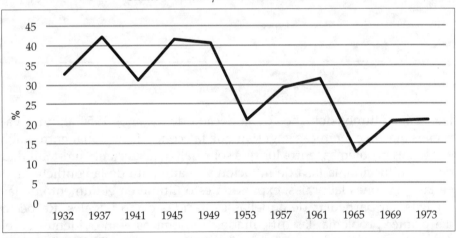

Fuente: Scully 1992: 173.

---

[14]   *Industria,* mayo 1953: 84. (*Industria* era la revista de la SOFOFA).

Si los acontecimientos del mes de febrero fueron sombríos desde el punto de vista de sectores del empresariado, el mes de marzo se inició con un evento aún más desalentador. En la elección de diputados, efectuada el día 6 de aquel mes, los partidos políticos con mayor cercanía a los intereses empresariales –conservador tradicionalista, conservador social cristiano (aunque este con muchos cuestionamientos a la política tradicional de derecha) y el Liberal– obtuvieron el porcentaje de adhesión más bajo en todo lo que iba de trascurrido del siglo xx, con tan solo el 25,3% (Gráfico 1).

Gráfico 2. *Producto Interno Bruto de Chile. Variación anual 1940-1959.*

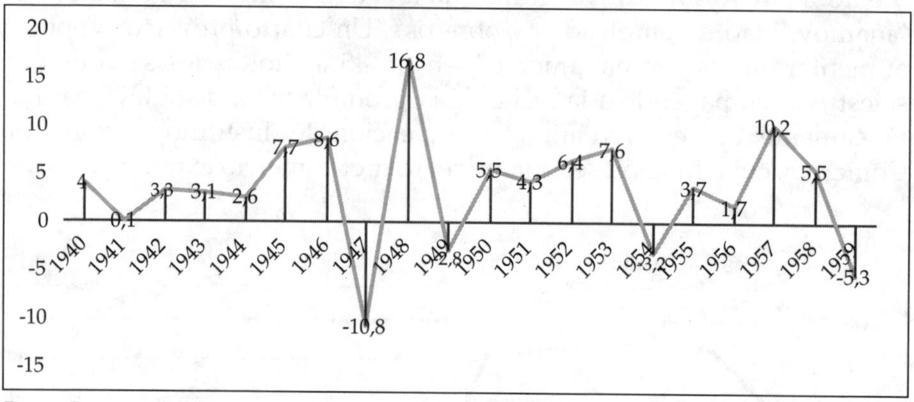

Fuente: Braun *et al.* 2000: 21-24.

Desde los últimos dos años de la década de los años 1950 algunas variables macroeconómicas sugerían que la economía nacional enfrentaba crecientes problemas, entre los que sobresalían la creciente inestabilidad de la producción, la tasa de inflación y el aumento de la conflictividad en las relaciones laborales, expresada esto último en el aumento de las huelgas, en particular de aquellas calificadas como ilegales. Respecto del primer problema, las dificultades económicas eran evidentes en el último trienio de la década de los años 1940 y se expresaban en una marcada inestabilidad en el ritmo de crecimiento de la actividad productiva (Gráfico 2). Ya fuese por factores externos, como por ejemplo los derivados del reacomodo de la economía internacional, una vez finalizada la Segunda Guerra Mundial, o como resultado de factores internos, en diversos ámbitos de las actividades nacionales existía un consenso en cuanto a que se vivía un periodo difícil. Así lo manifestó el Presidente de la República en su mensaje anual al Congreso Nacional en 1950, en el que se refirió explícitamente a los desequilibrios que habían originado las políticas implementadas desde 1939. Menciones explícitas acerca de los problemas fueron el rezago de la agricultura y el rebrote inflacionario[15].

Pero el problema más complejo que debieron enfrentar los gobiernos en el decenio 1946-1956 fue, sin duda, el de la inflación. En 1951, en un balance respecto del tema, el presidente González aseveró que el país continuaba estando "cogido en las garras del proceso inflacionista que, desde hace muchos años, amenaza con romper los fundamentos de la vida económica y de la tranquilidad social". Para paliar este problema el presidente González intentó implementar políticas de estabilización para lo cual, por una parte, solicitó la colaboración de organismos internacionales y, por otra, en agosto de 1947, designó Ministro de Hacienda al entonces presidente de la Confederación de la Producción y el Comercio (CPC), Jorge Alessandri. Durante algo más de dos años Alessandri se abocó a la ardua tarea de estabilizar las finanzas públicas y logró superavits en las cuentas entre los años 1947 y 1949, pero las demandas políticas culminaron con su intempestiva salida del ministerio en febrero de 1950, y con ello un fuerte repunte del gasto fiscal, del déficit en las cuentas fiscales y del rebrote de las presiones inflacionarias (Gráfico 3).

Gráfico 3. *Índice de Precios al Consumidor. Variación anual 1940-1959.*

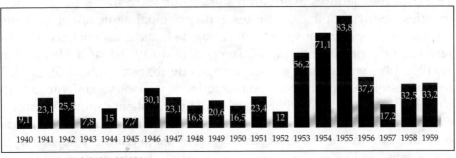

Fuente: Braun *et al.* 2000: 98-101.

[15]   Mensaje Presidencial al Congreso Nacional (MP), 21 mayo 1951: XIII. Para las demandas del gobierno a Naciones Unidas por asistencia técnica y los ofrecimientos del FMI, véase Hirschman 1964.

En forma paralela a los acontecimientos económicos, pero directamente relacionados con ellos, en el ámbito social la efervescencia y la conflictividad aumentaron de manera significativa. Si bien en los años 1948 y 1949 el número de huelgas disminuyó significativamente, producto de la implementación de la Ley de Defensa Permanente de la Democracia –la "Ley Maldita"–, a partir de 1950 se registró un fuerte incremento de ellas, en particular de las calificadas como "ilegales" (Gráfico 4). Para el presidente González dicho escenario era atribuible a la actividad desarrollada por el Partido Comunista de Chile desde la clandestinidad[16], pero no cabe duda que ello es también atribuible tanto a la recuperación de la actividad sindical como al aumento del nivel de precios (Gráfico 3 y Cuadro 1).

Cuadro 1. *Participación porcentual en el ingreso por grupos de actividad económica. Década de los años 1950.*

	1953	1959
Trabajadores	30	26
Sectores medios	26	25
Empresarios, altos ejecutivos, propietarios rentistas, financistas.	44	49

Fuente: Drake 1978: 252.

Respondiendo a la contracción de su poder adquisitivo y al aumento del desempleo (que aumentó del 4 al 10% en Santiago en el periodo 1952-1958), los trabajadores expresaron su descontento a través de las urnas, manifestaciones y agitación. Protestando principalmente por el creciente abismo que separaba sus rentas del coste de la vida, las huelgas aumentaron de una media de 85 por año en el periodo 1939-1946 a 136 por año en 1946-1952 y a 205 por año en tiempos de Ibáñez (Gráfico 5). Si bien todavía estaban concentradas en las ciudades y en los yacimientos mineros, el activismo laboral penetró en forma creciente al campo. Al mismo tiempo, proliferaron los barrios pobres de ocupantes ilegales a medida que cada año más gente emigraba del campo a la ciudad y llegaba a las zonas metropolitanas, en especial a Santiago, donde presionaban cada vez más pidiendo representación política, empleo y vivienda[17].

El precario equilibrio que el país experimentó hasta entonces se comenzó a romper desde mediados de 1951, a lo cual contribuyeron al

---

[16]   *Ibídem.*
[17]   Drake 1978: 252.

menos dos factores. Por una parte, el abandono de la disciplina fiscal por parte del gobierno (Gráfico 4), mientras que por otra la agitación social, que comenzó a adquirir intensidad en la medida que el repunte inflacionario se tradujo en el deterioro del nivel de vida de los asalariados, lo cual se constituyó en un tema central en la campaña presidencial que comenzó temprano, aunque informalmente, en el segundo semestre de aquel año. A ese tema se fueron sumando paulatinamente otros, entre los que cabe destacar el de la vivienda y el agrario, a partir de lo cual los cuestionamientos al estado del país aumentaron dramáticamente[18].

Gráfico 4. *Gasto fiscal. Variación anual 1940-1950.*

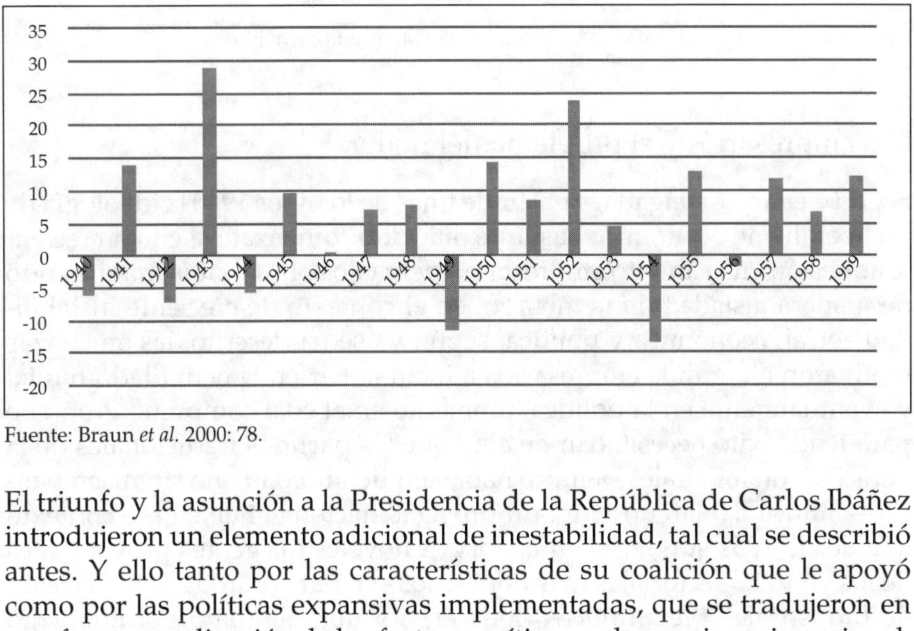

Fuente: Braun *et al.* 2000: 78.

El triunfo y la asunción a la Presidencia de la República de Carlos Ibáñez introdujeron un elemento adicional de inestabilidad, tal cual se describió antes. Y ello tanto por las características de su coalición que le apoyó como por las políticas expansivas implementadas, que se tradujeron en una fuerte agudización de los factores críticos en la convivencia nacional, hasta el punto de poner en duda la vigencia del régimen democrático[19].

[18]   Garcés 2002: 111-194; Huerta 1989: 103-120.
[19]   Pinto 1959: 9; Bicheno 1972: 351-388.

211

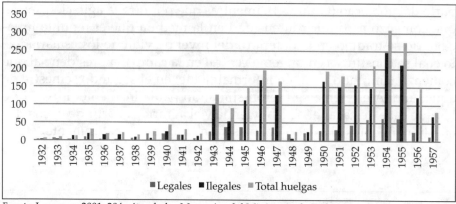

Gráfico 5. *Huelgas Urbanas 1932-1957.*

■ Legales ■ Ilegales ■ Total huelgas

Fuente: Loveman 2001: 204, citando las Memorias del Ministerio de Trabajo.

Los empresarios y el problema del poder

Según Genaro Arriagada, a partir de fines de los años 1940 la ideología de un liberalismo económico bastante marcado comenzaba a ganar creciente adhesión en el ámbito empresarial, pero ello solo se había manifestado de manera aislada[20]. Sin embargo, en el contexto de creciente instabilidad social, económica y política, según ya se ha descrito, las amenazas motivaron a algunos empresarios a incursionar en la actividad gremial y eventualmente en la política, momento en el cual comprendieron que para tener éxito necesitaban de algo que los partidos tradicionales de la derecha, con los cuales siempre había tenido afinidad –no sin discrepancias–, nunca habían poseído: un proyecto nacional. Fue en ese contexto que desde 1951 surgieron en la SOFOFA noveles dirigentes provenientes de los gremios sectoriales más poderosos –en particular de la Asociación de Industriales Metalúrgicos (ASIMET)–, y que desafiaron el liderazgo que había dirigido la institución desde mediados de la década de los años 1930, planteando la necesidad de restructurarla, así como de promover el desarrollo de redes relacionales, tanto nacionales como internacionales, para hacer frente al contexto pleno de amenazas. Comenzó así el tiempo social de una nueva pléyade de dirigentes empresariales que a través de dos décadas logró convertirse en un actor decisivo no solo

[20] Arriagada 2004: 126.

212

en el mundo gremial, sino, a la larga, en el ámbito de la disputa por el poder social.

En efecto, los impulsores de las transformaciones en las organizaciones empresariales, y que generaron las bases institucionales y organizativas para la difusión del cuerpo de ideas que derivó en lo que hoy en el país se conoce bajo el término neoliberalismo, dominaron la escena gremial y política del mundo de la derecha hasta la instauración de la dictadura militar en septiembre de 1973, pero algunos mantuvieron su influencia y poder hasta la década de los años 1990.

Hubo dos personajes decisivos en el inicio de la trayectoria del proyecto monetarista desde 1951 hasta 1970, Domingo Arteaga Infante y Eugenio Heiremans Despouys[21]. Bajo su liderazgo se fue conformando un movimiento que después de reestructurar la SOFOFA y la CPC se abocó a la compleja tarea de hacer crecer la primera y reactivar la segunda, generar nuevas organizaciones empresariales, desarrollar redes, elaborar una propuesta social y económica a partir de la cual se estructuró un proyecto nacional y permitió generar una alternativa y un liderazgo gremial y político que también perduró por aproximadamente dos décadas y dieron inicio al "tiempo social" del empresariado[22].

Arteaga y Heiremans dominaron la escena empresarial chilena directamente desde 1955 y por los siguientes 14 años. Sin embargo, se puede argumentar que liderazgo e influencia gremial fueron perceptibles desde 1951 y que, en el caso del segundo, se proyectó hasta entrada la década de los años 1990. Arteaga fue presidente de la SOFOFA en los años 1955 a 1959, pero desde 1958 hasta 1962 fue presidente de la CPC en reemplazo de Jorge Alessandri, cuando este asumió la Presidencia de la República. Heiremans, por su parte, sucedió a Arteaga en la presidencia de la SO-FOFA en 1959 y detentó el cargo hasta 1962; en 1966 fue elegido para un

---

[21] Domingo Patricio del Sagrado Corazón Arteaga Infante (1900), era Ingeniero Químico graduado en la Universidad de Michigan en 1923, dato de publicación *The Michigan Alumnus*, vol. XLIX, N° 14, 06 de febrero 1943. En 1933 estableció la empresa Fábricas Arteaga Limitada, elaboradora de productos químicos y metalúrgicos. Profesor de Química Industrial en la Universidad Católica de Chile; Eugenio Marcos Heiremans Despouys (1923) estudió el segundo ciclo de las humanidades (actual 2° a 4° Medio) en la Escuela Naval Arturo Prat desde 1938. En 1941 se incorporó a la empresa SOCOMETAL de propiedad de su padre; a la muerte de este en 1942 asumió la Gerencia General y en 1944 la Presidencia. En 1946 comenzó a participar activamente en la Asociación de Industriales Metalúrgicos (ASIMET); en 1949 fue elegido Presidente de la entidad; en esa condición fue elegido Director de la SOFOFA en 1951. En 1948, con Ernesto Ayala Oliva y Hernán Briones Gorostiaga, formó la empresa INDURA. Datos tomados de www. diccionariobiograficodechile.blogspot.cl, visitado el 8 de octubre 2016.

[22] Gurevitch 1979: 260-281.

segundo periodo, que culminó en 1969, siendo el único dirigente de la gremial que ha servido dos periodos en su presidencia.

Arteaga y Heiremans accedieron a la SOFOFA en calidad de socios en 1951, el primero junto a Ernesto Ayala Oliva como representante de la Fábrica de Enlozados Sociedad Anónima, y, luego de una postulación fallida al Consejo, ambos fueron elegidos en la 68ª Junta General Ordinaria de Socios que se efectuó el 9 de enero de 1952. El segundo se incorporó al Consejo en su calidad de presidente de ASIMET, por esos años tal vez el gremio de industriales más poderoso[23]. Desde sus cargos de consejeros electivos comenzaron a desarrollar una intensa actividad que combinó la crítica al estilo de conducción que le habían impreso a la entidad desde la década de los años 1930, particularmente desde 1939. Ello implicaba una crítica a la gestión del presidente Walter Müller Hess, el que detentaba el cargo desde 1934, además de un desafío a su autoridad, lo cual fue facilitado por este al dejar provisionalmente su cargo en agosto de 1951, para asumir la consejería económica de la embajada de Chile en Washington.

Desde 1951 hasta 1955 Arteaga concentró su actividad hacia el interior de la SOFOFA y en ese contexto es destacable su crítica a las políticas gubernamentales y a la gestión del presidente Müller. El primer aspecto se revisará más adelante, y respecto del segundo ejemplo es destacable su reparo a la cuenta anual del presidente en la 67ª Junta General Ordinaria de Socios del 10 de enero de 1951. Respecto de ella Arteaga expresó que si bien le merecían elogios su contenido y sobre todo la propuesta de aumentar el monto de la cuota anual de afiliación, ello era a:

> condición de que las entidades patronales cambien de política: que haya más energía para defender los justos intereses de los industriales y menos banquetes y discursos de contemporización con el Presidente de la República y los Ministros de Estado. Es necesario que tengamos plena conciencia del poder económico que representamos y, por consiguiente, podemos luchar de igual a igual con los poderes públicos.

En lo que parece haber sido un áspero intercambio, Müller, que había sido respaldado por Jorge Alessandri, sugirió a Arteaga leer la revista de la Sociedad y cerró su réplica afirmando que "la acción directa y enérgica no es tan fácil como el señor Arteaga se imagina", a lo que el aludido

---

[23] *Industria*, 1952, N° 3: 3.

respondió que no había sido su propósito "desconocer la labor de la sociedad, sino pedir que ella sea más enérgica"[24].

Pero el más activo de los dos fue sin duda Heiremans, pues tan pronto se integró al directorio se destacó por sus propuestas en ampliar y consolidar el ámbito de las organizaciones empresariales tanto en el nivel de las ramas de producción como de organismos coordinadores. De la revisión de la revista *Industria*, entre los años 1952 y 1957, se destacan sus esfuerzos organizativos que se plasmaron en la expansión de las actividades de la SOFOFA a diversas provincias y su rol decisivo en el año 1953 en la creación del Instituto Chileno de Administración Racional de Empresas (ICARE). En ese mismo año concurrió, junto con Arteaga, a la creación en Viña del Mar de la Fundación Adolfo Ibáñez, tal vez el primer intento en el país por crear un *think tank* liberal; un año más tarde, en la misma ciudad, ambos concurrieron a la fundación de la Asociación de Industriales de Valparaíso y Aconcagua (ASIVA).

Pero tal vez la más importante de las iniciativas de Heiremans en aquellos años fue su moción de comienzos de 1953 para la realización de una nueva convención de industriales, la que se realizó en el mes de junio de aquél año en Viña del Mar, y que reunió a más de mil empresarios de todo el país, contando con la presencia del presidente Ibáñez, así como de varios de sus ministros. Heiremans fue designado Presidente de la Comisión organizadora del evento y, desde esa posición, estuvo en condiciones de diseñar la agenda del evento, convirtiéndose en uno de sus principales protagonistas. Las resoluciones de ese evento, que comenzaron con un mandato para reestructurar la entidad, trazaron el rumbo y los contenidos de la actividad de la SOFOFA hasta por lo menos los últimos años de la década de los años 1960 y dejaron a la institución en una condición más permeable a lo que se ha denominado ofensiva neoliberal[25]. La implementación de las resoluciones de la III Convención comenzó con mayor fuerza a partir del primer trimestre de 1955, cuando Arteaga y Heiremans asumieron la presidencia y la vicepresidencia de la institución respectivamente.

Ambos dirigentes tenían una clara noción de los mecanismos y el manejo del poder, así como de la importancia del establecimiento de redes. En este sentido fue notable su despliegue en el ámbito internacional, lo que les permitió convertirse en figuras claves en los contactos en el

---

24 *Ibídem*, 1951, N° 2: 115.
25 Undurraga 2014: 26.

mundo privado del programa del Punto IV del gobierno de Estados Unidos en Chile. Ello tuvo dos dimensiones: la primera en el ámbito empresarial, que para la SOFOFA se expresó en el establecimiento de un fuerte vínculo con dirigentes y organizaciones empresariales estadounidenses y en periódicas visitas de académicos de esa nacionalidad que dictaron seminarios en Santiago. También se manifestó en una intensa relación con ICARE y sus dirigentes desde su creación, de lo cual dio cuenta el jefe del Punto IV, Albión Patterson al dejar Chile en 1957[26].

El nuevo liderazgo necesitaba ganar en prestigio para los empresarios y en su búsqueda le dieron una nueva forma y contenido a las relaciones externas a través de un intenso esfuerzo por proyectar su quehacer a través del establecimiento de redes más allá del ámbito empresarial. Para ello la reestructuración de la entidad comprendió una estrategia que partió con el despliegue de sus dirigentes a diferentes instancias de la actividad nacional y en el establecimiento de un Departamento de Estudios cuya misión era, en primer lugar, el "acopio de informaciones y antecedentes que representan elementos de juicio de gran utilidad" para "el análisis de los diversos aspectos del problema industrial y la utilización de estos resultados en defensa de la industria", a través de publicaciones de la propia Sociedad, insertos en periódicos y programas de radio. En segundo lugar se reforzó el dispositivo de relaciones públicas de la entidad, lo que en una primera instancia, y en lo que constituyó una importante innovación, se tradujo en la instauración de un "Ciclo de Conferencias", instancia a través de la cual la organización convocó a importantes personajes públicos y, en cierta medida, se abrió a otros sectores de la actividad. Entre los participantes en ese ciclo estuvieron Jorge Alessandri en su doble calidad de Presidente de la CPC y Consejero Honorario de la SOFOFA; Germán Picó Cañas, militante Radical, Presidente de la Asociación Nacional de la Prensa, dirigente de ASIMET y fundador del diario vespertino *La Tercera de la Hora* en 1950; René Silva Espejo, entonces Subdirector del diario *El Mercurio*; el Ministro de Hacienda Oscar Herrera Palacios; el ingeniero Raúl Sáez Sáez; el abogado y ex Ministro de Hacienda Felipe Herrera Lane; el ingeniero civil y varias veces ministro de Estado Guillermo del Pedregal Herrera; el Decano (desde 1955) de la Facultad de Ciencias Económicas de la Universidad Católica de Chile, Julio Chaná Cariola; el ingeniero comercial Flavián Levine

---

[26] Ortega 2017.

216

Bowden; y el periodista Luis Hernández Parker, que por entonces era el encargado de las relaciones públicas y las publicaciones de la Sociedad[27].

La presencia del Decano Chaná Cariola entre los conferencistas del año 1955 es sugerente, pues en marzo de ese año en esa condición fue uno de los firmantes del convenio académico entre la Facultad de Ciencias Económicas de la Universidad Católica de Chile y el Departamento de Economía de la Universidad de Chicago. Su presencia es el indicador más importante de los esfuerzos que realizó el nuevo directorio de la SOFOFA para vincular a la entidad con el mundo académico. Le correspondió a Domingo Arteaga jugar un rol preponderante en esos esfuerzos, los que tuvieron su principal logro en su posicionamiento en la estructura de poder de la Facultad. En efecto, como parte de los requerimientos para la implementación del "convenio", el Decano Chaná Cariola procedió en marzo de 1955 a reestructurar la Facultad. A comienzos de abril *El Mercurio* comentó en su página editorial acerca de dicho proceso, indicando que:

> Bajo la acción directa del Decano, don Julio Chaná y de los señores Alberto Neumann y Hugo Hanisch, director y secretario respectivamente de la indicada Facultad, se han establecido departamentos de Investigaciones Económicas y de Organización y Administración de Empresas, dirigidos por don Ricardo Cox Balmaceda, el primero, y por don Domingo Arteaga Infante el segundo.

La nota terminaba con un comentario acerca de la formación de ingenieros comerciales, respecto de lo cual se afirmaba que la "nueva organización que se ha dado en la Facultad de Ciencias Económicas de la Universidad Católica ha merecido especiales elogios de los catedráticos, tanto chilenos como extranjeros, y los representantes de las organizaciones de fomento e intercambio cultural de Estados Unidos mantienen un estrecho contacto con la Facultad"[28]. En septiembre de aquel año la revista *Industria* informó que la Facultad había dado inicio a un ciclo de conferencias sobre temas de actualidad, "destinado a poner a los hombres de empresa en contacto con los alumnos de ese plantel". La primera conferencia estuvo a cargo de Eugenio Heiremans, quien disertó acerca

---

[27] Editorial "La Sociedad de Fomento Fabril Centro de Estudio", en *Industria*, N° 8, 1957: 3.

[28] *Loc. cit.,* 14 de abril de 1955; la nota se titula "Ampliación de Planes de Estudio en Facultad de Ciencias Económicas". Al día siguiente, en la misma página, se publicó una nota con el título "Las ideas económicas", en que se discute la validez de las diferentes "doctrinas económicas".

217

del tema "La industria es el primer rubro de la renta nacional"[29]. El establecimiento de relaciones con el ámbito universitario aparece como un objetivo importante para los nuevos dirigentes y, si ese fue el caso, sus esfuerzos lograron un momento excepcional en octubre de 1957, cuando con ocasión del aniversario número 74 de la fundación de la SOFOFA, los rectores de las universidades de Chile, Católica de Chile, de Concepción y Federico Santa María se unieron en una sesión pública de homenaje a la entidad. Los oradores en la ocasión fueron el presidente Arteaga y el Rector de la Universidad de Chile, el profesor Juan Gómez Millas[30].

Mientras el presidente Arteaga incursionaba en el mundo académico y en el de los debates acerca de la política económica y laboral del gobierno, el vicepresidente Heiremans desarrolló la intensa actividad ya descrita, pero en su caso es destacable también su vocación de poder. Respecto de ello, es notable que a solo dos años de haber ingresado al Consejo de la SOFOFA, se enfrentó al titular por la Presidencia de la entidad. En efecto, en la sesión del 11 de marzo de 1953 los 25 consejeros asistentes fueron convocados a elegir Presidente y Vicepresidente, cargos a los cuales se postularon nuevamente Walter Müller y Benjamín Aguirre. Heiremans experimentó dos severas derrotas, pues obtuvo un voto para Presidente –probablemente el suyo– y dos para Vicepresidente. Su derrota tuvo además un significado político importante, pues entre los votantes se encontraban Domingo Arteaga y Ernesto Ayala. Este último había reemplazado a Heiremans en la presidencia de ASIMET (su Vicepresidente era Hernán Briones), y meses más tarde se integró al Consejo Directivo de ICARE; en otras palabras, el "momento" de Heiremans aún no llegaba. Pero su doble derrota no fue un motivo de desaliento para el dirigente, quien concentró sus esfuerzos en la organización de la III Convención de la Industria y una vez finalizada esta se hizo cargo de la comisión a cargo de la implementación de uno de los principales acuerdos de dicho evento: la restructuración de la SOFOFA.

En esa función se forjó su alianza con Arteaga y Heiremans, que llevó a ambos a la dirección de la entidad a comienzos de 1955, y que dio comienzo a una nueva etapa, con un nuevo estilo de conducción, y un programa de trabajo que consistió en un intento de implementar los acuerdos de la convención de junio de 1953. Y en ese camino se estructuró una alianza más amplia que incluyó a otros dirigentes y que en algu-

---

[29] *Loc. cit.*, 1955, Nª 9: 497-8.
[30] *Industria*, 1957, N° 10: 13.

nos casos se prolongó por cuatro décadas. Según Luis Hernández Parker, a mediados de 1955, "en medio de la azotada confusión política", había "nacido en Chile una generación de nuevos hombres, de patrones distintos". ¿Quiénes eran esos nuevos hombres? Domingo Arteaga Infante y Eugenio Heiremans; pero junto a ellos hay que dar otros nombres: Ernesto Ayala, Luis Marty, Fernando Smits, y el ingeniero Raúl Sáez"[31].

Si ese fue el grupo decisivo en la transformación de la SOFOFA, y por extensión de gran parte del mundo gremial del país a partir de la década de 1950, es dable postular que desde 1955 y hasta 1969, cuando el empresariado comenzaba a experimentar otra etapa de amenazas, entonces su control de la dirección de la entidad es mayor, pues Fernando Smits Schleyer ejerció la presidencia entre 1964 y 1966. Arteaga, Heiremans y Smits controlaron la presidencia en 12 de los 14 años entre 1955 y 1969. Después de su fallido intento por lograr la presidencia, Heiremans tuvo el respaldo de Ernesto Ayala Oliva y de Hernán Briones Gorostiaga (ambos presidentes de la SOFOFA en las décadas de los años 1980 y 1990 respectivamente), y, hasta la muerte del general Pinochet, los tres fueron identificados como "Los Tres Mosqueteros", sus más férreos partidarios empresariales y de las políticas de libre mercado que se implementaron durante su mandato[32].

Pero Ayala y Smits no fueron meros acompañantes de Heiremans; ya en 1954, en su condición de consejero de la SOFOFA y durante una Junta General de Socios en la que se discutía la mejor manera de implementar los acuerdos del año anterior, Ayala formuló lo que puede ser considerado un "llamado a la acción" a la entidad; según él, había:

un tercer frente del cual debemos apoderarnos: el de la opinión pública. Es necesario que dediquemos especiales energías para llevar a la opi-

---

[31]   "Tribuna Política". Audición de Luis Hernández Parker. Radio Nacional de Minería. 28 de junio de 1955, en http://www.memoriachilena.cl/602/w3-article-79341.html, visitado el 24 de enero de 2017. En ese momento Hernández era funcionario de la SOFOFA.

[32]   En una entrevista en 2005, Heiremans se refirió en detalle a su cercanía con Ayala y Briones, acerca de quienes dijo: "llevábamos muchos años actuando juntos y éramos muy coordinados"; en The Clinic On Line, agosto 2007; http://www.theclinic.cl/2010/12/17/eugenio-heiremans-1923-2010-su-ultima-entrevista-a-the-clinic/, visitado el 27 de febrero de 2017. Con motivo de la muerte de Ayala, en junio de 2007, la revista Cosas reprodujo una entrevista a Ayala del año 2005; en ella respecto de Ayala se lee: "Junto a Hernán Briones y Eugenio Heiremans fueron llamados los 'Tres Mosqueteros', por su gran energía al momento de luchar por sus posturas económicas y sociales", agregando que Ayala era "amante del mar, hizo eternas travesías en su yate o en los de sus amigos, como Agustín Edwards…", edición del 27 de junio de 2007.

nión [pública] al convencimiento de que nuestros puntos de vista son los que más le convienen al país[33].

Las palabras del consejero Ayala eran una proyección de la percepción que tuvieron los impulsores de la III Convención de la Industria, es decir, aquellos miembros que buscaban cambiar tanto el estilo de conducción como las posturas políticas de la SOFOFA. El más radical fue Heiremans, quien a escasos días de terminado el evento manifestó que en la ocasión se debía

satisfacer el sentir casi unánime de los industriales, quienes consideran que no se obtiene nada de los Poderes Públicos sin lucha, y no creen que una actitud pasiva pueda dar resultado[34].

La nueva etapa de la SOFOFA: una visión de país y un proyecto político

Las conclusiones y el mandato de la III Convención de la Industria fueron claras. En cuanto a la organización empresarial, ella debía ser objeto "de una revisión completa de tal manera de optimizar su funcionamiento para así fomentar la formación de nuevas Asociaciones en todos los sectores que aún no estén agrupados en este tipo de organizaciones". El "estudio completo y la reorganización de la Sociedad de Fomento Fabril" era imprescindible para "llevar a cabo las ideas expuestas en el informe de la Comisión de Organización de las Fuerzas de la Producción", que fue presidida por Eugenio Heiremans[35].

Las conclusiones de la Convención se agruparon bajo siete títulos: I. Problemas de la Industria relacionados con el Estado; II. Problemas de la Industria relacionados con el trabajo; III. Problemas de la Industria relacionados con el régimen monetario; IV. Problemas de la Industria relacionados con los cambios internacionales; V. Organización de las fuerzas de la producción; VI. Normalización; y VII. Enseñanza técnica y profesional.

Para los objetivos de este capítulo se destacarán temas de tan solo tres de estos títulos. Las discusiones en torno a todos ellos compartieron una premisa: los agudos problemas que enfrentaba no solo el sector

---

[33] "70ª Junta General Ordinaria de Socios", 13 de enero de 1954, en *Industria*, N° 1954, N° 1: 10.
[34] Sesión del Consejo Directivo N° 2, 149, 20 mayo de 1953, en *Industria*, 1953, N° 5: 443.
[35] *Industria*, 1953, N° 5: 507.

industrial, sino el país en su globalidad, tenían un punto de partida: las políticas económicas y sociales implementadas desde 1938, las que, por ejemplo, explicaban el "que en Chile el proceso inflacionario comenzó su aceleración en 1938, y ha continuado en incremento hasta el presente a causa de los graves errores económicos y financieros cometidos por los gobiernos que se han venido sucediendo" (Título III). Una de las causas profundas de tal escenario era el "intervencionismo estatal en las actividades de la producción", las que desde 1939 habían "tomado en nuestro país un desarrollo y proposiciones desorbitadas", que habían encontrado "aliento en las actitudes socializantes de algunos sectores gubernativos que se demuestran como enemigos de la libertad de empresa", lo cual se traducía en "efectos paralizantes sobre la producción", pues no hacían otra cosa que obstaculizarla y con ello se generaba el "desaliento" de "los promotores de nuestra producción, que son los que, con tesonera acción y constante iniciativa están forjando el progreso de la nación"[36].

Es ese lenguaje el que permite plantear que desde el punto de vista conceptual la Convención y sus resoluciones marcaron un punto de inflexión en la trayectoria del empresariado y que se expresó en la creación de las condiciones para el abandono de la política de cooperación con los gobiernos que, específicamente en el caso de la SOFOFA, se habían practicado desde la década de los años 1930[37]. A la colaboración con los gobiernos debía sucederle una política de autonomía y la creación de las condiciones para el desarrollo de una política que condujera a la "liberalización" de la economía, cuyos ejes serían el mercado y la libre empresa.

Un aspecto particularmente importante de las Conclusiones de la Convención fue lo referido al mundo del trabajo, tanto por el aumento de la conflictividad que se experimentaba, como por las proyecciones que habría de tener el tema. Frente a la "multiplicidad de conflictos dentro del actual régimen sindical", los convencionales estimaron necesario que los fundamentos mismos del Código del Trabajo debían ser modificados en el "sentido de prevenir las luchas sociales más que de reglamentar su estallido" (Título II). Para ello la entidad debería crear un organismo técnico destinado a "estudiar los problemas económico-sociales que afectaban a la producción". De otra parte, se estimó que era una tarea

---

[36] *Ibídem*, 494.
[37] Cavarozzi 1964: 220-228.

urgente para los empresarios mejorar las relaciones con los trabajadores en la empresa y contribuir al mejoramiento de sus condiciones de vida[38].

Un último tema a destacar en relación con las Conclusiones de la Convención es el referido al Título VI, "Enseñanza Técnica y Profesional", el que, si bien se centró mayoritariamente en la calificación de la fuerza de trabajo, incluyó menciones a posibilidades de colaboración que, en el corto plazo, serían determinantes para el éxito de la gestión de la dirigencia que asumió la conducción de la SOFOFA a comienzos de 1955. En primer lugar, las resoluciones de la Comisión respectiva recomendaron "establecer contacto y cooperación permanente con los organismos docentes, públicos y privados", con el objeto de capacitar a los diversos niveles de la fuerza de trabajo en las empresas "para que pueda participar en las labores creadoras de la vida económica". En segundo lugar, se recomendaba que la SOFOFA debía "participar en el organismo que con el nombre de Instituto Chileno de Administración Racional de Empresas, se está formando". Como se recordará, el nuevo organismo fue creado y dirigido en sus primeros años por Eugenio Heiremans. En tercer lugar, se recomendó "aprovechar la asistencia técnica que ofrece el Servicio de Cooperación Técnica Industrial (dependiente de la CORFO)", lo cual garantizaba los vínculos internacionales, específicamente con el programa del Punto IV del gobierno de Estados Unidos[39]. En esta dimensión, Arteaga y Heiremans desempeñaron una función determinante[40].

Las conclusiones y mandatos de la Convención requerían no solo de una readecuación organizativa y un nuevo liderazgo interno, lo cual ocurriría solo a comienzos de 1955 con la elección de Arteaga y Heiremans. También requería de un liderazgo social y político potente, capaz de remontar la crisis de la derecha tradicional. Es plausible plantear que en el cierre del evento comenzó la construcción del liderazgo político de Jorge Alessandri Rodríguez. Esta afirmación se sostiene en un hecho puntual, pero de fuerte contenido simbólico. En el banquete de cierre de la Convención, realizado en el Hotel O'Higgins, el discurso de cierre del evento no lo hizo el presidente de la SOFOFA, Walter Müller Hess, sino que los organizadores se lo encargaron a Alessandri en su condición de presidente de la CPC. En su discurso Alessandri no solo criticó la política del gobierno del general (R) Ibáñez, sino la de todos los gobiernos desde

[38] *Industria*, 1953, N° 6: 497-499.
[39] *Ibídem*, 511.
[40] Ortega, *óp. cit.*

1938. Alessandri habló de pie, inmediatamente detrás del Presidente de la República. El contenido de su discurso fue la base de su importante discurso radial de 1955, publicado posteriormente por la CPC y distribuido gratis por la SOFOFA[41], y estuvo a la base de sus propuestas en sus exitosas campañas como candidato a Senador por Santiago en 1957 y a la Presidencia de la República en 1958: libre empresa, más mercado y menos Estado. Jorge Alessandri adquirió prestigio y capital político no solo en su actividad gremial en la CPC y la SOFOFA desde la década de los años 1940. También se ganó la confianza del empresariado durante su gestión como Ministro de Hacienda entre 1947 y 1950, en la que logró controlar el gasto público y contener la inflación.

Terminada la Convención sus impulsores y organizadores podían estar satisfechos: tenían un proyecto en desarrollo y un liderazgo en gestación. Con razón en un editorial de la revista *Industria*, se aseveró que se habían "levantado voces de aliento y de aplauso por el fervor que todos los industriales de Chile pusieron y seguirán poniendo en la defensa de sus legítimos intereses"[42].

Que en el mundo empresarial la situación general del país y los resultados y acuerdos de la Convención habían contribuido de manera determinante a generar un cambio de actitud y a hacer más combativo al empresariado, o por lo menos a su dirigencia, quedó en evidencia inmediatamente después de finalizado aquel evento. En una tensa reunión del Consejo Directivo de la SOFOFA se enfrentaron Alessandri y Müller por un lado y Heiremans y el consejero Alejandro Montero por otro. Mientras Müller dio cuenta de las actividades desarrolladas "en defensa de los intereses comunes de las diversas ramas de la producción", Alessandri opinó que ello debía hacerse sobre la base de "observaciones bien fundadas y tranquilas... pues declarar una guerra abierta y de pura crítica destructiva no conduciría a ningún resultado y más podría ser contraproducente". Por lo tanto, y dado que "la situación actual de la industria y el comercio es de una gravedad enorme", pues "la orientación política [era] izquierdizante, y ni en la Cámara de Diputados ni en el Senado tenemos fuerzas para enmendar leyes dictadas por el Presidente de la República", había que definir entre la persuasión o el enfrentamiento. Heiremans fue más vehemente y espetó la frase ya citada en el sentido

[41] Alessandri 1955.
[42] *Industria*, 1953, N° 6: 1.

de que nada se obtenía sin lucha y con una actitud pasiva frente al gobierno, en tanto que Montero afirmó que:

> debemos continuar defendiendo con energía nuestros principios económicos que son la base de la organización, y desde luego hay puntos como la intervención estatal en que no puede haber divergencias entre las cuatro ramas de la producción[43].

Sin embargo, la implementación de las Conclusiones fue espasmódica, lo que generó la exasperación de los partidarios de una actitud más "enérgica" de parte del directorio de la SOFOFA, dada la política gubernamental y su percepción del creciente deterioro de las condiciones en que operaban los empresarios. A lo largo del último trimestre de 1953 los clamores por la implementación de las iniciativas emanadas del evento realizado en Viña del Mar registraron un *crescendo* en el que se destacó Heiremans en su condición de presidente de la comisión encargada de la implementación de la restructuración de la entidad, ante la falta de apoyo del Directorio. La inquietud y el temor que inspiraban entre los empresarios las iniciativas del gobierno y la creciente efervescencia laboral convenció a otros empresarios acerca de la necesidad de una política más resuelta por parte del liderazgo de la SOFOFA. Un ejemplo de ello se encuentra en una intervención del consejero Alejandro Montero en el mes de septiembre; según él, había:

> llegado el momento de terminar con las declaraciones académicas y colocar a las empresas industriales en pie de guerra, pues están amenazadas por un peligro enorme: la socialización. En efecto, los representantes del Partido Socialista Popular que actúan en el gobierno no hacen ningún misterio de sus teorías económicas marxistas"[44].

Las propuestas para una postura más decidida por parte de la SOFOFA frente a la agudización de los problemas económicos y laborales ganaron adeptos. Uno de ellos, el hasta entonces moderado Jorge Alessandri. En diciembre de 1953, ante el incremento de las huelgas y de las iniciativas del gobierno en el ámbito laboral, y al verse involucrado en un conflicto en el banco Sudamericano, en el cual era accionista y había sido uno de sus directores, Alessandri manifestó que la actual situación significaba:

---

[43] Como nota 33.
[44] Sesión Ordinaria del Consejo Directivo N° 2.142, 27 septiembre 1953: 272.

El fracaso más rotundo del nuevo concepto de empresa preconizado por algunos economistas teóricos. La intervención de empleados y obreros en las empresas no procurará ninguna solución de las dificultades que se produzcan; a ellos no les preocupan cuestiones de doctrina ni que la empresa capitalice o no, sino el logro de sus demandas[45].

Para Jorge Alessandri el camino a la resolución de este problema era claro y preciso, y había dejado de ser estrictamente económico para tornarse en uno "de autoridad", y no se resolvería

> mientras no se tenga el valor suficiente para arrancar a los gremios de empleados y obreros las facultades que se han arrogado... [si ello no se hacía]... seguiremos cada día más aceleradamente deslizándonos hacia el abismo[46].

Los problemas de los dirigentes más radicalizados se resolvieron a partir de noviembre de 1954, cuando el presidente del gremio inició un viaje a Estados Unidos y Europa que duraría dos meses. Asumió la presidencia en calidad de subrogante Domingo Arteaga. En marzo de 1955 se realizó la elección de la nueva mesa directiva, en ausencia de Müller, quien adujo problemas de salud pero que también denunció la conformación de un "frente" al interior de la organización que buscaba el reemplazo total de la directiva anterior y por ello anunció que no postulaba a su reelección. Según los resultados de la votación, Müller tenía razón, pues efectuado el escrutinio solo obtuvo 16 votos contra 79 de Arteaga; en la votación para la Vicepresidencia Heiremans obtuvo 29 votos, hubo ocho blancos y tres por otros tantos candidatos[47]. Se consolidó así la emergencia del "gremialismo empresarial militante".

Lo que siguió a la votación fue un episodio bochornoso, pues la nueva directiva adoptó el acuerdo de visitar a Müller, y a través de una carta proponerle una cena de homenaje por su labor de más de 20 años al mando de la Sociedad. El Presidente saliente pidió algunos días para reflexionar y terminó declinando la invitación[48].

---

[45] *Ibídem*, N° 2.164, 20 diciembre 53: 1061-1062.
[46] *Ibídem*, N° 2.163, 16 diciembre 1953: 1059.
[47] Sesión del Consejo Directivo N° 2.192, 16 marzo 55: 1304. Un análisis de los procedimientos electorales en los gremios empresariales en Arriaga 1970: capítulo II, y para el caso de la SOFO-FA: 140-153.
[48] Sesiones N° 2.193, 23 marzo 1955: 131-132; N° 2.194, 30 marzo 1955: 137-139 y N° 2.195, 13 abril 1955: 205.

El despliegue de la nueva dirigencia y el monetarismo

Si fuera necesario destacar los rasgos más salientes de los nuevos dirigentes de la SOFOFA, a partir de 1955 habría tal vez que señalar su determinación, su claridad de propósitos en cuanto a que el empresariado, particularmente el industrial, estaba llamado a generar una propuesta de sociedad que rompiera con todo lo que se había realizado desde fines de la década de los años 1930 en materias sociales, económicas e incluso en cuanto a construcción política. En ello, la nueva pléyade de dirigentes demostró, para el sector, un inusitado activismo y, hasta 1958, obtuvo importantes logros. El más señero, llevar a La Moneda a uno de sus dirigentes.

El nuevo Directorio enfrentó tres desafíos y se planteó tres tareas. El primer desafío fue el de dar centralidad social y política a la SOFOFA. El segundo fue optimizar su funcionamiento y propender al desarrollo de los gremios en diversos sectores y niveles de la actividad productiva y el tercero consistió en contribuir a la estructuración de una propuesta programática para la superación de la etapa crítica que vivía el país y también para un cambio radical en el manejo social y económico pero también en cuanto a la construcción de una sociedad diferente en la que la iniciativa privada, la libre empresa y el mercado fuesen los pilares de la construcción.

Para ello la SOFOFA debía jugar un rol preponderante, tal cual lo expresó Domingo Arteaga en enero de 1955, en su condición de presidente en ejercicio de la entidad –mientras el titular Müller estaba en Europa–, afirmando que:

> las fuerzas de la producción industrial que significan un gigantesco aporte a la economía nacional no ejercen casi ninguna influencia en las directivas políticas del país... con la dictación de leyes, decretos, reglamentos y normas que como un aluvión se han dejado caer en los últimos años, sin que en ellas haya cabido mayor influencia a las fuerzas productoras... la Sociedad debe exponer clara y valientemente los principios que sustenta y debe hacerlo en forma sostenida y no circunstancial. Para ello ...debe, como condición previa, reforzarse la estructura interna de la Sociedad, dotándola de los elementos humanos y materiales necesarios para permitirle no solo un adecuado y profundo estudio de los problemas que encara, sino una oportuna difusión de las soluciones que señale. Acerca de esta reestructuración interna de la Sociedad ... debe estudiarse con tiempo y detención si conviene que ella siga siendo una entidad de servicio o una de defensa de principios a semejanza de su similar norteamericana ... Esta segunda alternativa sería un modo indi-

recto de impulsar a los industriales aislados a afiliarse en gremios, como los numerosos ya existentes, a través de los cuales obtendrían todos los servicios del caso, quedando la Sociedad como la entidad máxima de la Industria, encargada solamente de la defensa de los principios básicos que deben regir la economía, las relaciones obrero-patronales, la intervención estatal, etc.

Logrados esos objetivos internos, la SOFOFA estaría en condiciones de volcarse a lo público, con una postura que caracterizó como "de claridad y firmeza"[49].

El modelo organizacional y cultural de Arteaga era el que se generó en Estados Unidos desde los últimos años de la década de los años 1940 y que se asocian a la derecha política y empresarial: los *think tanks*. En ese modelo, la creación y mantenimiento de vínculos transfronterizos y un nuevo estilo basado en la creación de conocimientos, de su difusión extensa, la participación en el debate acerca de las políticas públicas y la construcción y operación de redes, fueron sus rasgos organizacionales más destacados[50]. Y si los resultados de aquellas nuevas prácticas organizacionales se miden por el número de empresas que se afiliaron a la SOFOFA, las estadísticas de la entidad en 1957 demostraban un rotundo éxito, como se aprecia en el siguiente gráfico:

Gráfico 6. *Número de miembros de la SOFOFA 1940-1957.*

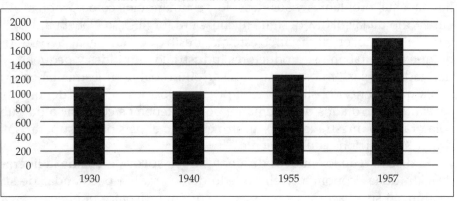

Fuente: Industria, 1957, N° 9: 32.

---

[49]   *Industria,* 1955, N° 1 y 2: 2-3.
[50]   Fischer y Plehwe 2013.

En cuanto a las relaciones externas, en otro trabajo he analizado la actividad de la SOFOFA y de ICARE en el plano internacional[51]. En el ámbito nacional los nuevos dirigentes tuvieron una activa participación en la creación de entidades filiales en provincias; en enero de 1958 participaban en el Consejo Directivo de la SOFOFA cinco entidades de provincias en la creación de las cuales habían participado miembros de la "Mesa Directiva": Antofagasta, Talca, Maule, Cautín y Osorno. También era miembro del Consejo Directivo ASIVA, la asociación de los industriales de Aconcagua y Valparaíso con la cual había una estrecha colaboración[52].

De otra parte, y en consonancia con el mandato emanado de la Convención de 1953 de promover la asociatividad en los diversos sectores de la actividad económica desde comienzos de 1955, se estrecharon los vínculos con importantes entidades gremiales, en particular con la CPC, la Sociedad Nacional de Agricultura y la Cámara Central de Comercio, en un forma de relaciones que comprendió acciones conjuntas en las que expusieron su visión acerca de los problemas que enfrentaba el empresariado y de las diversas formas de superarlos. Un ejemplo de lo anterior se encuentra en la concurrencia de un directivo de la SOFOFA al "Primer Congreso General Constituyente de la Pequeña Industria", celebrado en marzo de 1955. En respuesta a la invitación de los organizadores, el gerente de la gremial de los industriales, junto con aceptar la invitación les comunicó que se quería hacer saber a ellos que se observaba "con especialísima simpatía las actividades gremialistas de Uds., y se siente ligada a sus problemas y sus desvelos, estimándolos como propios". El Directorio de la SOFOFA designó al consejero Jorge Ossa Nebel para concurrir al evento; en su discurso este manifestó que frente al aciago periodo que enfrentaban los productores industriales –grandes y pequeños–, derivados de las "trabas para el desarrollo cabal de nuestras labores", había que "vencer obstáculos … a pesar de los pesimistas y de los que se sienten derrotados de antemano, porque tenemos conciencia de que solo gracias a nuestra labor y nuestro empeño el país podrá superar sus difíciles condiciones del momento"[53].

El discurso de los nuevos dirigentes de la SOFOFA era el de la liberalización de la economía, y ello quedó demostrado a poco andar de su gestión, en sus discursos y también al enfrentar debates públicos acerca

---

[51]   Ortega 2017.
[52]   *Industria*, 1958, N° 1: 2, y de la lectura de las ediciones de 1955, 1956 y 1957.
[53]   *Ibídem*, 1955, N° 3: 104.

de los proyectos de estabilización que se implementaron en el trienio 1955-1958. El más célebre y trascendente de ellos, el de la misión Klein Saks. En su señero artículo de 1985 Sofía Correa estableció que un "sector de la derecha chilena habría intentado implantar durante la década de 1950 un proyecto de reorganización económica en torno al programa antinflacionario de la Misión Klein Saks". También demostró que en la contratación de "la Misión" la intervención de Agustín Edwards Budge, a la sazón presidente de la Empresa El Mercurio, fue decisiva dados sus vínculos políticos y empresariales en Estados Unidos, aunque su participación en las actividades de la SOFOFA fueron siempre desde un segundo plano.

¿Cuál fue la reacción de la cúpula de la SOFOFA ante la nueva situación que creó la presencia y acción de "la Misión", en el país? De acuerdo con su estilo de conducción, el Directorio de la gremial convocó a una reunión ampliada de empresarios para los primeros días del mes de julio de 1956 en el Teatro Auditórium de Santiago, ocasión en que el presidente Arteaga fijó la posición del gremio ante las medidas que se implementaban. Según la revista *Industria*, el éxito de la convocatoria quedó en evidencia en una concurrencia de más de 500 industriales "quedando sin poder entrar a la sala cerca de 200 personas"[54]. De la lectura del discurso de Arteaga se concluye que por lo menos para los dirigentes de la SOFOFA las decisiones adoptadas por el ministro de Hacienda, a instancias de los personeros de "la Misión", eran necesarias y constituían "una etapa de transición auspiciosa", pero que incluía "graves peligros" pues las medidas antiinflacionistas puestas en práctica alcanzaban: "un éxito que, en ciertos aspectos, [había] sobrepasado las expectativas que se cifraron en ellas y el país entero confía en ser llevadas a feliz término". No podía, sin embargo, esperarse que el país se "liberara" del proceso inflacionista y "de la distorsión económica en que ha vivido durante tantos años, sin imponerse sacrificios y sin correr riesgos". Era el precio que debía "pagarse por los errores cometidos".

En la nueva situación la industria había "aceptado y [estaba] pagando su cuota de sacrificios" y afrontaba en esos momentos peligros que, en muchos casos, amenazaban su propia existencia", en el entendido de que

---

[54] *Loc. cit.*, 1956, N° 7: 495.

... el paso de un sistema artificial, desatinadamente intervenido por el Estado, hacia una realidad económica de relativa libertad, debe efectuarse con tino, flexibilidad y acertada visión del futuro.

Por todo ello, Arteaga consideraba "un imperativo apoyar al gobierno en la lucha que con indiscutido éxito ha comenzado"[55].

¿Cómo se explica el alineamiento de los dirigentes de la SOFOFA con las recomendaciones de "la Misión"? Fundamentalmente porque un proceso de liberalización de la economía como el que pretendían necesariamente demandaba de más reformas, por ejemplo, en los ámbitos de la legislación laboral, los tributos y el régimen previsional. Las recomendaciones de "la Misión" hasta fines de 1957 así lo comprobaron.

El discurso de Arteaga fue elogiado en un editorial de *El Mercurio*. Según el periódico:

El presidente de la Sociedad de Fomento Fabril se aparta completamente de las posiciones inamistosas y resentidas que adoptan los políticos y la prensa opositores para examinar la situación actual y reitera honradamente, una y más veces, la convicción de que la iniciativa para contener la inflación es salvadora y que lo que puede discutirse es la modalidad de algunas reformas económicas actualmente en práctica.

Era, según el diario, factible concluir que en la asamblea se había "revelado una patriótica concordancia de pareceres para llevar adelante la estabilización económica, entre los más destacados representantes de la industria nacional y el gobierno", y se había generado un auspicioso entendimiento para introducir las reformas y cambios que la experiencia aconsejara como necesarios para el mejor éxito de los propósitos que se perseguían[56].

El editorialista de *El Mercurio* tenía razón en congratularse acerca del significado de la asamblea del miércoles 4 de julio, pues la rama más poderosa del empresariado adhirió a una radical política de estabilización que abría paso a la liberalización económica. Para los dirigentes de la SOFOFA este hecho constituyó también un éxito más en su diseño estratégico para la creación de un nuevo orden social y económico –liberal– en

---

[55] *Ibídem*, 496. Los temas centrales en el discurso de Arteaga son los mismos que en el discurso de Jorge Alessandri citado en nota 40.

[56] *Loc. cit.*, 6 julio 1956: 3. En la Asamblea también hizo uso de la palabra el Ministro de Economía y Hacienda Oscar Herrera Palacios.

el país, aunque fuese un logro que en su primera etapa solo duró en el mediano plazo.

Conclusiones

En la década de los años 1950, al interior de la SOFOFA se enfrentaron dos posturas respecto de la compleja coyuntura social y económica que enfrentaba el país; la primera, la sustentada por los dirigentes que estaban a cargo de la organización desde mediados de la década de los años 1930 y, la segunda, la detentada por un nuevo grupo de dirigentes activos desde 1951[57]. Mientras los primeros eran partidarios de una política moderada y de temperar las críticas a las políticas gubernamentales, los segundos proponían posturas más confrontacionales y convertir a la organización en un actor principal en la lucha de ideas acerca no solo de la conducción política del país, sino de las características que en el mediano plazo debía adquirir la sociedad en su conjunto. En consonancia con la reacción del nuevo liberalismo en marcha en Europa y en Estados Unidos, era la aspiración establecer un orden social en que la libre empresa, la iniciativa privada y el mercado fuesen los principales "motores" del desarrollo.

Dicha confrontación alcanzó ribetes agudos en el complejo escenario que crearon las políticas económicas y sociales implementadas durante los primeros tres años del segundo gobierno de Carlos Ibáñez del Campo. Pero a mediados de la década, a comienzos de 1955, los dirigentes renovadores se hicieron del poder y generaron iniciativas y acciones internas y externas que crearon las condiciones para el despliegue del "nuevo liberalismo" en el país. Dicha empresa se prolongó por dos décadas, hasta empalmar con las iniciativas económicas y políticas del régimen militar que se instaló en el poder a partir de septiembre de 1973.

Bibliografía

AHUMADA J. (1957). *En vez de la miseria*, Santiago, Editorial del Pacífico.
ALESSANDRI J. (1955). *La verdadera situación económica y social de Chile en la actualidad*, Santiago, Confederación de la Producción y el Comercio.

---

[57]   Véase Cavarozzi 1964: 240-244, para un recuento de ese episodio.

Arriagada G. (1970). *La oligarquía patronal chilena*, Santiago, Nueva Universidad.

_____. (2004). *Los empresarios y la política*, Santiago, LOM.

Bicheno H. E. (1972) "Anti-Parlamentarian Themes in Chilean History: 1920-70", *Government and Opposition*, vol. 7, pp. 351-388.

Braun J., et al. (2000). *Economía chilena. Estadísticas históricas 1810-1995*, Santiago, Instituto de Economía, Pontificia Universidad Católica de Chile.

Casals M. (2010). *El alba de una revolución. La izquierda y el proceso de construcción de la "vía chilena al socialismo. 1956-1970*, Santiago, LOM.

Cavarozzi M. J. (1964). *The Government and the Industrial Bourgeoisie in Chile: 1938-1964"*, tesis doctoral inédita, University of California, Berkeley.

Correa S. (1985). "Algunos antecedentes históricos acerca del proyecto neoliberal en Chile (1955-1958)", *Opciones*, N° 6, pp. 106-146.

_____. (2005). *Con las riendas del poder. La derecha chilena en el siglo XX*, Santiago, Sudamericana.

Drake P. W. (1978). *Socialism and Populism in Chile 1932-1952*, Urbana, Illinois, University of Illinois Press.

Espinoza V. (1985). *Para una historia de los pobres de la ciudad*, Santiago, Sur.

Fernández J. (2007). *El Ibañismo (1937-1952): Un Caso de Populismo en la Política Chilena*, Santiago, Instituto de Historia, Pontificia Universidad Católica de Chile.

Ffrench-Davis R. (1982). "El experimento monetarista en Chile: una síntesis crítica", *Colección de Estudios Cieplan*, N° 9, pp. 5-40.

Fischer K. y Dieter P. (2013). "Redes de *think tanks* e intelectuales de derecha en América Latina", *Nueva Sociedad*, N° 25, pp. 70-86.

Gárate M. (2012). *La Revolución Capitalista de Chile (1973-2003)*, Santiago, Alberto Hurtado.

Garcés M. (2002). *Tomando su sitio. El movimiento de pobladores de Santiago 1957-1970*, Santiago, LOM.

Gurevitch A. Y. (1979). "El tiempo como un problema de historia cultural", en Paul Ricoeur et al. *Las culturas y el tiempo*, París, UNESCO, pp. 260-281.

Hernández P. y S. Hernández (2010). *Luis Hernández Parker. Señores auditores: muy buenas tardes*, Santiago, LOM.

Huerta M. A. (1989). *Otro agro para Chile. La historia de la reforma agraria en el proceso social y político*, Santiago, CISEC-CESOC.

Ibáñez A. (2011). "La inflación en Chile. Desarrollo y características entre 1939 y 1955", en Couyoumdjian, Juan Pablo (ed.), *Reformas econó-*

232

micas e instituciones políticas: la experiencia de la Misión Klein-Saks en *Chile*, Santiago, Universidad del Desarrollo, pp. 15-60.

JELIN E. (2002). *Los trabajos de la memoria*, Madrid, Siglo XXI.

LOVEMAN B. (2001). *Chile. The Legacy of Hispanic Capitalism*, 3ª edición, New York & Oxford, Oxford University Press.

MOULIÁN T. (2009). *Contradicciones del desarrollo político chileno. 1920-1990*, Santiago, LOM.

ORTEGA L. (2017) "Acerca del inicio de la construcción del proyecto monetarista en Chile. Década de 1950. El factor externo", *Contribuciones*. Vol. 42, pp. 41-52.

PINTO A. (1959). *Chile. Un caso de desarrollo frustrado*, Santiago, LOM.

SALAZAR G. (2006). *La violencia política popular en las "Grandes Alamedas". La violencia en Chile 1947-1987 (Una perspectiva histórico-popular)*, 2ª edición, Santiago, LOM.

SCULLY T. R. (1992). *Los partidos de centro y la evolución política chilena*, Santiago, CIEPLAN.

TORRES I. (2014). *La crisis del sistema democrático: las elecciones presidenciales y los proyectos políticos excluyentes. Chile 1958-1970*, Santiago, DIBAM.

UNDURRAGA T. (2014). *Divergencias. Trayectorias del neoliberalismo en Argentina y Chile*, Santiago, Ediciones Universidad Diego Portales.

VALDIVIA V. (2008). *Nacionales y gremialistas. El "parto" de la nueva derecha política chilena 1964-1973*, Santiago, LOM.

VERGARA P. (1985). *Auge y caída del neoliberalismo en Chile*, Santiago, FLACSO.

Las multinacionales chilenas: contextos, trayectorias, estrategias

María Inés Barbero[1]

Introducción

Uno de los aspectos más destacados de la segunda economía global ha sido el surgimiento y desarrollo de empresas multinacionales (EMN) provenientes de economías emergentes o de ingreso medio, que desde la década de los años 1990 han aumentado su participación en el mercado mundial. Su presencia ha significado no solo un desafío para las empresas multinacionales de naciones desarrolladas (DMNE), que se enfrentan a nuevos competidores en sus mercados internos y externos, sino también para la teoría de la empresa multinacional, que en gran medida se ha elaborado a partir de la experiencia de las DMNE en la segunda mitad del siglo XX.

Este trabajo se propone estudiar a las empresas multinacionales chilenas en el marco del fenómeno de las empresas multinacionales de países emergentes (EMNE), analizando sus estrategias de expansión y buscando establecer un diálogo entre la teoría y la historia. Se estructura en cuatro partes. La primera se centra en el fenómeno de las EMNE, considerando aspectos tanto históricos como contemporáneos. La segunda analiza diversas vertientes de la teoría de la empresa multinacional, con especial énfasis en contribuciones recientes que tienden a caracterizar y explicar el surgimiento y desarrollo de las EMNE, proponiendo en algunos casos paradigmas teóricos alternativos a los elaborados entre las décadas de 1960 y 1980. La tercera se enfoca en las multinacionales chilenas en perspectiva histórica, identificando sus características generales y analizando las trayectorias, estrategias y capacidades de las 12 empresas con mayores índices de internacionalización. Las reflexiones finales identifican los rasgos más sobresalientes de dichas empresas y reexaminan la teoría con base en la evidencia aportada por el estudio histórico de mul-

---

[1] CEEED, Facultad de Ciencias Económicas, Universidad de Buenos Aires (Argentina).

tilatinas chilenas, buscando establecer en particular en qué ventajas se basó su expansión internacional.

Las empresas multinacionales de países emergentes (EMNE)[2]

Una empresa multinacional (EMN) o empresa transnacional (ET) puede ser definida como una firma que lleva a cabo inversión extranjera directa (IED), siendo propietaria o ejerciendo de algún modo el control sobre actividades que agregan valor en más de un país[3]. Las modernas empresas multinacionales surgieron a fines del siglo XIX en el marco de la primera globalización (1880-1914), se expandieron significativamente a partir de la segunda posguerra y se constituyeron desde la década de 1980 en uno de los vectores clave de la segunda economía global. Como puede observarse en el Cuadro 1, los flujos mundiales de IED crecieron en forma exponencial, pasando de 59.000 millones de dólares en 1982 a 1.762.000 millones en 2015.

Cuadro 1. *Flujos mundiales de IED (inflows) (años seleccionados) Miles de millones de dólares.*

Año	1982	1990	2005-2007 (promedio)	2011	2015
Flujo mundial de IED	59	207	1.473	1.524	1.762

Fuente: Elaboración propia a partir de UNCTAD (2007) para 1982 y (2016) para 1990-2015.

El notable aumento en la magnitud de la IED en los últimos treinta y cinco años fue acompañado por una serie de cambios cualitativos en lo referente a su origen geográfico, a los sectores de actividad de las firmas y a sus modalidades de inversión. Con respecto al primer punto, se destaca la presencia creciente de empresas multinacionales provenientes de naciones que no se cuentan entre las más ricas del planeta. Entre ellas se incluyen economías de *upper middle income* (como las de España, Portugal, Corea del Sur y Taiwán), economías emergentes (como las de Brasil, Chile, México, China, India, Turquía), países en desarrollo (Egipto, Indonesia, Tailandia) y países ricos en petróleo (Emiratos Árabes Unidos, Nigeria y Venezuela)[4]. En el año 2008, sobre un total mundial de 82.035

[2]   Las secciones 1 y 2 reproducen en parte contenidos de Barbero 2014.
[3]   Dunning y Lundan 2008.
[4]   Guillén y García Canal 2009.

EMN, 21.425 tenían su origen en países emergentes[5]. La participación de los países en desarrollo en los stocks mundiales de IED fue aumentando progresivamente desde fines del siglo XX, alcanzando el 7% en 1990, el 10% en 2000, el 14% en 2010 y el 21% en 2015[6]. De todos modos, en la clasificación de las cien mayores empresas multinacionales no financieras, la participación de las ET provenientes de países en desarrollo es todavía limitada, y en 2012 incluía solo 10 compañías, en su gran mayoría asiáticas[7].

En lo concerniente a la estructura sectorial de la inversión extranjera, destaca el peso creciente de los servicios. Mientras que a comienzos de los años setenta representaban alrededor de un cuarto de la existencia total mundial de IED, en 2000 daban cuenta de al menos la mitad de dicha existencia y en 2014 alcanzaban al 64%[8]. En cuanto a las modalidades de inversión, las fusiones y adquisiciones se han convertido en el principal vehículo utilizado por las firmas para llevar a cabo la inversión extranjera directa. Al mismo tiempo han evolucionado las formas organizativas adoptadas por las EMN, con una tendencia general hacia la desverticalización de las grandes empresas, el *outsourcing* de muchas actividades y la formación de alianzas con otras firmas que operan como clientas, proveedoras o socias en la innovación[9]. De todos modos, cabe señalar que la economía global no ha generado una multitud de empresas globales, dado que los flujos comerciales siguen siendo en su mayoría regionales, y solo un puñado de grandes empresas multinacionales opera en una escala planetaria. La mayoría, en cambio, continúa generando una gran proporción de sus beneficios en sus regiones de origen[10].

La expansión de las EMNE se inició en la década de los años 1960, con varias oleadas de inversión protagonizadas por compañías asiáticas y latinoamericanas, pero sufrió una fuerte aceleración desde 1990, con la emergencia de un *world business system* y la liberalización del comercio mundial[11]. Países y regiones han establecido contacto entre sí mediante complejos flujos de comercio e inversión, mientras que la revolución de la Tecnología de la Información y las Comunicaciones (TIC) ha reducido los costos y aumentado los beneficios de la internacionalización, facili-

---

5   Guillén y García Canal 2010.
6   UNCTAD 2000 y 2016.
7   UNCTAD 2013.
8   Jones 2005; UNCTAD 2016.
9   Jones 2005.
10   Rugman 2005.
11   Chudnovsky *et al.*, 1999.

tando la deslocalización de actividades. La segmentación de los procesos productivos, favorecida por el cambio tecnológico, ha contribuido a la conformación de cadenas globales de valor. Las políticas públicas, por su parte, han generado economías más abiertas y desreguladas, incentivando los intercambios de bienes y capitales.

En los países emergentes las políticas de apertura y desregulación, generalizadas desde la década de los años 1990, redundaron en escenarios más competitivos que impulsaron a su vez estrategias ofensivas por parte de firmas locales frente al avance de compañías multinacionales que se disputaban sus mercados internos. Muchas empresas de países emergentes fueron forzadas a adoptar estrategias innovadoras para poder sobrevivir. Dichas estrategias incluyeron la internacionalización, que implicó profundizar tendencias previas o comenzar la expansión allende sus fronteras. Los tratados regionales, por su parte, también actuaron como vectores de la internacionalización de las EMNE[12]. Al mismo tiempo, el retiro de las DMNE de algunos sectores maduros de actividad abrió oportunidades que fueron explotadas por las EMNE, que en numerosos casos adquirieron a sus competidoras de los países más desarrollados.

Más allá de los impulsos provenientes del contexto, la internacionalización de las EMNE ha sido posible gracias al desarrollo de capacidades competitivas que les han permitido posicionarse como jugadores relevantes en el mercado mundial. En este punto, una de las principales interrogantes que se plantea es si la teoría sobre las empresas multinacionales provee una explicación satisfactoria sobre la conducta y el desempeño de las EMNE, si los modelos existentes acerca de cómo las empresas multinacionales evolucionan y compiten deben adaptarse a las nuevas realidades o si el efecto de las EMNE en la competencia global requiere una nueva teoría[13].

Las EMNE y la teoría de la empresa multinacional[14]

La teoría clásica sobre la empresa multinacional comenzó a elaborarse en Estados Unidos en los años 1960, en el marco de la gran expansión

---

[12]   Casanova 2009.

[13]   Williamson *et al.*, 2013.

[14]   Dada la complejidad y vastedad de la teoría de la empresa multinacional, en este texto presentamos una versión muy estilizada con el objetivo de que sirva de marco para el análisis de la experiencia de las firmas chilenas.

de las DEMN en la segunda posguerra, y continuó desarrollándose en las dos décadas siguientes, basándose fundamentalmente en la experiencia de las EMN norteamericanas y europeas. A mediados de los años 1970 el economista británico John Dunning elaboró el denominado paradigma ecléctico, que integró diversas visiones alternativas, ofreciendo una interpretación holística sobre el fenómeno de la inversión externa. Según dicho paradigma, conocido también como paradigma OLI (*ownership, localization and internalization advantages*), las empresas que se internacionalizan cuentan en primer lugar con ventajas de propiedad específicas, que incluyen activos tangibles e intangibles que les permiten competir en otros mercados. En segundo término, eligen ventajas de localización a partir de las cuales deciden crear filiales en otros países. En tercer lugar obtienen ventajas al establecer filiales (*market internalization*), que no obtendrían en el caso de exportar sin producir *in loco* o de otorgar licencias[15].

En cuanto a las motivaciones que llevan a las empresas a internacionalizarse, Dunning utiliza la taxonomía de J. Behrman, que identificó cuatro razones principales: la búsqueda de recursos naturales (de mayor calidad y a un costo menor que en el país de origen), de mercados (que antes podían abastecerse con exportaciones pero que requieren inversión directa por razones diversas), de eficiencia (racionalizar la producción, obtener economías de escala o de diversificación, reducir riesgos) y de activos estratégicos (adquirir activos de empresas extranjeras para promover objetivos de largo alcance para sostener o aumentar la competitividad global)[16].

Otras contribuciones a la teoría de la empresa multinacional han enfatizado la necesidad de considerar no solo las ventajas propias de las empresas (*firm specific advantages*, FSA), sino también las provenientes de sus países de origen y de destino (*country specific advantages*, CSA). Mientras que las FSA pueden identificarse con las ventajas de propiedad de las empresas, las CSA son producto tanto de la dotación de factores de los países como elementos de orden institucional, social, cultural y político[17].

Los economistas de la escuela de Uppsala, por su parte, se han enfocado en el proceso de aprendizaje que lleva a las empresas a su internacionalización, sosteniendo que esta se da por etapas (*stages*) y es el

---

[15]   Dunning y Lundan 2008.
[16]   Dunning y Lundan 2008.
[17]   Rugman 2005.

resultado de una serie de decisiones incrementales adoptadas por las firmas en función de su nivel de conocimiento sobre los mercados de destino, en una secuencia que va sucesivamente de la exportación a través de un agente, al establecimiento de una filial comercial y, eventualmente, a la producción en el país anfitrión. También observaron que la elección del país de destino parece relacionarse con su distancia psíquica con respecto al país de origen, definiendo dicha distancia como la suma de los factores que obstaculizan el flujo de información desde y hacia un mercado[18].

El nacimiento y desarrollo de empresas multinacionales procedentes de países emergentes ha implicado un enorme desafío para la teoría elaborada sobre la base de la trayectoria de las DMNE, dado que diversos aspectos de las experiencias y prácticas de las EMNE presentan diferencias sustantivas entre ellas. Ello ha llevado a diversos autores a cuestionar la pertinencia de los paradigmas disponibles al explicar sus éxitos y su acelerado crecimiento, si bien las posiciones al respecto no han sido homogéneas, oscilando entre respuestas negativas radicales, que sostienen la necesidad de elaborar teorías alternativas[19], y posiciones más moderadas, que, aun reconociendo los límites de la teoría disponible, sugieren enriquecerla y extenderla[20].

John Mathews sostiene que mientras en la teoría convencional las empresas cuentan con recursos para internacionalizarse, las EMNE o *challenger multinationals* se internacionalizan para obtener recursos, en particular activos estratégicos y capacidades. A partir de esta comprobación, discute la pertinencia de la teoría recibida para explicar la internacionalización de las EMNE, afirmando que tanto el paradigma OLI como la teoria de Uppsala son inadecuados para comprender el proceso de multinacionalización de los *latecomers* en la segunda economía global.

En ese marco, concluye que es preferible desarrollar un nuevo marco conceptual para comprender el proceso de internacionalización, proponiendo un paradigma alternativo, al que denomina LLL (*linkage, leveraging, learning*). El *linkage* (vinculación) implica la adquisición de recursos por medio de diversas formas de colaboración con otras firmas, que permiten reducir los riesgos e incertidumbres que implica la operación en mercados externos. El *leveraging* (apalancamiento) se deriva del *linkage*,

---

[18] Johanson y Wiedersheim-Paul 1975; Johanson y Vahlne 1977.
[19] Mathews 2002 y 2006a.
[20] Guillén y García Canal 2009 y 2010; Narula 2006; Ramamurti 2009.

240

en la medida en que los vínculos con otras empresas ofrecen recursos que pueden ser apropiados por los *latecomers*. El *linkage* y el *leveraging* generan a su vez un proceso de aprendizaje (*learning*) y facilitan la internacionalización acelerada, permitiendo que numerosas pequeñas y medianas empresas puedan operar a escala mundial, integradas en redes internacionales, compitiendo de manera satisfactoria con las empresas transnacionales clásicas[21].

Mauro Guillén y Esteban García Canal se encuentran entre los representantes de posiciones más moderadas, ya que, desde la perspectiva de la *resource-based view*, tratan de identificar las características específicas de las que denominan "nuevas multinacionales", sin proponer un paradigma teórico alternativo. A diferencia de Mathews, afirman que los EMNE se internacionalizan tanto para adquirir activos intangibles (mediante alianzas internacionales y la compra de empresas en mercados desarrollados), como para aprovechar activos de los que ya disponen, de naturaleza gerencial, organizativa y también política, dada su experiencia en operar en contextos de gran incertidumbre, debilidad institucional y mercados regulados. Con respecto a la pertinencia de la teoría recibida, sostienen que la declinación del modelo tradicional de EMN no implica necesariamente el rechazo de los marcos conceptuales existentes, señalando que la falta de las capacidades clásicas en tecnología o en marketing no implica la ausencia de otras capacidades, y en lo que concierne a las etapas de la internacionalización, sostienen que dentro de las EMNE coexisten firmas que se internacionalizan en forma gradual, comenzando por los países vecinos, con otras de rápida internacionalización en busca de activos estratégicos, por medio de alianzas o adquisiciones[22].

Otros fenómenos recientes, aunque no exclusivos de las EMNE, han llevado a cuestionar la teoría recibida. Entre ellos cabe mencionar a las *born global companies*, definidas como empresas que desde su fundación buscan ventajas competitivas a través del uso de recursos y de la venta de productos en más de un país[23]. Son en general firmas intensivas en tecnología, especializadas en nichos de mercado, que han adoptado estructuras flexibles que les permiten acceder a proveedores y clientes alrededor del mundo desde su nacimiento.

---

[21]   Mathews 2002 y 2006a.
[22]   Guillén y García Canal 2009 y 2010.
[23]   Oviatt y McDougall 1994.

El debate teórico suscitado a partir de la experiencia de las multinacionales de países emergentes, que de ningún modo se agota en los trabajos citados, es un estímulo para la investigación sobre multinacionales latinoamericanas (multilatinas) y para examinar la teoría a la luz de sus experiencias históricas concretas.

Las multinacionales chilenas

La internacionalización de las empresas chilenas

Las multinacionales chilenas constituyen un caso particularmente significativo a la hora de reflexionar sobre la trayectoria y las estrategias de las multilatinas desde una perspectiva comparada. También aportan evidencia empírica relevante para confrontar la teoría sobre las EMNES con la experiencia histórica concreta de las firmas, en la medida en que la perspectiva de largo plazo hace posible identificar tanto sus fortalezas y debilidades como las razones y modalidades de su expansión externa.

A pesar de que los activos externos de las multinacionales brasileñas y mexicanas superan a los de las chilenas, entre los países latinoamericanos Chile es el que cuenta con una mayor dotación de multinacionales en relación a su PIB y el único que figura entre las Top 20 *Home Economies* elaborado por la UNCTAD para el año 2015[24]. En el ranking de las 50 mayores multilatinas en dicho año, publicado por la revista *América Economía*, ordenadas por su índice de internacionalización, las empresas chilenas (11) se encuentran dentro del grupo más numeroso, junto con México (13) y Brasil (12), mientras que el PIB de Brasil es más de siete veces el de Chile y el de México casi seis.

La inversión directa por parte de empresas chilenas en el exterior alcanzó entre 1990 y 2015 la suma de US$ 106.604 millones, distribuida en más de 60 países en cinco continentes, con un stock equivalente al 50% del acervo de inversión extranjera directa materializada en Chile[25]. En 2015, como puede apreciarse en el Cuadro 2, Chile fue el país más dinámico de América Latina en lo relativo a su inversión directa en el exterior, en el marco de una caída generalizada del ritmo de expansión de las multilatinas[26].

---

[24]   UNCTAD 2016.
[25]   DIE 2016.
[26]   CEPAL 2016.

Cuadro 2: América Latina y el Caribe (países seleccionados): flujos anuales de inversión extranjera directa hacia el exterior, 2005-2015 (en millones de dólares).

País	2005-2009[a]	2010	2011	2012	2013	2014	2015
Argentina	1.471	965	1.488	1.055	890	1.921	1.139
Brasil[b]	14.067	26.763	16.067	5.208	14.942	26.040	13.498
Chile	5.117	9.461	20.252	20.555	9.872	12.915	15.794
Colombia	2.786	5.483	8.420	-606	7.652	3.899	4.218
México	6.250	15.050	12.636	22.470	13.138	7.463	12.126
Trinidad y Tobago	282	0	1.060	1.681	2.061	1.275	717[c]
Venezuela	1.438	2.492	-370	4.294	752	1.024	1.112[c]
América Latina y el Caribe[d]	32.091	61.302	60.919	55.993	50.465	55.803	47.362

(a) promedios simples; (b) La cifra de Brasil 2005-2009 no incluye reinversión de utilidades, por lo que no es directamente comparable con las cifras desde 2010 en adelante; (c) datos para los primeros tres trimestres de 2015. Fuente: CEPAL 2016.

Si bien Chile ocupa hoy este lugar preponderante como fuente de IED, la expansión multinacional de empresas chilenas comenzó en forma continua recién durante la década de los años 1990, rezagándose con respecto a otros países de la región, como Argentina, cuya inversión directa en el exterior se había iniciado en forma muy temprana y había tomado impulso en los años 1970. Desde entonces la IED chilena ha mostrado un crecimiento constante que permitió que el país llegara a la tercera posición en la región en cuanto a su stock de IED en el exterior y a poseer el mejor ratio IED/PIB.

La inversión directa de capitales chilenos en el mundo ha estado estrechamente vinculada tanto a la evolución de la macroeconomía chilena como a las oportunidades generadas por la economía mundial, y principalmente por la economía regional, dado que se ha concentrado sustancialmente en países latinoamericanos. Del stock total de IED chilena para fines de 2015, el 81,3% se había canalizado hacia seis economías latinoamericanas, destacándose Brasil, Colombia, Argentina y Perú como los principales destinos, receptores del 75,6% del total de la inversión[27]. Desde fines de la década de los años 1990, Argentina fue perdiendo relevancia como destino de las nuevas inversiones, que se fue orientando hacia los otros tres países, con Brasil como principal mercado. Cabe des-

[27] DIE 2016.

243

tacar, de todos modos, que en los últimos años han crecido las inversiones en América del Norte y que Estados Unidos fue el principal destino de la IED chilena en 2015, con el 27,6% del total del flujo anual. Junto con Canadá, explicaba a fin de dicho año el 9,7% del total del stock de la IED proveniente de Chile, tal como puede constatarse en el cuadro 3.

Cuadro 3: Stock de inversiones chilenas en el exterior por país de destino (en millones de dólares).

País	Stock a diciembre de 2015	% sobre el total de la IED de Chile
Brasil	27.780	26,1
Colombia	18.065	16,9
Argentina	18.047	16,9
Perú	16.755	15,7
Estados Unidos	8.527	8,0
Uruguay	4.559	4,3
Canadá	1.825	1,7
México	1.463	1,4
Otros	9.082	9,0
Total	106.604	100

Fuente: DIE 2016.

Las condiciones de la economía chilena –country specific advantages– explican en parte la multinacionalización de sus empresas a partir de la década de los años 1990. La temprana implantación de las reformas promercado por parte de la dictadura militar del general Augusto Pinochet (1973-1990) obligó a los agentes económicos a operar en el marco de una economía abierta y desregulada, en la cual la construcción de ventajas competitivas se transformó en una necesidad. Frente a este "shock competitivo" las empresas debieron incrementar su productividad para poder operar satisfactoriamente en un mercado abierto a las importaciones y a la radicación de filiales de compañías extranjeras.

Si bien la liberalización implicó serias amenazas para las firmas locales acostumbradas a desenvolverse en un contexto de economía cerrada y protegida, generó asimismo nuevas oportunidades, tanto en lo relativo al descenso de los precios de los insumos y maquinarias provenientes del exterior como en lo concerniente al acceso a la financiación y a la apertura al capital privado de actividades antes reservadas a las compañías estatales[28]. La liberalización funcionó también como un mecanismo de

---

[28] Del Sol 2010.

selección, en el que sobrevivieron las firmas que supieron adaptarse al nuevo entorno, y que tras consolidarse en el mercado local estuvieron en condiciones de expandirse hacia el exterior, primero vía exportaciones y luego a través de la inversión directa[29]. La privatización de compañías estatales ofreció numerosas oportunidades a las firmas privadas que contaban con los recursos necesarios para adquirir las empresas públicas en venta, que en muchos casos fueron enajenadas a precios inferiores a su valor de mercado o en condiciones poco transparentes, generándose una fuerte transferencia de recursos hacia el sector empresario[30]. En paralelo, el Estado ofreció subsidios a algunas actividades, como por ejemplo las inversiones forestales, que coadyuvaron al desarrollo del sector productor de celulosa, madera y papel, uno de los líderes de la economía chilena.

Las multilatinas chilenas contaron asimismo con una serie de ventajas vinculadas al escenario económico y político de su país desde la década de los años 1990. La reinstalación de la democracia y la aceleración del crecimiento en un marco de estabilidad institucional redundaron en la reducción del riesgo país y en el consiguiente acceso a financiación internacional. Tras superar los gravísimos efectos de la crisis de 1982, Chile ingresó desde mediados de la década de los años 1980 en un sendero de expansión que continuó con los gobiernos democráticos. Desde 1990 las empresas chilenas comenzaron a emitir American Depository Receipts (ADR), lo cual les permitió reducir sus costos financieros y contar con suficientes recursos como para solventar su expansión externa[31]. Al mismo tiempo, los cambios en el sistema financiero implementados durante el gobierno militar redundaron en la consolidación de un mercado de capitales con alto nivel de capitalización. Las Administradoras de Fondos de Pensiones (AFP), manejadas por actores privados, se convirtieron en una importante fuente de financiación: en 2010 más de la mitad de las grandes empresas internacionalizadas chilenas tenía como accionista a una AFP[32].

El Estado chileno no ha llevado a cabo una política explícita de promoción de la inversión externa por parte de sus empresas ni de creación de campeones nacionales o líderes regionales, pero ha desarrollado una ambiciosa estrategia para mejorar la inserción internacional del país

---

[29]   Albeck y Huth 2014.
[30]   Informe Comisión Diputados 2004.
[31]   Del Sol 2010.
[32]   Finchelstein 2012.

245

mediante la firma de acuerdos de libre comercio con sus principales *partners* y otras naciones. También ha tomado otras medidas favorables a sus empresas multinacionales, como el levantamiento de los controles de cambios[33].

Desde el punto de vista de las empresas, la internacionalización respondió fundamentalmente a la necesidad de alcanzar mayores economías de escala y de acceder a mercados de mayor envergadura –y en algunos casos también a recursos naturales–, dado el limitado támaño del mercado local y la estrecha especialización de la economía chilena en algunos sectores de actividad[34]. La expansión hacia el exterior se vio sustentada por los cambios que las empresas habían ido incorporando desde mediados de la década de los años 1970, que implicaron no solo el acceso a insumos, maquinaria y capital extranjero y la inversión en activos y recursos, sino también significativas transformaciones en las estrategias y la gestión de las firmas, entre ellas la profesionalización del *management*[35].

Tanto en lo relativo a los cambios en el escenario macroeconómico como a sus transformaciones internas, las empresas chilenas contaron con una primacía temporal con respecto a las de otros países de América Latina, que iniciaron su proceso de reformas a fines de la década de los años 1980 y principios de los años 1990. Aprendieron a desempeñarse en economías desreguladas y acumularon experiencia en los procesos de privatización de empresas públicas, adquiriendo lo que ha sido denominado *liberalization know how*[36].

El rol de los grupos económicos en el proceso de multinacionalización

Las reformas promercado generaron profundas transformaciones en el mundo empresarial chileno. Se ha caracterizado a este periodo como el de surgimiento de una nueva clase empresarial, más autónoma que su predecesora con respecto al Estado[37], y se ha sostenido asimismo que la élite empresarial emergente de la liberalización de la economía estuvo

---

[33]   Del Sol 2010
[34]   Chile contaba con poco más de 13 millones de habitantes en 1990, cifra que se elevó a casi 18 millones en 2015 (data.worldbank.org).
[35]   Del Sol 2010.
[36]   Del Sol 2010.
[37]   Muñoz 1996.

marcada por una "revolución gerencial"[38]. La formación de cuadros con posgrados de negocios en el exterior –fundamentalmente en Estados Unidos–, fue un elemento central en el proceso de profesionalización.

Los principales actores del proceso de internacionalización fueron los grupos económicos diversificados, que constituyen la forma de organización predominante entre las grandes empresas chilenas, y cuyo número se ha incrementado sensiblemente desde fines de la década de los años 1980. En términos generales, están organizados como un conjunto de empresas (listadas o no), controladas por un holding, con una estructura piramidal y la propiedad muy concentrada[39]. Al analizar la evolución en el tiempo de los grupos económicos líderes se pueden distinguir tres categorías. En primer lugar, los grupos tradicionales –Matte, Angelini, Luksic– que ya existían como tales a comienzos de la década de los años 1960 y que presentan un alto grado de diversificación. En segundo término, los grupos que tuvieron su origen a mediados de los años 1960 y se consolidaron en los años 1970 –Cruzat Larraín, BHC/Vial, que crecieron fundamentalmente gracias a las privatizaciones pero se vieron fuertemente afectados por la crisis financiera de 1982. Por último, los denominados grupos nuevos –entre ellos Paulmann, Solari y Del Río, Said, Sigdo Koppers– surgidos en la década de los años 1980 pero en su gran mayoría originados en empresas nacidas con anterioridad[40].

Tanto las privatizaciones como la apertura de la economía generaron importantes cambios en la estructura del sector corporativo chileno. La apertura afectó negativamente a los grupos orientados a la sustitución de importaciones, beneficiando en cambio a los relacionados con la exportación de recursos naturales, a aquellos con mejores lazos con el sector financiero y a las empresas comerciales. Las privatizaciones, por su parte, significaron una gran oportunidad para los grupos que contaban con acceso a recursos financieros y contribuyeron a incrementar el grado de concentración de la economía de Chile.

Al igual que en la mayor parte de los países latinoamericanos, el origen de los grupos chilenos se remonta a la etapa de integración del país al mercado mundial, entre mediados del siglo xix y principios del xx. Tras el fin de la Primera Guerra Mundial el proceso de formación de grupos continuó, pero en el marco de una economía cerrada y protegida

---

[38]   Undurraga 2012.
[39]   Lefort 2010.
[40]   Paredes y Sánchez 1996.

en la cual el Estado asumió un rol clave en la asignación de recursos y en el que las grandes firmas privadas compartieron el escenario económico con las empresas públicas, prosperando en un contexto de altos aranceles y subsidios estatales[41]. La acción del Estado se materializó en gran medida a través de la acción de la Agencia de Desarrollo CORFO (Corporación de Fomento de la Producción), erigida en 1939, a través de la cual el sector público se involucró de manera sistemática en la creación y gestión de empresas. En 1970 existían 68 empresas total o parcialmente controladas por el Estado, que operaban en sectores clave de la economía, desde la gran minería del cobre a los servicios públicos y las actividades manufactureras[42]. La participación del Estado en la economía se acrecentó notablemente en el gobierno de la Unidad Popular, bajo la presidencia de Salvador Allende (1970-1973), durante el cual fueron estatizadas más de 500 compañías privadas, vía adquisiciones o expropiaciones. En 1973 el Estado controlaba en forma directa o indirecta 596 empresas, 526 de las cuales habían entrado al sector público entre 1970 y 1973[43].

El gobierno militar instaurado tras el golpe de septiembre de 1973 se propuso, entre otros objetivos, reducir el peso del Estado en la economía y fortalecer el rol de la empresa privada. Dio así inicio a un proceso privatizador que se llevó a cabo en diversas etapas, y que implicó en primer lugar la devolución de firmas expropiadas entre 1970 y 1973 y la venta de empresas que en esos años habían sido adquiridas por el Estado. En 1983 el número de empresas públicas se había reducido de 596 a 48. El proceso continuó con la reprivatización de firmas que fueron reestatizadas a raíz de la crisis de 1982 (la denominada área rara) y con la privatización de grandes empresas estatales, creadas o nacionalizadas por ley, en su casi totalidad antes de 1970, entre las que se incluían empresas de servicios públicos así como compañías financieras y de diversas actividades productivas[44]. Las privatizaciones continuaron tras el retorno de la democracia, pero el Estado mantuvo la propiedad de algunas compañías estratégicas, como CODELCO (cobre) y ENAP (petróleo), así como de otras menores[45].

Las privatizaciones llevadas a cabo hasta comienzos de la década de los años 1980 fueron aprovechadas principalmente por algunos conglomerados organizados en torno a bancos, encabezados por los grupos BHC/

---

[41]   Islas 2011.
[42]   Islas 2011.
[43]   Hachette 2000.
[44]   Hachette 2000.
[45]   Salvaj y Couyoumdjian 2016.

Vial y Cruzat Larraín, que a comienzos de los años 1980 controlaban más de setenta empresas cada uno, con un altísimo grado de diversificación y muy elevados niveles de endeudamiento[46]. Tras la crisis, la mayor parte de dichos grupos entró en bancarrota: algunos desaparecieron, mientras que otros redujeron sensiblemente sus dimensiones. En contraposición a ellos, otros grupos financieramente sólidos que habían sobrevivido a las crisis –encabezados por los grupos tradicionales– fueron ampliando sus dimensiones mediante la compra de activos de empresas estatales –incluyendo las del "área rara"– o de los grupos más afectados por la crisis[47]. De ese modo, pasaron a convertirse en los mayores conglomerados de la economía chilena, y lideraron el proceso de expansión internacional, acompañados por otros que no participaron de las privatizaciones pero que supieron adaptarse a las nuevas condiciones económicas e institucionales. Algunos de los grupos nacidos a partir de la privatización de empresas de servicios públicos –particularmente en el sector eléctrico– fueron pioneros en la primera fase de internacionalización de empresas chilenas, pero fueron luego adquiridos por empresas multinacionales.

Fases de la internacionalización de empresas chilenas

Si bien hubo algunas experiencias de inversiones en Argentina en las décadas de los años 1970 y 1980, el despegue de la internacionalización de firmas chilenas tuvo lugar a partir de 1990. De allí en más es posible identificar cuatro grandes periodos. El primero, de 1990 a 1995, responde principalmente a la fuerte expansión de las inversiones en la industria, la energía y otros servicios en Argentina. El segundo, entre los años 1996 y 2001, se caracteriza por la expansión de las inversiones en los sectores de generación y distribución de energía eléctrica, extendidas a Perú, Colombia y Brasil. El tercer periodo, entre 2002 y 2007, una vez concluidas las grandes inversiones en electricidad, muestra una gran actividad en industrias manufactureras (principalmente en Argentina y Perú), así como en servicios de transporte aéreo. El cuarto y más reciente, que se inicia el año 2008, se ha caracterizado por el fuerte incremento de las inversiones en las esferas de los servicios, particularmente el *retail*, y la industria manufacturera, con el centro de atención puesto en Brasil, Colombia y Perú[48].

---

[46] Islas 2011.
[47] Lefort 2010.
[48] DIE 2016.

Las dos primeras fases de la expansión internacional de firmas chilenas corresponden a la década de los años 1990, y se vinculan tanto al proceso de maduración y/o expansión experimentado por las empresas a partir de las reformas promercado como a las oportunidades generadas por la liberalización económica de otros países latinoamericanos, así como por la constitución de bloques regionales. A principios de los años 1990, empresas de diversos sectores mostraban buenos niveles de competitividad en el mercado local y contaban con acceso al financiamiento en cantidad y condiciones muy convenientes, dos condiciones favorables para iniciar su expansión externa.

En ese contexto, durante los años 1990 las inversiones chilenas en el exterior mostraron un gran dinamismo, creciendo a una tasa mayor que la de otros países latinoamericanos[49]. Las empresas salieron al exterior en los sectores en los que eran más competitivas en el plano doméstico, generando economías de escala a través de la internacionalización. La mayor parte de la IED se concentró en los sectores energético e industrial (alimentos y bebidas, manufacturas de cobre, industria maderera, celulosa y papel). El tercer sector en orden de importancia fue el comercial, a través de las inversiones realizadas por grandes cadenas de comercialización. La gran mayoría de los flujos de inversión externo se dirigió a los países vecinos, encabezados por Argentina y seguidos por Perú y Brasil. En 1997 el Mercosur y el resto de América Latina concentraban el 79,3% de las inversiones y el 85,4% de los montos totales de los proyectos[50].

Varias de las multilatinas chilenas se asociaron en los años 1990 con firmas extranjeras, tanto fuera del país como dentro de Chile, lo cual les proporcionó respaldo financiero y *know-how* tecnológico, comercial o productivo[51]. El acceso a financiamiento internacional –obtenido principalmente a través de créditos y ADR– fue clave para sustentar la expansión externa y redujo también el posible impacto negativo de la IED sobre la balanza de pagos. La asociación con firmas del país receptor suministró financiamiento, conocimiento del mercado y capacidad de *lobby*. Las *joint ventures* con firmas de países desarrollados proporcionaron experiencia internacional, prestigio, *know how*, aporte financiero y marcas, si bien también implicaron para las empresas chilenas el riesgo de perder el control accionario a manos de sus socios, lo cual sucedió

---

[49] UNCTAD 2010.
[50] López 1999.
[51] Paredes y Sánchez 1996.

fundamentalmente en el negocio energético y bancario desde fines de la década de los años 1990 y comienzos de la década siguiente[52].

Las razones que llevaron a las empresas chilenas a realizar inversiones directas en el exterior en los años 1990 fueron de diverso tipo. En el sector de bienes transables las más importantes fueron la búsqueda de nuevos mercados (en particular los de Argentina y Brasil) y el acceso a recursos naturales. En los servicios públicos el agotamiento de las posibilidades de expansión en Chile y las oportunidades abiertas por las privatizaciones en otros países. Empresas de servicios (software, bancos, AFP) se internacionalizaron para abastecer a firmas chilenas que ya operaban en el exterior, mientras que las firmas comerciales buscaron aprovechar las ventajas de propiedad acumuladas en el mercado doméstico dirigidas a un mercado de mayores dimensiones pero con pautas culturales, de ingresos y de consumo relativamente similares[53].

El stock de inversión chilena en el exterior creció en forma sostenida en las décadas de los años 1990 y 2000, pasando de 154 millones de dólares en 1990 a 11.154 millones en 2000 y a 41.203 millones en 2009. Para fines del siglo xx Chile ya ocupaba el tercer lugar como inversor externo entre los países latinoamericanos, detrás de Brasil y México[54]. Los flujos de IED, que crecieron en forma gradual y constante a lo largo de los años 1990, sufrieron una fuerte contracción en 2001-2002 (producto de la crisis argentina y de la venta de empresas eléctricas chilenas a capitales españoles) y retomaron su expansión desde 2004, más que triplicando su monto entre principios y fines de la década[55].

En cuanto a los destinos de la inversión, si bien América Latina continuó siendo el principal receptor, desde el nuevo siglo Brasil, Perú y Uruguay desplazaron a Argentina, que había sido el principal target durante los años 1990. También crecieron las inversiones en México y Colombia y en América del Norte, principalmente en Estados Unidos[56]. En términos sectoriales, en los años 2000 se destaca el dinamismo de los servicios y de la industria manufacturera, seguidos por la energía, con una participación menor del sector agropecuario/silvícola y la minería[57].

---

[52]   López 1999; CEPAL 2005.
[53]   López 1999.
[54]   UNCTAD 2010.
[55]   Albeck y Huth 2014.
[56]   Razo y Calderón 2010.
[57]   DIE 2016.

Tomando en cuenta las inversiones de las 20 mayores multilatinas chilenas en el año 2010, el 78% de los activos externos se concentró en comercio minorista (Cencosud, Falabella y Ripley), sector forestal (CMPC y Arauco) y transporte (Sudamericana de Vapores y LAN). Alimentos y bebidas representaron el 6%, y energía el 4%. Se observa asimismo un alto grado de concentración, ya que más de la mitad de los activos externos pertenecía a tres compañías (Cencosud, CMPC y Grupo COPEC, propietario de Arauco)[58].

Otro cambio importante que tuvo lugar en la primera década del nuevo siglo –que ya mencionamos–, fue que algunas de las compañías chilenas que se habían internacionalizado en los años 1990 fueron luego adquiridas por empresas multinacionales (sobre todo en los sectores eléctrico y financiero). Pero también se dio el caso inverso, de empresas chilenas que adquirieron activos locales y extranjeros de empresas multinacionales o que pudieron defender su mercado interno de la amenaza de grandes compañías multinacionales, por ejemplo, en el comercio minorista[59].

Las multilatinas chilenas hoy: perfil productivo y estrategias de internacionalización

El ranking publicado anualmente por la revista *América Economía* permite identificar a las empresas chilenas más internacionalizadas y contextualizarlas dentro del universo de las principales multinacionales latinoamericanas. En este caso hemos seleccionado las cincuenta multilatinas con un mayor grado de internacionalización, para enfocarnos en la trayectoria y las estrategias de cada una de las compañías chilenas incluidas entre ellas, las que se detallan a continuación:

---

[58]   Pérez Ludeña 2011.
[59]   CEPAL 2015; Calderón 2007.

Cuadro 4: Las cincuenta mayores multilatinas: nacionalidad, sector y ventas en 2015 (en millones de dólares),
Ordenadas por su índice de multinacionalización*.

N°	Empresa	N°	Empresa	N°	Empresa
1	Mexichem (Mx) Petroquímica (5708,2)	18	ISA (Col) Energía Eléctrica (1640,0)	35	Grupo Argos (Col) Cemento (3821,7)
2	CEMEX (Mx) Cemento (13050,1)	19	Gerdau (Br) Siderurgia (12227,1)	36	Arauco (Chi) Forestal/Celulosa/(5146,7)
3	Latam (Chi/Br) Aerotransporte (9713,0)	20	Sonda (Chi) Tecnología (1256,3)	37	Falabella (Chi) Retail (10938,2)
4	GrupoJBS (Br) Alimentos (45707,3)	21	Copa Airlines (Pan) Aerotransporte (2250,1)	38	Softtek (Mx) Tecnología (538,6)
5	Gruma (Mx) Alimentos (3369,1)	22	Marfrig (Br) Alimentos (5300,3)	39	Vale (Br) Minería (23987,7)
6	Avianca-Taca (Co/Sv) Aerotransporte (4361,3)	23	Sigdo Koppers (Chi) Construcción (2414,5)	40	CMPC (Chi) Forestal/Celulosa (4841,0)
7	Sigma (Mx) Alimentos (5409,1)	24	Ambev (Bra) Bebidas/Licores (13107,8)	41	Alicorp (Per) Alimentos (1935,4)
8	Arcos Dorados (Arg) Entretención (2930,4)	25	Cencosud (Chi) Retail (15495,9)	42	Empresas Copec (Chi) Multisector (18109,8)
9	Ajegroup (Pe) Bebidas/Licores (1550,0)	26	Globant (Arg) Tecnología (253,8)	43	Grupo Belcorp (Pe) Química (1185,0)
10	América Móvil (Mx) Telecoms (51694,7)	27	Tech Pack (ex Madeco) (Chi) Manufactura (376,1)	44	Metalfrio (Br) Manufactura (250,6)
11	Tenaris (Arg) Siderurgia/Metalurgia (7100,8)	28	CocaCola FEMSA (Mx) Bebidas/Licores (8807,9)	45	Grupo Nutresa (Col) Alimentos ((2895,8)
12	Grupo Alfa (Mx) Multisector (14932,3)	29	Grupo Sura (Col) Finanzas (4430,0)	46	Arcor (Arg) Alimentos (2120,2)
13	Grupo Bimbo (Mx) Alimentos (12671,2)	30	Viña Concha y Toro (Chi) Bebidas/Licores (896,9)	47	Fibria (Br) Forestal/Celulosa (2828,2)
14	Ternium (Arg) Siderurgia/Metalurgia (7877,4)	31	Votorantim Cimentos (Br) Cemento (3940,8)	48	FEMSA (Mx) Bebidas/Licores (18013,0)
15	Nemak (Mx) Automotriz/autopartes (4098,2)	32	Embraer (Br) Aeroespacial (5695,9)	49	BRF FOODS (Br) Alimentos (9033,1)
16	Embotelladora Andina (Chi) Bebidas/Licores (2646,8)	33	Weg (Br) Manufactura motores (2738,3)	50	ARCA CONTINENTAL (Mx) Bebidas/Licores (4419,8)
17	Masisa (Chi) Forestal/Celulosa (1052,6)	34	Aeroméxico (Mx) Aerotransporte (2714,0)		

* *El índice de internacionalización* de América Economía *se calcula con base en cuatro indicadores:* el % de
ventas anuales logradas fuera del país de origen, el % empleado fuera del país de origen, la cobertura geográfica y la expansión de cada compañía en el año considerado.
Fuente: Elaboración propia con base en *América Economía.*

LATAM, la empresa de capitales chilenos con el mejor posicionamiento en el ranking (número 3) es en realidad una firma de propiedad mixta chileno-brasileña, producto de la fusión, en 2012, de LAN Airlines y TAM[60]. LAN nació en 1929 como empresa estatal para prestar servicios de transporte aéreo de pasajeros, carga y correspondencia, y fue privatizada entre 1989 y 1994, pasando a ser controlada por los Grupos Cueto y Piñera. A partir 2010[61] el control pasó al Grupo Cueto, que en 2016 se ubicaba en el 22° lugar en el ranking general de los grupos chilenos y en el 15° por su nivel de patrimonio[62]. Desde 1990 comenzó un decidido proceso de expansión y de internacionalización que le permitió ubicarse entre los operadores más grandes de Latinoamérica, habiéndose asimismo beneficiado con los acuerdos de liberalización del tráfico abierto firmados por el gobierno chileno con diversos países[63]. Su estrategia de diversificación operativa, de servicios y geográfica le permitió ubicarse entre las diez aerolíneas más eficientes a nivel mundial[64].

La integración del transporte de carga y de pasajeros fue clave en la estrategia de expansión de la compañía, y ha sido considerada "el corazón de su modelo de negocios"[65]. Con ello logró mejorar su eficiencia, adquirir flexibilidad y capacidad de adaptación a escenarios cambiantes y aprovechar las sinergias existentes entre ambos negocios. En el transporte de pasajeros combinó asimismo dos modelos: full para servicios de larga distancia y bajo costo para vuelos locales (desde fines de 2006)[66]. En vísperas de la fusión, un 28% de sus ingresos provenía del negocio de carga y un 70% del negocio de pasajeros[67].

En 1997 LAN listó sus acciones en la Bolsa de Nueva York, y tres años más tarde se incorporó a la alianza OneWorld, iniciando asimismo un programa de renovación permanente de su flota de pasajeros y una serie de alianzas bilaterales con algunas de las mayores compañías mundiales –entre ellas American Airlines, Iberia, Qantas y Lufthansa Cargo– incrementando así la cantidad de destinos. Otro pilar de la estrategia de la compañía fue la diversificación geográfica de sus operaciones dentro de

---

[60] A LATAM le corresponde el cuarto lugar entre las primeras 12 chilenas en términos de ventas totales, con una facturación de 9.713 millones de dólares en 2015.
[61] Sebastián Piñera vendió sus acciones en la compañía tras asumir la presidencia de Chile en 2010.
[62] RGE 2016.
[63] Bravo Herrera 2004.
[64] Rivera Urrutia 2014.
[65] Martínez 2008.
[66] Juretic y Wigodski 2013.
[67] LAN, *Memoria Anual*, 2011.

Sudamérica, que implicó la construcción de una red de filiales en Perú (1999), Ecuador (2003), Argentina (2005) y Colombia (2009), a través de la creación y la adquisición de empresas en el marco de los procesos de desregulación de la navegación aérea. A partir de la fusión con TAM, una de sus principales competidoras en América Latina, LAN comenzó a operar en Brasil –un mercado muy regulado que representaba la mitad del tráfico aéreo en Sudamérica– y LATAM Airlines Group S.A. pasó a constituir el grupo de transporte aéreo más grande de América Latina[68].

Embotelladora Andina figura en el segundo lugar de las multilatinas chilenas dentro del ranking, con la posición número 16[69]. Se trata de una empresa dedicada a la producción y distribución de bebidas gaseosas y jugos, constituyendo el principal embotellador de bebidas en Chile y el segundo en Brasil y Argentina, posicionándose asimismo como una de las más importantes de América Latina. Nació en 1946 con licencia para producir y distribuir productos Coca Cola en Chile. Estatizada durante el gobierno de Allende, fue reprivatizada en 1974 y en 1985, pasando a ser controlada por el Grupo Said, conglomerado con inversiones en actividades financieras, industriales e inmobiliarias que en 2016 lideró el ranking entre los grupos económicos chilenos, ocupando el sexto lugar en la clasificación por patrimonio[70]. Desde los años 1960 Embotelladora Andina se fue expandiendo mediante la inversión en nuevas plantas y la adquisición de otras empresas del sector. Desde comienzos de los años 1990 comenzó a diversificarse hacia el negocio de jugos y aguas minerales en Chile, iniciando en paralelo su internacionalización en Argentina (1992) y Brasil (1994) mediante la adquisición de plantas embotelladoras. En 2012 Embotelladora Andina se fusionó con la Embotelladora Coca Cola Polar, con operaciones en Chile, Argentina y Paraguay, dando nacimiento a la sociedad Coca Cola Andina y al desarrollo de un plan de inversiones intensivo[71].

La expansión de Embotelladora Andina se ha basado en la diversificación dentro del sector bebidas, mediante la producción de un mix de productos –bebidas gaseosas, jugos, aguas embotelladas– tanto propios como licenciados por Coca Cola (que generan sus mayores ingresos). Otra fuente de crecimiento ha sido la integración hacia atrás (producción de envases y otros insumos) y hacia adelante (flotas de camiones,

[68] Juretic y Wigodski 2013.
[69] Ocupa el séptimo lugar en términos de facturación entre las primeras 12 multilatinas chilenas, con ventas en 2015 por 2.646,8 millones de dólares.
[70] RGE 2016.
[71] Coca Cola Andina, *Memoria*, 2016.

máquinas expendedoras). Desde comienzos de los años 1990 su expansión se apoyó fundamentalmente en la internacionalización, mediante la compra de activos en Argentina y Brasil, comenzando a emitir ADR en la Bolsa de Nueva York en 1994. En 2016 Coca Cola Andina era propietaria de tres plantas productoras de bebidas y una de envases pet en Argentina, de dos plantas productoras en Brasil y de una planta productora en Paraguay, además de numerosas plantas de distribución en los tres países. En ese año Chile proporcionó el 30% de las ventas, Brasil el 33%, Argentina el 29% y Paraguay el 8%[72].

Una de las fortalezas de Embotelladora Andina es su alianza estratégica con Coca Cola, que le otorgó licencias desde su fundación e ingresó a la propiedad de la compañía en 1996 con un 11% de las acciones, incrementando luego su participación al 14,35%[73]. Desde fines del siglo xx la producción de bebidas y aguas minerales ha experimentado importantes transformaciones a nivel regional e internacional, y las alianzas con grandes compañías multinacionales constituyen una estrategia clave para que las multilatinas logren posicionarse en los mercados[74]. Al mismo tiempo, Embotelladora Andina ha demostrado una amplia capacidad de gestión en la producción y la comercialización, logrando una eficiente estructura de costos y altos márgenes de rentabilidad[75].

El tercer lugar en el ranking, con la posición número 17, corresponde a Masisa, empresa que opera en la actividad forestal-maderera, uno de los sectores más dinámicos de la economía chilena. El complejo forestal maderero, que se ha visto beneficiado tanto por sus ventajas competitivas naturales como por las políticas de promoción implementadas por el Estado desde la década de los años 1970, aportó en 2015 el 2,6% del PIB y el 8,7% de las exportaciones totales del país[76]. Los principales jugadores del sector adoptaron, desde los años 1980, una estrategia de expansión y modernización de sus actividades primarias e industriales, de integración en diversos eslabones de la cadena de valor, de diversificación dentro del sector y de internacionalización –primero a través de exportaciones y luego vía la inversión directa. La internacionalización productiva en la producción forestal y en la industria les permitió superar los límites del mercado interno y fortalecer la integración vertical y la

[72] Coca Cola Andina, *Memoria*, 2016.
[73] Coca Cola Andina, *Memoria*, 2016.
[74] Calderón 2007.
[75] Feller Rate, *Embotelladora Andina SA*, 2011.
[76] www.corma.cl.

diversificación de su producción. Las compañías líderes –Arauco, CMCP y Masisa– han desarrollado planes de inversión interna y externa para incrementar sus recursos forestales y para integrar su producción hacia bienes de mayor valor agregado (pulpa, papel, madera y paneles)[77].

Si bien las mayores empresas chilenas son Arauco y CMCP, con ventas totales en 2015 que quintuplicaban a las de Masisa[78], esta ocupa el tercer lugar, y se ha especializado en la producción y distribución de tableros de madera. En 2015 era propietaria de diez plantas industriales, 332 centros de distribución y 198.000 hectáreas de plantaciones forestales en diversos países de América Latina. Algunos de los elementos centrales de su estrategia competitiva son la eficiencia operacional, la integración en la cadena productiva, la diferenciación de productos y de marca en el área industrial y los proyectos de relacionamiento con sus clientes, a través de sus centros de distribución (placacentros)[79].

Masisa S.A. fue fundada en 1960, como primera empresa chilena productora de maderas aglomeradas, iniciando a los pocos años la inversión en predios forestales. En los años 1970 y 1980 fue expandiéndose en Chile y adquiriendo a varios de sus competidores, consolidándose como productora de tableros de madera, y avanzando en su integración vertical con la producción de insumos (resinas autoadhesivas) y la inauguración de su primer centro de distribución en 1992. En dicho año comenzó su internacionalización productiva, con una filial en Argentina para la producción de tableros, continuando luego su expansión en América Latina con filiales en Brasil (1995), Perú (1997), México (2002), Ecuador (2002) y Venezuela (2003), a través de inversiones *greenfield* y adquisiciones[80]. La expansión externa se debió en primer lugar a la saturación del mercado interno de tableros, pero también a la necesidad de ampliar la escala de sus actividades forestales. La internacionalización de la compañía permitió un gran incremento de su capacidad productiva y su transformación en uno de los líderes latinoamericanos en su sector. En paralelo fue avanzando en la integración hacia adelante, desarrollando una extensa red de distribución de sus productos en diversos países latinoamericanos[81].

---

[77] Calderón 2007.
[78] Masisa ocupa el décimo lugar en ventas entre las primeras 12 chilenas rankeadas por su grado de internacionalización, con una facturación en 2015 de 1.052,6 millones de dólares.
[79] Masisa, *Memoria*, 2015.
[80] www.masisa.com.
[81] Calderón 2007.

Desde 1993 la compañía, que cotizaba en la Bolsa de Santiago desde 1970, comenzó a emitir ADR en la Bolsa de Nueva York. En 2002 Masisa, que desde 1992 formaba parte del grupo chileno Pathfinder, pasó a ser controlada por Terranova S.A., integrante del Grupo Nueva, controlado a su vez por el empresario suizo Stephan Schmidheiny, que en 2003 traspasó todos sus activos al fideicomiso VIVA Trust, propietario de empresas productivas y filantrópicas.[82]

Forestal Terranova S.A., dedicada a la producción e industrialización de maderas, nació en 1994, con la Compañía de Inversiones Suizandina (luego Grupo Nueva) como principal accionista, asumiendo la dirección y administración de las empresas del área forestal de la Compañía de Aceros del Pacífico (CAP), privatizada en 1987. Desde 1997 inició sus inversiones –a través de proyectos *greenfield* y adquisiciones– en predios forestales y plantas industriales en Venezuela y Brasil (1997), Estados Unidos (1998) y México (1999), y en filiales comerciales en otros países latinoamericanos, asociándose en algunos de sus negocios con la canadiense Masonite. Al igual que Masisa, la empresa desarrolló una estrategia de integración vertical, abarcando la producción forestal, la industrialización de la madera (tableros, molduras, puertas), la elaboración de insumos (resinas) y la distribución. Desde 1994 las acciones de Terranova comenzaron a transarse en la Bolsa de Santiago, y en 2004 la compañía inició el proceso de inscripción en el SEC con el objeto de implementar un programa de ADR[83]. La fusión entre Masisa y Terranova, implicó no solo el aumento de escala sino también el aprovechamiento de las sinergias entre ambas compañías, en una industria altamente competitiva. Con dicha operación Terranova se transformó en uno de los tres principales actores del sector dentro de Chile, y en el número uno en el negocio de tableros en América Latina.

SONDA, la cuarta empresa chilena en el ranking (con la posición número 20), forma parte del selecto grupo de multilatinas que operan en el sector de Tecnologías de la Información (TI), constituyendo la principal firma latinoamericana en dicha actividad[84]. Se especializa en el desa-

---

[82]   www.vivatrust.com. Algunos autores no consideran a Masisa una empresa chilena dado que si bien tiene su sede en Santiago está controlada desde 2002 por capitales de origen suizo. Véase por ejemplo Calderón (2007), que la incluye en el grupo de compañías vendidas a empresas transnacionales.

[83]   Terranova, *Memoria*, 2004; Masisa, *Memoria*, 2015.

[84]   Con una facturación de 1.256,3 millones de dólares en 2015 ocupaba el noveno lugar en términos de ventas entre las 12 primeras compañías chilenas en el ranking de internacionalización.

rrollo de sistemas computacionales orientados a la gestión empresarial –administración, control industrial y control automático–, ofreciendo soluciones tecnológicas a medianas y grandes empresas en Chile y Latinoamérica[85]. Comercializa equipos de computación, servicios de procesamiento de datos, servidores, asesorías especializadas y desarrollo y explotación de software, entre otros. En 2006 se abrió al mercado bursátil chileno, ingresando en 2008 al índice IPSA, que comprende a las empresas más transadas en la Bolsa de Santiago. El capital social está controlado en un 59% por los empresarios Andrés, Pablo y María Inés Navarro Haeussler. Es la única compañía chilena presente entre las 50 multilatinas más internacionalizadas que no pertenece a un grupo económico[86].

SONDA fue fundada en 1974, como asociada de la petrolera chilena Copec, entonces estatal. En 1978 firmó un acuerdo de representación de la compañía estadounidense Digital Equipment Corp (hoy parte de HP) en Chile y obtuvo su primer contrato de servicios integrales para la Asociación Nacional de Ahorro y Préstamo, haciéndose también cargo de la implementación de los primeros sistemas computacionales para las recién creadas AFP[87]. Diez años después de su nacimiento inició su expansión internacional, con la apertura de su filial en Perú. Posteriormente se instalaría, mediante la adquisición de empresas locales, en Argentina (1986), Ecuador (1990), Uruguay (1994), Colombia (2000), Brasil (2002), Costa Rica (2003), México (2004) y Panamá (2011)[88]. Desde mediados de los años 2000 Sonda continuó creciendo en América Latina a través de nuevas adquisiciones en Colombia, Brasil, México y Argentina. Las operaciones fuera de Chile aportaron en 2015 el 60,4% de los ingresos generados por la compañía[89].

La base de conocimientos de SONDA se beneficia de las alianzas y acuerdos que mantiene con los fabricantes y proveedores líderes, que le permiten acceder al estado del arte de la tecnología. La empresa tiene alianzas comerciales con las principales marcas de productos y dispositivos de TI a nivel mundial, quienes a su vez son sus principales proveedores, entre los que destacan Cisco, EMC, VMware, HP, SAP, IBM, Autodesk, Microsoft, Intel y Oracle[90]. La innovación en SONDA se genera a partir de

[85]   Rivera Urrutia 2014.
[86]   SONDA, *Memoria Anual*, 2015.
[87]   www.copec.cl.
[88]   www.sonda.com.
[89]   SONDA, *Memoria Anual*, 2015.
[90]   www.sonda.com.

conocimientos y necesidades detectados en la interacción constante con clientes, *partners* y proveedores; así como en base a las iniciativas impulsadas por sus profesionales. En el proceso de innovación también juegan un rol importante otros agentes –la Academia, expertos, consultores y especialistas– que participan en los distintos eventos que organiza la compañía. Su estrategia se ha basado en concentrarse en el negocio de integración de sistemas digitales, "el único negocio que conocíamos y que sabíamos hacer bien" –en palabras de su presidente–, y replicar el mismo modelo en los países en los que se fue estableciendo, dado que para las empresas resulta cada vez más difícil autoproveerse de los servicios tecnológicos. Dados los límites del mercado chileno, la internacionalización ha constituido la estrategia de expansión elegida por la firma[91].

Sigdo Kippers, que ocupa el quinto lugar entre las multinacionales chilenas presentes en el ranking de *América Economía*, con la posición número 23, es uno de los más dinámicos entre los grupos empresariales chilenos que se conformaron en los años 1980, con operaciones en Norteamérica, Latinoamérica, Asia y Europa[92]. Su modelo de negocios se basa en la diversificación orientada a la prestación de servicios a la minería y la industria, abarcando toda la cadena de valor de estos sectores, si bien algunas de sus empresas no están directamente vinculadas con ellos. Sus actividades están organizadas en tres áreas: servicios (construcción, montaje industrial, transporte y logística), industrial (fragmentación de roca, línea blanca y electrodomésticos, películas plásticas de alta tecnología y petroquímica), comercial y automotriz (empresas de representación, distribución y arriendo de maquinarias y de comercialización de automóviles)[93]. La competitividad de la empresa se basa en la sinergia entre sus distintas áreas, en su eficiencia operacional, en la innovación en productos y procesos, en sus alianzas estratégicas y en la adquisición de activos de compañías de clase mundial.

Sus orígenes se remontan al año 1960, cuando la empresa chilena Ingenieros Asociados Sigma Donoso se asoció con la estadounidense Koppers Co. de Pittsburgh, constituyendo Ingeniería y Construcción Sigdo Koppers S.A., hoy Sigdo Koppers S.A. En 1974 fue adquirida por el actual grupo accionario e inició un proceso de expansión y diversificación que implicó la creación de empresas para la comercialización de maquinaria,

---

[91]   Rivera Urrutia 2014.
[92]   Le corresponde el octavo lugar en términos de facturación entre las 12 primeras empresas chilenas por índice de internacionalización, con ventas en 2015 por 2.414,5 millones de dólares.
[93]   Sigdo Koppers, *Memoria*, 2015.

vehículos de carga y automóviles y la adquisición, a fines de los años 1980 y comienzos de los años 1990, de firmas privatizadas, entre ellas Emec (electricidad), Compañía Tecno Industrial (CTI, electrodomésticos), y Enaex (explosivos)[94]. Desde fines de los años 1990 continuó su diversificación con la creación de sociedades en una amplia gama de actividades de servicios, industriales y comerciales[95], fortaleciendo asimismo su posicionamiento en la distribución de automotores, sector en el que en 2001 se asoció con el grupo español Bergé para la constitución de SKBergé y en 2008 con Santander Consumer Finance. En 2005 Sigdo Koppers S.A., se constituye como sociedad matriz del grupo –integrado por compañías legalmente autónomas–, y comienza a cotizar en la Bolsa de Santiago, formando parte del IPSA. El grupo controlador del holding está conformado por seis sociedades, propietarias del 76,42% de las acciones[96]. El grupo Sigdo Koppers ocupa la posición número 10 en el ranking de grupos económicos de Chile en 2016 y en la clasificación por patrimonio[97].

Comenzó su expansión internacional desde mediados de los años 1980, con adquisiciones en Argentina en 1986 y 1990 (energía, línea blanca) y la instalación en Perú de filiales de Enaex (1993) y de Ingeniería y Construcción (1998). A partir del nuevo siglo continuó con nuevas inversiones en Argentina y Perú, ingresando en 2010 a Colombia (distribución de automotores) y Brasil (arriendo de maquinaria, industria química) y a Bolivia en 2015 (arriendo de maquinaria), combinando la creación de filiales con adquisiciones de compañías locales.

La adquisición en 2011 de la sociedad belga Magotteaux Group –líder en producción de elementos para molienda y piezas fundidas de desgaste, destinados principalmente a las industrias de la minería y el cemento–, significó un hito decisivo en la expansión internacional de Sigdo Koppers, dándole una proyección global. Implicó la incorporación de 12 plantas de producción propia en 10 países (las más importantes en Bélgica, Brasil, Estados Unidos, Canadá, y Tailandia, pero también establecimientos en Francia, China, España, India y México), y de 38 ofi-

---

[94] Enaex, cuyo principal accionista era Dupont, fue estatizada en 1972 y reprivatizada 1987, adquirida primero por el Grupo Claro asociado con FAMAE y Austin Powder Corp de USA. En 1990 Sigdo Koppers adquirió la participación de Grupo Claro. Enec y CTI fueron vendidas en 1999 y 2011, respectivamente.

[95] Entre ellas Sigdopack (películas plásticas de alta tecnología), SK Rental (arriendo de maquinaria), SKK Montajes e instalaciones, Puerto Ventana S.A, Ferrocarril del Pacífico, Compañía de Hidrógeno del Biobío y SK Industrial.

[96] Sigdo Koppers, *Memoria*, 2015, y www.sigdokoppers.cl.

[97] RGE 2016.

cinas comerciales en 24 países. Formó también parte de una estrategia tendiente a focalizar los principales negocios de la compañía en las áreas de servicios a la minería y la industria, consolidándose como una firma global en esos ámbitos. La compra de Magotteaux (fundada en 1920) implicó asimismo el acceso a activos estratégicos, al ser una empresa orientada a la producción de elementos con alto valor agregado, siendo reconocida como líder en tecnología y licencias propias, con varios centros de investigación y desarrollo, los más importantes situados en Bélgica, Sudáfrica y Australia. La compra de empresas europeas continuó con la adquisición en 2012 de Sabó Chile (firma de capitales españoles productora de bolas de molienda forjadas) y en 2015 del 91% de las acciones de la compañía francesa Davey Bickford, uno de los grandes fabricantes y distribuidores de detonadores mineros del mundo[98].

Cencosud (Centros Comerciales Sudamericanos S.A.), la sexta empresa chilena por índice de internacionalización en el ranking de *América Economía* (ocupando la posición número 25), es uno de los mayores conglomerados de retail en América Latina, con actividades en supermercados, tiendas de mejoramiento del hogar, tiendas por departamentos, servicios financieros, centros comerciales, y sector inmobiliario, contando con operaciones activas en Argentina, Brasil, Chile, Perú y Colombia[99]. El Grupo Cencosud, que engloba a todas las compañías, es uno de los nuevos grupos nacidos a partir de 1980. Está controlado por la familia Paulmann, propietaria del 60% de las acciones de la compañía, que cotiza en la Bolsa de Santiago desde 2004[100]. El Grupo Cencosud ocupa el puesto número 13 en el ranking de grupos chilenos, y el segundo por su nivel de patrimonio[101].

El retail y las actividades conexas constituyen uno de los sectores más dinámicos de la economía de Chile. Las cadenas minoristas chilenas han logrado construir sólidas ventajas competitivas, sustentadas en un modelo de negocios que aprovecha las sinergias de la operación conjunta de diversas actividades relacionadas. El desarrollo de este modelo surgió de la intensa competencia dentro del mercado chileno que, por su tamaño limitado, hacía muy difícil la rentabilidad en un solo segmento del comercio minorista. Las empresas líderes fueron cerrando progre-

---

[98]   Sigdo Koppers, *Memoria*, 2015.
[99]   Por sus ventas anuales, en 2015 le correspondió la segunda posición entre las 12 multilatinas chilenas más internacionalizadas, con una facturación de 15.496 millones de dólares.
[100]   Cencosud, *Memoria*, 2015.
[101]   RGE 2016.

sivamente el "círculo del comercio minorista integrado", sumando las tiendas por departamentos, las tiendas de mejoramiento del hogar, los supermercados, la administración de tarjetas de crédito, los servicios financieros prestados a través de un banco propio y el negocio inmobiliario. La clave del éxito ha sido la combinación de las mejores prácticas de los líderes internacionales con el conocimiento de los mercados locales y una oferta diversificada de servicios[102]. Las empresas chilenas de retail lograron competir exitosamente con las grandes compañías internacionales, algunas de las cuales, como J.C. Penney y Carrefour se fueron del país (no así Walmart, que en 2015 tenían una participación en el mercado del 40,9%)[103]. Más allá de sus estrategias competitivas, se beneficiaron asimismo de la sostenida política gubernamental de liberalización comercial, que les permitió importar sin carga impositiva y diversificar su oferta[104]. Dadas las dimensiones reducidas del mercado chileno, la internacionalización fue la estrategia de expansión adoptada por las grandes cadenas comerciales desde comienzos de la década de los años 1980.

Cencosud remonta sus orígenes a la experiencia en el comercio minorista de los hermanos Horst y Jurgen Paulmann, propietarios de un almacén en el sur de Chile en los años 1950 y fundadores en la década de los años 1960 de autoservicios y una cadena de supermercados. Inspirado en el modelo europeo de grandes superficies, Horst Paulmann inauguró en 1976 el primer hipermercado Jumbo en Santiago de Chile, dando el primer paso en la fundación de la compañía[105]. De allí en más, Cencosud comenzó a expandirse en Chile con la ampliación de su línea de supermercados y la inversión en desarrollos inmobiliarios (construcción y operación de centros comerciales).

Paralelamente, inició su internacionalización mediante inversiones en supermercados y centros comerciales en Argentina desde 1982. Estas primeras incursiones marcaron lo que sería el patrón de la internacionalización de Cencosud: un fuerte desarrollo inmobiliario en conjunto con una activa participación en actividades de comercio minorista, particularmente en el área de supermercados, a las que luego agregaría tiendas para el mejoramiento del hogar (bajo la marca Easy) creando sinergias con las otras líneas de productos. Tras la crisis argentina de 2002 Cencosud potenció su presencia en Chile expandiendo sus distintas líneas de

102   Calderón Hoffmann 2006.
103   Cencosud, *Memoria*, 2015.
104   Kandell 2013.
105   Entrevista a H. Paulmann, 2008.

negocios mediante inversiones en supermercados y centros comerciales. En 2003 ingresó en los servicios financieros a través de la emisión de tarjetas de crédito, y desde 2005 en el negocio de tiendas por departamentos, con la adquisición de Almacenes París (que operaba también en actividades financieras –entre ellas el Banco Paris– y como agencia de viajes), y en 2011 de las tiendas Johnson[106].

Desde 2005 se aceleró la internacionalización con el ingreso en Perú, Colombia y Brasil, convirtiéndose en una de las cadenas minoristas más grandes de toda América Latina. La inserción internacional de Cencosud se basó tanto en la inversión *greenfield* como en adquisiciones de empresas locales (Blaisten en Argentina, Supermercados Wong en Perú, G. Barbosa, Perini, Cardozo, y Bretas, en Brasil), y de filiales de empresas multinacionales (Home Depot y Disco en Argentina, Carrefour en Colombia), así como en la conformación de *joint ventures* (con Grupo Casino en Colombia, con Bradesco en Brasil, con Scotiabank en Chile)[107].

Texchpack está ubicada en el séptimo lugar entre las multilatinas en el ranking de *América Economía*, ocupando la posición número 27[108]. Nació en el año 2013, producto de la división de la empresa Madeco (Manufacturas del Cobre) en dos unidades de negocios: Invexans (con inversiones en la internacional de cables Nexans) y Techpack, con operaciones industriales, ambas controladas por el Grupo Luksic a través de su holding Quiñenco. Los principales activos de Techpack en el momento de su creación fueron las actividades manufactureras de la antigua Madeco, entre ellas la producción de envases flexibles a través de su filial Alusa, que en 2016 fueron vendidas a Amcor Holding SPA, multinacional australiana y principal productora de envases rígidos y flexibles a nivel mundial. En el momento de su venta Alusa era la principal productora de envases flexibles de América Latina, con plantas de producción en Argentina, Chile, Colombia y Perú[109].

Los orígenes de Madeco se remontan al año 1944, momento de su fundación por accionistas privados asociados con Corfo, con el objeto de manufacturar productos a partir del cobre y sus aleaciones. Alusa, por su parte, fue creada en 1961 por Madeco y socios privados para la fabricación de envases flexibles. Madeco fue intervenida por el Estado entre 1971 y 1973 y luego privatizada; en 1983 el Grupo Luksic adqui-

---

[106]   Cencosud, *Memoria*, 2015.
[107]   Cencosud, *Memoria*, 2015.
[108]   Por su facturación - U$S 376 millones-, ocupa la posición número 12 entre las empresas chilenas.
[109]   www.techpack.com; Techpack, *Memoria* 2015.

rió una participación mayoritaria y el control de la compañía. Con sus nuevos propietarios la empresa fue expandiéndose, principalmente vía adquisiciones, dentro y fuera de Chile. Ingresó en Argentina en 1993 (inversiones *greenfied*, primero en envases y luego en tubos de cobre), en Perú desde 1996 (fabricación de envases vía adquisiciones) y en 2012 en Colombia (envases a través de una adquisición)[110].

Más allá de su reciente venta a capitales australianos, el caso de Madeco/Techpack ofrece una serie de insumos para el análisis de la multinacionalización de empresas chilenas, ya que se trata de una compañía que perteneció a uno de los grupos mayores y más diversificados –el Grupo Luksic–, con inversiones en minería, banca y otras actividades financieras, manufactura, industria de alimentos y bebidas, energía, transporte, servicios portuarios y turismo[111]. A comienzos de 2016 –a través de sus dos holdings Antofagasta Minerales y Quiñenco–, ocupaba el vigésimo lugar en la clasificación de los grupos de Chile, pero el quinto de acuerdo con su patrimonio, y el primero de acuerdo con sus activos[112].

La fundación del grupo Luksic se remonta a la década de los años 1950, y es uno de los tres grupos tradicionales chilenos que se consolidaron como los principales conglomerados a partir de los años 1980. Si bien ya tenía una posición destacada entre los grupos chilenos a fines de la década de los años 1960, incrementó notablemente sus participaciones en grandes empresas tras la crisis de 1982[113]. En palabras de Andrónico Luksic, Craig, presidente del holding Quiñenco, "comenzaron a buscar oportunidades en grupos que se habían desmembrado […] y aprovecharon las oportunidades del *reshuffling* de activos"[114].

La internacionalización de Madeco se vio sin duda favorecida por la pertenencia al grupo –que llevó adelante inversiones en el exterior también con otras empresas, como Compañía de Cervecerías Unidas, que ocupa la posición número 72 en el ranking de *América Economía* y número 17 entre las chilenas. Pero al mismo tiempo la estrategia de las firmas se subordinó a la del grupo, que en los últimos años ha reordenado su portafolio de inversiones industriales y financieras. En ese marco, decidió desprenderse de los negocios industriales de Madeco y optó por

---

[110] Techpack, *Memoria* 2015.
[111] www.quiñenco.cl.
[112] RGE, marzo 2016.
[113] Dahse 1983.
[114] Entrevista a Andrónico Luksic, 2008.

asociarse con Nexans, una gran compañía internacional fabricante de cables, para lograr un mejor posicionamiento global[115].

La posición número 30 en el ranking de América Economía –novena entre las multinacionales chilenas– corresponde a Viña Concha y Toro, líder en la producción de vinos en Chile y una de las marcas más reconocidas del mundo, con viñedos y bodegas en su país y en Argentina y Estados Unidos, y con filiales de distribución en Canadá, Brasil, México, Gran Bretaña, Suecia, Finlandia, Noruega, Francia, Sudáfrica, Singapur, China y Japón. En 2014 la compañía destinó el 78% de su producción a mercados externos, exportando a más de 140 países, con un amplio portfolio de marcas[116].

Concha y Toro fue fundada en 1883 por el empresario Melchor Concha y Toro, que introdujo plantaciones de cepas de Bordeaux en el Valle del Maipo. En 1933 comenzó a cotizar en la Bolsa de Santiago, y en 1957 fue vendida a un grupo de socios encabezado por Eduardo Guilisasti Tagle, que a lo largo de su gestión sentó las bases para su expansión. Los principios de su estrategia fueron la integración vertical (necesaria para producir vinos de calidad), apuntar al mercado externo (dados los límites del mercado chileno) y mantener una cartera de productos que abarcara todos los segmentos del mercado[117]. La compañía comenzó a exportar desde la década de los años 1980, y en los años 1990 encaró un programa de inversión intensivo con el fin de expandir sus viñedos y su capacidad operativa, iniciando la emisión de ADR en la Bolsa de Nueva York. En 1994 inició su internacionalización productiva, con la fundación de Bodegas y Viñedos Trivento en Mendoza, Argentina. En 1996 estableció una *joint venture* con el Barón Philippe de Rotschild, de Francia, para la creación de la Bodega Almaviva, destinada a la producción de marcas premium. En los años siguientes continuó con la expansión de sus viñedos, el desarrollo de nuevas marcas, el fortalecimiento de su cadena de distribución y la ampliación de su alcance internacional. En 2011 adquirió las Bodegas Fezter en California, concretando una de las mayores inversiones de empresas chilenas en dicho país. El grupo controlador de la compañía está integrado por miembros de la familia Guilisasti[118]. El

---

[115] Entrevista a Guillermo Luksic, Revista *Qué Pasa,* 27 marzo 2013.
[116] Concha y Toro, *Memoria,* 2016. Viña Concha y Toro ocupa el undécimo lugar en términos de facturación entre las primeras 12 multilatinas chilenas rankeadas por su índice de internacionalización.
[117] Entrevista a Rafael Guilisasti Gana, 2008.
[118] Concha y Toro, *Memoria,* 2016.

Grupo Guilisasti-Larraín se ubicaba en 2016 en la vigésima posición en el ranking de grupos chilenos según su patrimonio[119].

La internacionalización de Concha y Toro se ha sustentado en diversos pilares. Como a otras multilatinas chilenas, la saturación del mercado interno la llevó a expandirse primero vía exportaciones y luego a través de la internacionalización productiva. Su competitividad se ha basado en la profesionalización de sus cuadros, en la integración de su cadena productiva, en la innovación y el desarrollo de productos (a través de la incorporación de tecnología, así como de alianzas y de adquisiciones), y en agresivas técnicas de marketing, incluyendo su rol de *sponsor* oficial de Manchester United desde 2010[120]. Su estrategia de *branding* implicó el desarrollo y promoción de ventas en volumen de marcas masivas y pequeñas ventas de marcas premium al mismo tiempo, con el objetivo de lograr una alta reputación por parte de la élite mundial de *wine tasters*, concretado en la obtención de altas puntuaciones y numerosos premios. En 2007 las marcas premium explicaban el 40% de sus exportaciones[121]. Con esta estrategia Concha y Toro ha logrado imponer sus marcas en distintos segmentos del mercado, en el marco del posicionamiento de vinos del "nuevo mundo" que ha tenido lugar desde mediados de la década de los años 1970, aprovechando asimismo la imagen positiva de Chile como marca país a nivel internacional desde la década de los años 1990[122].

Arauco (Celulosa Arauco), la décima multilatina chilena en el ranking de *América Economía*, ocupa la posición número 36[123]. Es el principal productor forestal de Chile, el tercer mayor productor de tableros de madera en el mercado mundial (con 27 plantas de producción en tres continentes), y el tercer productor de celulosa de mercado en el mundo (con siete plantas en Chile, Argentina y Uruguay). Forma parte del Grupo Angelini, a través de Empresas Copec (Copec), controlada a su vez por su sociedad holding Antarchile. Dicho grupo es uno de los más grandes y más antiguos de Chile, con orígenes que se remontan a la década de los años 1950. Ha basado su expansión en una estrategia de diversificación no relacionada, operando en actividades industriales, forestales, pesque-

[119] RGE marzo 2016.
[120] Wolf 2012.
[121] Casanova 2009.
[122] Deshpandé *et al.*, 2010.
[123] A Arauco le corresponde el quinto lugar por facturación entre las 12 multilatinas chilenas más internacionalizadas de acuerdo con el ranking de *América Economía*, con ventas en 2015 por 5.147 millones de dólares.

ras, distribuidoras de combustibles, energéticas y mineras, entre otras[124]. En marzo de 2016 ocupaba el cuarto lugar por su nivel de patrimonio, el primero por su nivel de ingresos y el séptimo en el ranking general de los grupos chilenos[125].

Arauco tiene su origen en dos empresas forestales fundadas por Corfo en la década de los años 1960 –Celulosa Arauco y Celulosa Constitución–, privatizadas en la segunda mitad de los años 1970 y adquiridas por el Grupo Cruzat Larraín, que las fusionó en Celulosa Arauco Constitución (CELCO), pasando a formar parte del conglomerado Copec (Compañías de Petróleos de Chile), también adquirido por dicho grupo[126]. Tras la crisis de 1982 y la debacle de Cruzat Larraín, el Grupo Angelini (que desde la década de 1960 operaba en la actividad forestal), pasó a controlar la mayoría accionaria de Copec y con ella la de CELCO. De allí en más se inició un proceso de expansión de las inversiones forestales e industriales de Arauco, tras su asociación con la compañía neozelandesa Carter Holt[127], paralela al crecimiento y diversificación de Copec.

La internacionalización productiva se inició en 1996, con la compra de Alto Paraná, empresa forestal y productora de celulosa en Argentina, país en el que fue luego incrementando su patrimonio forestal y sus actividades en la industria de la celulosa y la madera. En 2005 inició sus inversiones en Brasil con adquisiciones de predios forestales y de empresas en la industria maderera y de resinas químicas. Dos años más tarde aumentó su presencia en el mercado brasileño al suscribir un acuerdo con el consorcio sueco-finlandés Stora Enso (uno de los mayores productores mundiales de papel, embalajes y madera transformada), y en 2009 adquirió otra empresa de tableros de fibra (Tafisa, filial de la portuguesa Sonae), ingresando asimismo al mercado uruguayo asociado con Stora

---

[124] www.antarchile.com.
[125] RGE, marzo 2016.
[126] Copec fue fundada por empresarios privados en 1934, para operar en el negocio de distribución de combustibles. Fue estatizada durante el gobierno de Allende y privatizada por Pinochet. En 1976 la adquirió el grupo Cruzat Larraín, que comenzó a diversificar sus actividades. Reestatizada tras la crisis de 1982, fue luego adquirida por el Grupo Angelini. Ver Capítulo de Bucheli en este volumen.
[127] En 1991 Carter Holt pasó a ser controlada por International Paper, la mayor empresa mundial de celulosa y papel, competidora de Arauco, iniciándose un largo litigio que culminó nueve años después con la compra por parte del Grupo Angelini de la participación de Carter Holt en Copec. Bravo Herrera 2004.

Enso en la compra de activos forestales a la empresa española Ence y construyendo una planta de producción de celulosa inaugurada en 2014[128].

Durante 2012 Arauco adquirió el 100% de las acciones de la empresa de paneles Flakeboard Company Limited, incorporando siete plantas en Estados Unidos y Canadá. Con esta adquisición, que se sumó a la de la compañía fabricante de paneles Moncure en Carolina del Norte en 2011, se convirtió en una empresa líder en la producción de tableros de densidad media (MDF) y aglomerados en Norteamérica. En 2015 comenzaron las gestiones para la adquisición del 50% de la sociedad española Tafisa, filial del grupo portugués Sonae, que se concretó en 2017. De esta forma, Arauco pasó a co-controlar una compañía que opera 10 plantas industriales productoras de paneles de maderas, localizadas en España, Portugal, Alemania y Sudáfrica[129]. Arauco cuenta asimismo con una amplia red de oficinas comerciales en el exterior y exporta a más de 70 países. La competitividad de la compañía se basa en un sostenido plan de inversiones (dentro y fuera de Chile), en importantes ventajas de costos (de materia prima y logística) y en su integración vertical en toda la cadena de valor del negocio, que incluye la producción de energía mediante subproductos forestales. A ello suma actividades de investigación y desarrollo en el sector forestal a través de la empresa Bioforest[130].

El puesto número 37 en el ranking de *América Economía* corresponde a Falabella, décima entre las compañías chilenas por su grado de internacionalización, y tercera por sus ventas. Es una de las empresas líderes en retail en América Latina, con presencia en Chile, Perú, Colombia, Argentina, Brasil y Uruguay[131]. Opera bajo un esquema multiformato, mediante la organización en cinco áreas de negocios: tiendas por departamentos, tiendas de mejoramiento del hogar, supermercados, servicios financieros y actividades inmobiliarias. En una entrevista realizada en 2008, el entonces presidente de Falabella, Reinaldo Solari, afirmaba que "para nosotros es un proceso lógico que al cliente se le satisfagan todas sus necesidades en un solo lugar, con un sistema de comercio integrado que entregue al cliente todo lo que necesita. Por eso es que tenemos turismo, seguros, crédito, tenemos banco, tiendas por departamento, super-

[128] Empresas Copec, *Memoria*, 2015.
[129] Empresas Copec, *Memoria*, 2015.
[130] Feller Rate, *Informe Copec*, 2015; Arauco, *Memoria*, 2015.
[131] En términos de ventas, Falabella ocupa el tercer lugar entre las multilatinas chilenas, con una facturación de 10.938 millones de dólares en 2015. En 2016 ingresó en el mercado mexicano mediante una asociación con tiendas Soriana para explotar el formato Sodimac.

mercados y tiendas de mejoramiento del hogar [...] nosotros llegamos a todos los sectores con este crédito y hemos llegado a sectores donde muchas veces no llega la banca –estoy hablando de C3, D, E."[132]. A fines de 2015 Falabella contaba con 459 tiendas, 40 centros comerciales, 247 sucursales del banco y plataformas de *e-commerce*, sector en el que se ha posicionado como uno de los principales operadores de la región. En ese año el 42% de sus ingresos se generaba fuera de Chile, correspondiendo más de la mitad a sus filiales en Perú[133].

Algunos de los pilares de su competitividad son la diversificación geográfica y de negocios, las sinergias entre sus diversas actividades y una sólida imagen de marca. Sus mayores ingresos provienen del retail (tiendas de departamentos, tiendas de mejoramiento del hogar y supermercados), actividades a su vez potenciadas por sus negocios financieros[134]. La compañía está controlada por las familias Solari, Del Río y Cuneo, que integran el grupo Solari-Del Río, uno de los nuevos conglomerados surgidos a partir de la década de los años 1980[135]. En 2016 ocupaba el segundo lugar en el ranking de Grupos Económicos de Chile, y el tercero por el nivel de su patrimonio[136]. En 1996 abrió su propiedad a la Bolsa de Comercio de Santiago, y en 2015 ingresó al índice de sustentabilidad Dow Jones de mercados emergentes[137].

Sus orígenes se remontan al año 1889, en el que Salvatore Falabella abrió en la ciudad de Santiago la primera gran sastrería de Chile. A partir del ingreso de Alberto Solari (yerno del fundador), en la década de los años 1930, la tienda fue ampliando su escala, incorporando nuevos productos y nuevos locales de venta, y a fines de los años 1950 se transformó en una tienda por departamentos. En los años 1960 Falabella inició su etapa de expansión tanto en Santiago de Chile como en otras regiones del país. En 1980 lanzó su propia tarjeta de crédito (CMR Falabella) y en la década siguiente comenzó a diversificarse hacia otras actividades: inversiones inmobiliarias (1990), agencia de viajes y seguros (1997), Banco Falabella (1998); compra la licencia de ING Bank Chile. Desde fines de los años 1990 ingresó en los segmentos de tiendas de mejoramiento del hogar y construcción (asociación con Home Depot en 1997, luego adqui-

[132] Entrevista a Reinaldo Solari, 2008.
[133] Falabella, *Memoria*, 2015.
[134] Feller Rate, *Informe Falabella*, 2015.
[135] Martínez 2015.
[136] RGE 2016.
[137] Falabella, *Memoria*, 2015.

rida en 2003 y fusionada con Sodimac, perteneciente a la familia Del Río, que la adquirió a una cooperativa en 1982), y en supermercados (desde 2002).

En la década de los años 1990 Falabella inició su expansión internacional, abriendo en 1993 su primer local en Argentina, introduciendo el formato de tiendas por departamentos. Comenzó instalándose en zonas fronterizas con Chile y capitales de provincia, para ir avanzando luego hacia Buenos Aires, introduciendo su tarjeta de crédito y otros servicios. La experiencia argentina constituyó un aprendizaje para la internacionalización de la compañía, que debió enfrentar un entorno complejo y con normas y costumbres distintas a las de Chile. Con base en ella reformuló su estrategia para abordar otros mercados, poniendo mayor énfasis en las idiosincrasias locales. En 1995 ingresó a Perú mediante la adquisición de la cadena colombiana de tiendas por departamentos Saga. Al igual que en Argentina, sus resultados fueron potenciados con la introducción de la tarjeta de crédito CMR, la agencia de viajes y la oferta de seguros. Tras la instalación, en 1997, de su competidora Ripley en Perú, Falabella inauguró tiendas de menor formato (saga Falabella Express), pero enfocadas en explorar la potencialidad de la compañía en el interior del país[138]. En 2008 ingresó en Colombia tras la adquisición de la tienda por departamentos "Casa Estrella", y en ese año Sodimac inició sus operaciones en Argentina a través de una alianza inmobiliaria con Carrefour. Asimismo, Falabella continuó desarrollando otras alianzas: en 2010, con Visa y Master Card en Chile y Perú; en 2015 con Crate & Barrel para la apertura de una tienda en Lima en 2015[139].

Falabella fue adaptando sus formatos a los distintos países, y en su expansión interna y externa ha combinado la creación de empresas con adquisiciones y asociaciones con empresas locales y multinacionales, incorporando asimismo marcas internacionales en sus locales. Replica el modelo de negocios en los distintos países: "tratamos de llevar el modelo que conocemos y con el que nos ha ido bien lo más parecido posible a todos los países, pero respetando las culturas de cada país"[140]. La internacionalización de Falabella, al igual que la de Cencosud, se inscribe en un proceso más general de cambios en el retail, caracterizado por el aumento del grado de concentración, el creciente protagonismo de las

---

[138] Calderón Hoffmann 2006.
[139] Falabella, *Memoria*, 2015.
[140] Entrevista a Reinaldo Solari, 2008.

grandes superficies de consumo y una notable expansión de la marca del distribuidor, en el contexto de la internacionalización como la tendencia más importante del sector[141].

La Compañía Manufacturera de Papeles y Cartones (CMPC) ocupa la posición número 40 y el undécimo lugar entre las multilatinas chilenas en el ranking de *América Economía*, de acuerdo con su grado de internacionalización[142]. Es una de las principales empresas de Latinoamérica en la producción y comercialización de productos forestales, celulosa, papeles y productos *tissue*, contando con plantas industriales en ocho países y comercializa sus productos en más de 45. Ejerce el liderazgo como productor de *tissue* en Chile, Perú, Argentina y Uruguay, y tiene una presencia creciente en los mercados de Brasil y México. Se encuentra asimismo entre los mayores productores de celulosa a nivel global y es propietaria de alrededor de un millón de hectáreas de terrenos forestales en Chile, Argentina y Brasil[143].

La Compañía es controlada por el Grupo Matte[144], el tercero en el ranking de conglomerados chilenos en 2016, y primero por su nivel de patrimonio, y el más antiguo de los tres grupos tradicionales que se han consolidado desde la década de 1980[145]. Ha adoptado una estrategia de diversificación no relacionada, con sus principales inversiones en las actividades forestal, bancaria, energía, telecomunicaciones e inmobiliarias. El grupo nació en 1920, con la creación de CMPC, destinada a la producción de papeles, cartones y celulosa con base en paja de trigo. Entre las décadas de los años 1930 y 1960 la empresa se fue integrando –con las primeras plantaciones de pino radiata– y fue diversificando su producción con la fabricación de cartulinas, papel periódico, papel tissue y sacos de papel. Desde mediados de los años 1970 inició un vasto programa de plantaciones y un plan de inversiones para modernizar y ampliar sus instalaciones industriales[146]. En la década siguiente ingresó, con su filial Prosan, al mercado de pañales desechables, y en 1986 adquirió la papelera Inforsa, empresa perteneciente a Corfo desde fines de los años 1960, adquirida por el Grupo Vial durante las privatizaciones de los años 1970,

[141]   Rivera Urrutia 2014.
[142]   Es la sexta de las multilatinas chilenas por sus ventas, que en 2015 ascendieron a 4.841 millones de dólares.
[143]   Fitch, *CMPC*, 2015.
[144]   Propietario del 55,64% del capital accionario.
[145]   RGE 2016.
[146]   CMPC, *Memoria*, 2015.

reestatizada tras la crisis de 1982 y reprivatizada en 1986. Con la compra de Inforsa, CMPC se consolidó en el sector de papel periódico, y continuó con sus inversiones industriales y forestales. En el negocio de la celulosa se asoció con la empresa norteamericana Simpson Paper, a la cual más adelante compró sus acciones.

CMPC, que había comenzado a exportar desde los años 1960, inició su internacionalización productiva en 1991, adquiriendo una planta fabricante de pañales en Argentina, y a los dos años vendió el 50% de Prosan a Procter & Gamble, con el fin de establecer una *joint venture* para el desarrollo del mercado de pañales desechables y toallas femeninas en Chile, Argentina, Bolivia, Uruguay y Paraguay, asociación que se prolongó hasta 1998. A lo largo de los años 1990 CMPC continuó con adquisiciones en Uruguay (tissue) y Argentina (bolsas industriales, tissue) e inició sus operaciones en Perú (tissue), fortaleciéndose asimismo en Chile con adquisiciones e inversiones para la producción de celulosa y cajas de cartón corrugado. En 1995 adoptó la estructura de holding, dividiendo en filiales sus cinco áreas de negocios: forestal, celulosa (más tarde integrados en una sola filial), papeles, tissue y productos de papel (más tarde absorbida por la filial papeles). En la década de los años 2000 continuó con su expansión en Chile, iniciando la producción de tableros enchapados, y avanzó con su internacionalización en América Latina, a través de adquisiciones e inversiones en México (tissue, papel), Colombia (pañales infantiles, tissue) y Brasil (celulosa, papel)[147].

Como respuesta a las reformas promercado iniciadas a partir de 1973, el grupo inició un proceso de transformación de CMPC (que se aceleró tras la crisis de 1982), ampliando su participación accionaria, modernizando y profesionalizando la gestión, desarrollando nuevas políticas comerciales y mejorando los procesos productivos tanto en el sector forestal como en el industrial mediante la incorporación de tecnología. Si hasta fines de los años 1970 las exportaciones se habían basado sobre todo en las ventajas comparativas del país, desde los años 1980 la compañía potenció sus ventajas competitivas, basadas fundamentalmente en las mejoras en el management. En su expansión internacional fue también determinante el acceso a los mercados de capitales y una activa política de reinversión de utilidades[148].

[147] CMPC, *Memoria*, 2015. Ver más detalles en capítulo de Enzo Videla en este volumen.
[148] Entrevista a Eliodoro Matte Larraín, presidente de la compañía, 2008.

Empresas Copec ocupa el puesto número 42 en el ranking de *América Economía* y el duodécimo entre las multinacionales chilenas, y es el grupo de empresas industriales más grande de Chile[149]. Como ya mencionamos al referirnos a Arauco, está controlado por el grupo Angelini a través de su holding Antarchile. Copec canaliza sus inversiones y operaciones productivas por medio de sus subsidiarias y asociadas en los sectores forestal, pesquero, energía, minería y distribución de combustibles, entre otros[150]. Los productos forestales y el área de combustibles, que son sus operaciones principales, concentraban en conjunto un 98% del Ebitda consolidado en septiembre de 2014, proveyendo la mayor generación de dividendos. Más de un tercio de los activos no corrientes de Copec está fuera de las fronteras de Chile, y casi el 40% de las ventas se origina en filiales extranjeras, con una destacada participación de Arauco[151].

La empresa fue pasando de una estrategia exportadora a la internacionalización productiva, primero en América Latina y luego en América del Norte y otros continentes, mayoritariamente a través de las inversiones de Arauco, pero también de otras compañías. En el sector pesquero su controlada Corpesca opera en Brasil a través de su filial Selecta, que elabora concentrados de soya y participa en la propiedad de FASA, empresa dedicada a la producción de concentrados proteicos de alta calidad para la nutrición animal[152]. En combustibles inició en 2010 su proceso de internacionalización, ingresando a la propiedad de la empresa colombiana Terpel, con una red de estaciones de servicio en Colombia, Ecuador, Panamá, Perú y México. En Colombia, Abastible, a través de Inversiones del Nordeste, es propietaria de cinco empresas dedicadas a la distribución y comercialización de gas licuado, una fábrica de cilindros y una compañía de transporte por camiones de gas en cilindros y a granel[153]. A fines de 2016 Copec adquirió los negocios de Exxon Mobil (empresa con la que estaba asociada en Chile desde hacía varias décadas) en Colombia, Ecuador y Perú. Empresas Copec ocupa una posición de liderazgo en sus dos principales negocios, forestal y combustibles. Su condición de productor de celulosa de bajo costo a nivel mundial y la

---

[149] Entre las multilatinas chilenas ocupa el primer lugar por sus ventas consolidadas, que sumaron 18.110 millones de dólares en 2015. Para más detalles ver capítulo de Bucheli en este volumen.
[150] www.antarchile.cl.
[151] Copec, *Memoria*, 2015.
[152] Copec, *Memoria*, 2015; Corpesca, *Memoria*, 2015.
[153] Copec, *Memoria*, 2015.

integración vertical y horizontal de sus operaciones en el negocio forestal le permiten alcanzar ventajas competitivas. En el sector combustibles cuenta con una amplia red de distribución, una eficiente logística y ubicaciones estratégicas[154].

Conclusiones

El análisis histórico y comparado de las trayectorias de las 12 empresas chilenas presentes entre las cincuenta multilatinas más internacionalizadas en 2015 nos brinda en primer lugar un perfil general de las compañías. Sobresale sin duda la pertenencia a grupos económicos, una característica compartida por 11 de las 12 firmas. Salvo en el caso de SONDA, todas las demás empresas forman parte (o formaron parte, en el caso de TechPack) o bien de los grupos tradicionales (Angelini, Matte, Luksic) o bien de grupos de conformación más reciente (Cueto, Said, Paulmann/Cencosud, Solari-Del Río, Sigdo Koppers, Guilisasti-Larraín)[155]. Si incluyéramos en la muestra a otras siete multinacionales chilenas que se encuentran entre las 100 multilatinas más internacionalizadas comprobaríamos que seis de ellas también pertenecen a grupos[156]. En la mayor parte de los casos se trata de conglomerados cuya propiedad se encuentra en manos de una o más familias, pero con la gestión profesionalizada.

El formar parte de un grupo, además de ser una característica inherente a la mayoría de las grandes empresas chilenas (y latinoamericanas), significa sin duda una ventaja para su internacionalización. En primer lugar, por la escala en la que operan los conglomerados, por las funciones corporativas que ofrecen a sus afiliadas y por las sinergias entre ellas, pero también porque muchos de ellos cuentan con empresas en el sector financiero (bancos, seguros, AFP). Al mismo tiempo, el tamaño y la reputación de los grupos facilita el acceso a financiación tanto interna (inversores institucionales, emisión de acciones y obligaciones) como externa (vía deuda o emisión de ADR).

---

[154] Feller Rate, *Informe Copec*, 2015.

[155] Masisa entra también en dicha categoría, al ser una empresa controlada por el Grupo Nueva, cuyo principal accionista es un empresario suizo.

[156] Las empresas son SQM, Molymet, Banmedica, Ripley (vendida en 2016 a capitales mexicanos), CCU, ENAP (estatal) y Carozzi.

Desde el punto de vista sectorial las empresas analizadas se especializan en particular en dos tipos de actividades: las vinculadas a la explotación de recursos naturales y el comercio minorista. En el primer caso se trata tanto de empresas del complejo forestal, integradas en la cadena de valor (Arauco, CMPC, Masisa) como de compañías que operan en el sector bebidas (Andina, Concha y Toro). En el segundo, de empresas de retail multiformato (Cencosud, Falabella) con actividades en comercio minorista, sector financiero y sector inmobiliario. Empresas manufactureras como Sigdo Koppers o Madeco/TechPack están de algún modo vinculadas a la actividad minera, a través de la fabricación de insumos o de productos metálicos. Se trata en general de actividades maduras, que responden al perfil productivo del país, siendo LAN y SONDA las dos excepciones.

Un elemento a remarcar es que el perfil sectorial de las multilatinas chilenas se fue modificando a lo largo del tiempo. Los rankings de los años 1990 evidenciaban una presencia destacada de empresas de servicios públicos (5/15), que todavía se mantenía –aunque en menor proporción– a mediados de los años 2000 (4/17), pero que en 2010 se había reducido a una mínima expresión (2/20), incluyendo en los dos últimos casos a la petrolera estatal ENAP[157]. Otro sector que fue saliendo de los rankings fue el financiero. En ambos casos se debió a adquisiciones de firmas chilenas por parte de grandes compañías multinacionales que fueron consolidando su presencia en América Latina. También han ido desapareciendo recientemente otras empresas que fueron adquiridas por capitales externos en el sector farmacéutico (FASA), de retail (Ripley) y transporte marítimo (Sudamericana de Vapores).

En cuanto a los destinos de la inversión, la mayoría de las multilatinas chilenas forma parte de la categoría de *regional multinationals*, en la medida en que han limitado su radio de acción a los países latinoamericanos, en una trayectoria que en general se inició en los países limítrofes –Argentina y Perú– para ampliarse luego a otros países sudamericanos –fundamentalmente Brasil y Colombia, pero también Ecuador, Paraguay y Uruguay– y finalmente a México. Sin embargo, cabe también destacar que algunas compañías –Masisa, Concha y Toro, Arauco y Sigdo Koppers– se han expandido más allá de Latinoamérica, con inversiones en América del Norte las dos primeras y una presencia mucho más extendida en los casos de Arauco y Sigdo Koppers. En

---

[157] Los rankings mencionados pueden consultarse en López 1999, CEPAL 2005 y Muñoz *et al.*, 2013.

todos los casos la expansión geográfica fuera de América Latina se produjo a través de la compra de empresas de países desarrollados y en general tuvo lugar en años recientes, a partir de 2011. Ello indicaría una trayectoria de expansión gradual hacia mercados más lejanos y hacia un alcance global. En general las multilatinas chilenas han combinado la creación de filiales a través de inversiones *greenfield* con adquisiciones de firmas locales, siendo preponderante la segunda modalidad, que ha cumplido un rol clave en el acceso a información y al conocimiento sobre los mercados externos.

En cuanto a las finalidades de la inversión externa, la búsqueda de mercados ha sido un motor clave de la expansión externa de todas las compañías analizadas, dadas las dimensiones limitadas del mercado chileno. En algunos sectores, como el complejo forestal y la industria vitivinícola, se ha combinado con la búsqueda de recursos naturales. A estos dos objetivos, presentes desde los inicios de la IED chilena, se ha sumado en los últimos años la búsqueda de activos estratégicos a través de adquisiciones de empresas norteamericanas y europeas por parte de Arauco, Sigdo Koppers y Concha y Toro.

Una vez sintetizado el perfil de las firmas, cabe preguntarse por las ventajas con que han contado las multinacionales chilenas para competir satisfactoriamente en mercados externos y confrontar la evidencia obtenida con la teoría disponible. Pueden mencionarse en primer lugar las ventajas específicas del país (*country specific advantages*) que en gran parte han sido mencionadas en las páginas precedentes. Las reformas promercado primero, y luego las altas tasas de crecimiento en un marco de estabilidad institucional tras la reinstauración de la democracia, ofrecieron un ambiente muy favorable para la internacionalización de las empresas, que, como ya hemos mencionado, contaron con abundante acceso a financiación interna y externa, se vieron favorecidas en muchos casos con los tratados de libre comercio y en general pudieron beneficiarse con el buen posicionamiento internacional de Chile.

Mientras que tanto la pertenencia a grupos como la especialización en sectores maduros son características comunes a la mayor parte de las multilatinas, un aspecto particular de las chilenas es la presencia significativa de firmas que fueron privatizadas en las décadas de los años 1970 y 1980, en una proporción mucho mayor que en otros países latinoamericanos, lo cual responde a los profundos cambios que tuvieron lugar en dicho periodo en la economía de Chile y a su persistencia a lo largo del tiempo. Las privatizaciones, en sus diversas fases, fueron una fuente de oportunidades tanto para los grupos tradicionales como para los nuevos, salvo para las empresas de retail y para SONDA y Concha y Toro. Cabe destacar entonces que la internacionalización de firmas chilenas fue parte de un proceso más amplio de reconstitución del sector empresarial, que no solo experimentó importantes traspasos de propiedad y un proceso de concentración, sino que pasó también a desempeñar un rol muy activo en el marco de una economía abierta y desregulada, con políticas públicas *market friendly*.

Las ventajas específicas del país se combinaron virtuosamente con la capacidad de las empresas para desarrollar *firm specific advantages* en un entorno competitivo, entre los que se destacan las capacidades organizativas y de gestión (vía la profesionalización del management y la racionalización), la habilidad para llevar a cabo innovaciones incrementales y el desarrollo de modelos de negocios exitosos que fueron luego replicados en las filiales externas (integración de la cadena de valor en el complejo forestal, retail multiformato, combinación de transporte de carga y de pasajeros en el caso de LAN, diversificación relacionada en el sector vitivinícola o de bebidas). Otro sustento de la competitividad de las multilatinas chilenas ha sido su capacidad de establecer alianzas con grandes compañías internacionales (que se han mencionado a lo largo del texto) y de gestionar las fusiones y adquisiciones (que como ya vimos en los últimos años han incluido a varias empresas de países desarrollados). La pertenencia a grupos ha favorecido estos procesos a través de la escala, del acceso a recursos humanos, naturales y financieros, de las sinergias entre las compañías y de la capacidad de los conglomerados para el desarrollo de proyectos.

La evidencia proporcionada por los casos estudiados pone en guardia contra las explicaciones monocausales que, o bien ponen el énfasis en el *liberalization know how*, o bien en la transferencia de recursos del Estado a las empresas privadas, ofreciendo una visión más matizada y compleja, en la que se combinan contexto, políticas públicas y capacidades competitivas de las firmas. En cuanto a sus tiempos, la internacionalización ha tenido lugar en forma gradual desde dos puntos de vista. El primero se refiere a que en general las empresas, tras su fundación, se expandieron primero en el país –en la mayor parte a lo largo de varias décadas– para luego hacerlo hacia el exterior (con la clara excepción de SONDA), y varias de ellas comenzaron exportando para luego pasar a la inversión directa. El segundo apunta a que una vez iniciada la internacionalización, en general comenzaron por los países limítrofes para luego ir avanzando hacia otros de América Latina y eventualmente hacia América del Norte y Europa.

Confrontando las experiencias de las multilatinas chilenas con la teoría disponible, se destacan al menos dos elementos. El primero es que si bien la internacionalización constituyó una experiencia de aprendizaje, potenciada por las asociaciones y adquisiciones, las empresas contaban con ventajas de propiedad previas, que habían sido construidas en el mercado local, y les permitieron competir con éxito al salir al exterior. Incluso fueron adoptando en el extranjero innovaciones que desarrollaron en el país de origen, por ejemplo el multiformato en el retail. El segundo punto a remarcar es que la expansión externa fue gradual y comenzó hacia los países con menor distancia geográfica y psíquica, para ampliarse luego hacia otros territorios. Estas evidencias llevan a señalar la pertinencia del paradigma OLI, de la *stage theory* de Uppsala y de las propuestas que, como la de Guillén y García Canal, sostienen su validez, más allá de la necesidad de adaptarlas a la idiosincrasia de las multilatinas y al contexto de la segunda economía global. Solo el caso de SONDA –al igual que el de otras multinacionales latinoamericanas de tecnología de la información– parece responder a la categoría de *born globals* y responder en algunos aspectos al paradigma LLL.

Referencias

ALBECK W. and HUTH S. (2014). "The Internationalization Process of Multilatinas from Chile", en Bryan Christiansen (ed.), *Handbook of Research on Economic Growth and Technological Change in Latin America* , Hershey, PA, IGI Global, pp. 209-229.

AMÉRICA ECONOMÍA. *Ranking Multilatinas 2016*. Disponible en www.americaeconomia.com.

BARBERO M. I. (2014). *Multinacionales latinoamericanas en perspectiva comparada. Teoría e historia*, Bogotá, Universidad de los Andes, Serie Cátedra Corona, n° 23.

BRAVO HERRERA F. (2004-05). *Caso Lan Chile*. Disponible en http://www.repositorio.uchile.cl/handle/2250/127310.

CALDERÓN HOFFMANN A. (2006). "El modelo de expansión de las grandes cadenas minoristas chilenas", *Revista de la CEPAL*, 90, pp. 151-170.

CALDERÓN A. (2007). "Outward Foreign Direct Investment by Enterprises from Chile", en UNCTAD, *Global Players from Emerging Markets*, New York and Geneva, UN, pp. 37-48.

CASANOVA L. (2009). *Global Latinas*, Houndmills, PalgraveMacmillan/INSEAD.

Comisión Económica para América Latina (cepal). (2005). *La inversión extranjera directa en América Latina y el Caribe 2004*, Santiago de Chile, onu.

Comisión Económica para América Latina (cepal). (2015). *La inversión extranjera directa en América Latina y el Caribe 2014*, Santiago de Chile, onu.

Comisión Económica para América Latina (cepal). (2016). *La inversión extranjera directa en América Latina y el Caribe 2015*, Santiago de Chile, onu.

Chile. (2004). *Informe Comisión Privatizaciones Cámara de Diputados*.

Chudnovsky D., Bernardo K. y López A. (eds.) (1999). *Las multinacionales latinoamericanas: sus estrategias en un mundo globalizado*, Buenos Aires, Fondo de Cultura Económica.

Dahse F. (1983). *El poder de los grandes grupos económicos nacionales*, Contribuciones, Programa flacso. Santitago de Chile, número 18 (mimeo).

Del Sol P. (2010). "Chilean Regional Strategies in Response to Economic Liberalization", *Universia Business Review*, Primer cuatrimestre, pp. 112-130.

Deshpande R., Herrero G. and Reficco E. (2010). *Concha y Toro*, Harvard Business School Case 509-018.

Departamento de Inversiones en el Exterior (die). (2016). Ministerio de Relaciones Exteriores, Chile, *Presencia de inversiones directas de capitales chilenos en el mundo, 1990-diciembre 2015*, Santiago de Chile.

Dunning J. and Lundan S. (2008*), Multinational Enterprises and the Global Economy*, Chentelham, Edward Elgar (Second Edition).

Finchelstein D. (2012). "Políticas públicas, disponibilidad de capital e internacionalización de empresas en América Latina: los casos de Argentina, Brasil y Chile", *Apuntes. Revista de Ciencias Sociales*, n° 70, pp. 103-134.

Guillén M. and García Canal E. (2009). "The American model of the multinational firm and the 'new' multinationals from emerging economies," *Academy of Management Perspectives* 3:2, pp. 23-35.

Guillén M. y García Canal E. (2010). *The New Multinationals*, Cambridge, Cambridge University Press.

Hachette D. (2000). "Privatizaciones: Reforma Estructural pero Inconclusa", en Felipe Larraín y Rodrigo Vergara (eds), *La transformación económica de Chile*, Santiago de Chile, Centro de Estudios Públicos.

Islas Rojas G. A. (2011). "Gobierno Corporativo y Estructura de la Propiedad en Chile: 1854-2005", en Geoffrey Jones y Andrea Lluch (eds), *El impacto histórico de la globalización en Argentina y Chile*, Buenos Aires, Temas.

JOHANSON J. y VAHLNE J.-E. (1977). "The Internationalization Process of the Firm. A Model of Knowledge Development and Increasing Foreign Market Commitments", *Journal of International Business Studies*, vol.8, n°:1, pp. 23-32.

JOHANSON J. y FINN W-P. (1975). "The internationalization of the firm: four Swedish cases", *Journal of Management Studies*, vol.12, 3, pp. 305-322.

JONES G. (2005). *Multinationals and Global Capitalism*, Oxford, Oxford University Press.

JURETIC J. y WIGODSKI T. (2013). *Caso Lan Airlines. Integrando Tres Estrategias de Negocios*, Universidad de Chile, Ingeniería Industrial, Documentos de Trabajo, Serie Gestión, n° 146.

KANDELL J. (2013). "How Multilatinas are Taking over the World", *Institutional Investor*, March, 25, 2013. Disponible en www.institutionalinvestor.com

LEFORT F. (2010). "Business Groups in Chile", en Asli Colpan, Takashi Hikino y James Lincoln (eds.), *The Oxford Handbook of Business Groups*, Oxford, Oxford University Press.

LÓPEZ A. (1999). "El caso chileno", en Chudnovsky, Daniel, Bernardo Kosacoff y Andrés López (eds.), *Las multinacionales latinoamericanas: sus estrategias en un mundo globalizado*, Buenos Aires, Fondo de Cultura Económica, pp. 259-300.

MARTÍNEZ ECHEZÁRRAGA J. (2008). "Grandes familias empresarias en Chile. Sus características y aportes al país (1830-2012)", en Paloma Fernández Pérez y Andrea Lluch (eds), *Familias empresarias y grandes empresas familiares en América Latina y España*, Bilbao, Fundación BBVA, pp. 409-436.

MATHEWS J. A. (2002). *Dragon Multinational. A New Model for Global Growth*, Oxford, Oxford University Press.

MATHEWS J. A. (2006). "Dragon multinationals. New players in 21st century globalization", *Asia Pacific Journal of Management*, 23:1, pp. 5-27.

MUÑOZ F., PÉREZ LUDEÑA M. y PONIACHIK D. (2013). *A Snapshot of Chile 20 largest multinational enterprises in 2011*, ECLAC-Vale Columbia Center.

MUÑOZ O. (1996). "Hacia el Estado regulador", en Oscar Muñoz (ed), *Después de las privatizaciones. Hacia el Estado Regulador"*, Santiago de Chile, CIEPLAN, pp. 17-48.

Narula R. (2006). "Globalization, new ecologies, new zoologies, and the purported death of the eclectic paradigm", *Asia Pacific Journal of Management*, 23: pp. 143-151.

Oviatt B. and McDougall P. (1994). "Toward a Theory of International New Ventures", *Journal of International Business Studies*, pp. 45-64.

Paredes R. y Sánchez J. M. (1996). "Grupos Económicos y Desarrollo. El caso de Chile" en Jorge Katz (ed), *Estabilización macroecónomica, reforma estructural y comportamiento industrial*, Buenos Aires, CEPAL/ IDRC-Alianza Editorial.

Pérez Ludeña M. (2011). *The top 20 multinationals in Chile in 2010: retail, forestry and transport lead the international expansion*, Santiago de Chile, CEPAL/Vale Columbia Center.

Ramamurti R. (2009). "Why study emerging-market multinationals", en Ramamurti, RAVI and Singh, Jitendra (eds.), *Emerging Multinationals in Emerging Markets*, Cambridge, Cambridge University Press.

RAZO C. y Calderón A. (2010). *Chile's outward fdi and its policy context*, Vale Columbia Center, Columbia fdi Profiles, March 12, 2010.

Rivera Urrutia E. (2014*). Empresas multinacionales latinoamericanas. Los casos de Brasil y Chile*, Corporación Andina de Fomento, Serie Políticas Públicas y Transformación Productiva, N° 15/2014.

Rugman A. (2005). *The Regional Multinationals*, Cambridge, Cambridge University Press.

Salvaj E. and Couyoumdjian J.P. (2016). "'Interlocked' business groups and the state in Chile (1970-2010)", *Business History*, Volume 58, pp. 129-148.

United Nations Conference on Trade and Development (unctad). (2000). *World Investment Report (WIR)*, New York and Geneva, United Nations.

United Nations Conference on Trade and Development (unctad). (2007). *World Investment Report (WIR)*, New York and Geneva, United Nations.

United Nations Conference on Trade and Development (unctad). (2010). *World Investment Report (WIR)*, New York and Geneva, United Nations.

United Nations Conference on Trade and Development (unctad). (2012). *World Investment Report (WIR)*, New York and Geneva, United Nations.

United Nations Conference on Trade and Development (unctad). (2013). *World Investment Report (WIR)*, New York and Geneva, United Nations.

United Nations Conference on Trade and Development (unctad). (2016). *World Investment Report (wir)*, New York and Geneva, United Nations.

Universidad del Desarrollo. Facultad de Economía y Negocios, *Ranking de Grupos económicos-rge*, julio 2016.

Undurraga T. (2012). "Transformaciones sociales y fuentes de poder del empresariado chileno (1975-2010)", *Ensayos de Economía*, No. 41, pp. 201-225.

Williamson P., Ramamurti R., Fleury A. y Leme Fleury M.T. (eds.) (2013). *The Competitive Advantage of Emerging Market Multinationals*, Cambridge, Cambridge University Press.

Wolf R. (2012). "Using theoretical models to examine the internationalization of company Viña Concha y Toro". *Revista de Negocios Internacionales* Vol. 5-1, pp. 7-19.

Entrevistas

Entrevista con Guillermo Luksic. *Revista Qué Pasa*, 27-03-2013. Disponible en http://www.quepasa.cl/articulo/negocios/2013/03/16.

Entrevista con Andrónico Luksic Craig entrevistado por Andrea Lluch. Santiago, Chile, 2008, Creating Emerging Markets Oral History Collection, Baker Library Historical Collections, Harvard Business School.

Entrevista con Eliodoro Matte Larraín, entrevistado por Andrea Lluch. Santiago, Chile, 2008, Creating Emerging Markets Oral History Collection, Baker Library Historical Collections, Harvard Business School.

Entrevista con Horst Paulmann Kemna, entrevistado por Andrea Lluch. Santiago, Chile, 2008, Creating Emerging Markets Oral History Collection, Baker Library Historical Collections, Harvard Business School.

Entrevista con Rafael Guilisasti Gana, entrevistado por Andrea Lluch. Santiago, Chile, 2008, Creating Emerging Markets Oral History Collection, Baker Library Historical Collections, Harvard Business School.

Entrevista con Reinaldo Solari, entrevistado por Andrea Lluch. Santiago, Chile, 2008, Creating Emerging Markets Oral History Collection, Baker Library Historical Collections, Harvard Business School.

Memorias de empresas

Arauco, *Memoria*, 2015.
Cencosud, *Memoria*, 2015.
CMPC, *Memoria*, 2015.
Coca Cola Andina, *Memoria*, 2016.
Concha y Toro, *Memoria*, 2016.
Corpesca, *Memoria*, 2015.
Empresas Copec, *Memoria Anual*, 2015.
Falabella, *Memoria*, 2015.
LAN, *Memoria Anual*, 2011.
Masisa, *Memoria*, 2015.
Sigdo Koppers, *Memoria*, 2015.
SONDA, *Memoria Anual*, 2016.
Techpack, *Memoria*, 2015.
Terranova, *Memoria*, 2004.

Informes de calificadoras de riesgo

Feller Rate, Embotelladora Andina SA, 2011.
Feller Rate, *Informe Copec 2015*.
Feller Rate, *Informe Falabella 2015*.
Fitch, CMPC *2015*.